A Mario Bustos
con agradecimiento
por su ayuda.

21-XII-1990.

LA FICCIÓN BREVE DE VALLE-INCLÁN

AUTORES, TEXTOS Y TEMAS
LITERATURA

Colección dirigida por Laureano Bonet

10

Luis T. González del Valle

LA FICCIÓN BREVE DE VALLE-INCLÁN

Hermenéutica y estrategias narrativas

La ficción breve de Valle-Inclán : Hermenéutica y estrategias narrativas / Luis T. González del Valle. — Barcelona : Anthropos, 1990. — 384 p. ; 20 cm. — (Autores, Textos y Temas. Literatura ; 10)
Bibliografía p. 331-369
ISBN 84-7658-236-6

I. Título II. Colección 1. Valle-Inclán, Ramón M.ª del - Crítica e interpretación
860Valle-Inclán, Ramón M.ª del1.06
860.07-03"19"

Primera edición: octubre 1990

Edita: Editorial Anthropos. Promat, S. Coop. Ltda.
Vía Augusta, 64. 08006 Barcelona
ISBN: 84-7658-236-6
Depósito legal: B. 32.276-1990
Fotocomposición: Seted. Sant Cugat del Vallès
Impresión: Novagràfik. Puigcerdà, 127. Barcelona

Impreso en España - *Printed in Spain*

A Dorothy y William Robertson
A Ramón Hernández
A mis estudiantes de Nebraska

A distinguir me paro las voces de los ecos,
y escucho solamente, entre las voces, una.

ANTONIO MACHADO,
Campos de Castilla

[...] *el derecho de verter luz no se adquiere*
sino consumiéndose en el fuego.

JOSÉ MARTÍ,
«Manuel Acuña»

¿Por qué estamos aquí, cómo vinimos...
a este lugar en donde el sueño se nos cumple
incumpliéndose? Pregunto a lo que soy y a
lo que juntos fuimos.

ILDEFONSO-MANUEL GIL,
De persona a persona

RECONOCIMIENTOS

Deseo expresar mi agradecimiento al Comité Conjunto Hispano Norteamericano para Asuntos Educativos y Culturales por una beca posdoctoral; a la Universidad de Nebraska-Lincoln por un «Development Leave» y un «Grants-in-Aid» que facilitaron mis investigaciones; a la Universidad de Colorado en Boulder por becas otorgadas por su Council on Research and Creative Work e IMPART (Programa para la Implementación de Perspectivas y Acercamientos Multiculturales en la Investigación y la Enseñanza); al Ministerio de Asuntos Exteriores de España por la beca Menéndez Pelayo; a la Hemeroteca Municipal de Madrid, a la Biblioteca Nacional de España, a la Biblioteca del Ateneo de Madrid y a los departamentos de «Interlibrary Loan» de Kansas State University y de la Universidad de Nebraska-Lincoln, por hacer posible mi adquisición de muchos de los textos creativos y críticos que necesitaba para este libro; y al Ministerio de Cultura español por invitarme a las celebraciones del cincuentenario de Valle-Inclán en mayo de 1986.

También quiero recordar a aquéllos que, de una forma u otra, han hecho posible este libro. A Sumner M. Greenfield y H.L. Boudreau, los cuales, con su magisterio y ejemplo, siempre estimularon mi curiosidad y mi entusiasmo por la labor investigadora. A Darío Villanueva, que facilitó mi labor bibliográfica; a Dolores Blanco Arnejo, por localizar los textos de Valle en Galicia y por leer el manuscrito; a Vicente Gil —librero entre libreros—, que ha sabido encontrar textos prácticamente inaccesibles; a Joaquín del Valle-Inclán, por su envío de una copia de la segunda edición de *Jardín Umbrío*; a Margarita Santos Zas, por hacerme llegar una versión de «Un cabecilla»; a Rita Ricaurte, Celesta Porritt, Linda Sperber y Sandy Adler, por su cuidadosa transcripción del manuscrito; a Ramón Hernández, por su extraordinaria generosidad y por la atenta lectura y autorizados comentarios de mis trabajos; a Kay Nickel, con la que he discutido diversos aspectos de este libro; a Mercedes Tasende Grabowski y María Bustos Fernández, por su lectura del manuscrito. Y a mis padres, ¿qué puedo decirles? Leyeron y comentaron secciones del manuscrito; ellos me acompañan siempre. Y por último, a Jeanne, a Luisito y a Alexis, les tengo que volver a pedir perdón por descuidarles tanto y por mi mal carácter cuando estoy enfrascado en mi trabajo. Ellos han demostrado gran paciencia, y a ellos, aunque yo no sepa siempre expresarlo, les debo mucho: les debo esa paz espiritual que me permite hacer lo que hago, consciente como soy de que son buenos y de que nos queremos.

LUIS T. GONZÁLEZ DEL VALLE

De la Academia Norteamericana
de la Lengua Española
University of Colorado at Boulder,
febrero (mes de Alexis) de 1989

INTRODUCCIÓN

> Valle-Inclán ha recorrido las librerías con *Epitalamio*; no ha colocado más que cuatro o seis ejemplares. Genialmente, con altivez magnífica, Valle-Inclán abre la ventana del café y lanza su librito a la calle.
>
> AZORÍN[1]

Termina el siglo XIX en España con singular efervescencia. En lo político y lo social, la España de la Restauración está cansada, desalentada, y por doquier se percibe una gran insatisfacción. En ultramar ha perdido sus últimas colonias, lo que provoca una crisis nacional que continuará en el siglo XX, momento de una negativa actitud vital e histórica bien documentada en *Luces de bohemia*.[2] Y es que si el siglo XIX fue turbulento, el XX lo será aún más. Los jóvenes creadores hállanse inconformes durante estos años y, por ello, exploran nuevos acercamientos al fenómeno literario —las nuevas tendencias de la época—, sin que importe mucho su origen. Si bien el siglo XIX fue sumamente rico en el cultivo de la novela —con figuras como Charles Dickens, Honoré de Balzac, Gustave Flaubert, Fedor Dostoievski y Benito Pérez Galdós—, las nuevas generaciones exploran diferentes posibilidades estéticas que puedan saciar más sus aspiraciones y que, probablemente, se acoplen mejor a su problemática.[3]

En este ambiente comienza a escribir Ramón del Valle-Inclán. Gallego, hijo de España y de su época, don Ramón es testigo de las vicisitudes que asediaban al creador por esos años. Es también lector ávido de obras literarias españolas y extranjeras: se sabe con certeza que leyó y utilizó en sus creaciones textos escritos por los grandes del siglo XIX (por ejemplo, Dostoievski y D'Annunzio).[4] En este sentido, se le puede concebir como heredero de una rica y fecunda tradición de fabuladores, de intelectuales que, años más tarde —en la década de los veinte—, facilitarán la renovación de la narrativa en Norteamérica y Europa al ser emulados por los grandes de esos años.[5]

Valle-Inclán comenzó su carrera de escritor con textos breves. Al hacerlo, indudablemente, cultiva un género literario que tuvo marcada importancia, y en el que ejercieron sus habilidades creativas durante el siglo XIX figuras como Edgar Allan Poe, Guy de Maupassant, Prosper Mérimée e Ivan Turgueniev.[6] Como autor de relatos cortos, Valle-Inclán contrae una deuda con quienes le preceden, a la vez que desarrolla una obra propia que alcanza gran calidad literaria en algunas de las cincuenta y tres narraciones que serán objeto de estudio en esta monografía.

Un anticipo sintético: la ficción breve de Valle-Inclán

> [...] la verdad esencial no es la baja verdad que descubren los ojos, sino aquella otra que sólo descubre el espíritu unida a un oculto ritmo de emoción y de armonía que es el goce estético.
>
> RAMÓN DEL VALLE-INCLÁN[7]

La atención dispensada a Ramón del Valle-Inclán como escritor se ha debido, fundamentalmente, a los diversos géneros literarios que cultivó, a la variedad conceptual de sus escritos, a la calidad de sus textos y, sin duda, al hecho de que en sus cuentos, novelas, dramas y ensayos, ofrece visiones muy diferentes de la realidad. Por ejemplo, del aparente carlismo retrógrado en algunos textos tempranos, avanza a una dura censura de esas normas sociales y éticas que para él constituían defectos en la sociedad española. De una visión milagrera-gallega del cosmos, evoluciona a otra donde el ser humano es responsable de sus actos. De obras obviamente preocupadas por la expresión de lo bello, progresa a otras donde esta pasión se centra en conceptos estéticos con bases mucho más filosóficas. Quizá estos aparentes cambios de enfoque a través del devenir literario de Valle no sean tan reales como se creía hasta años recientes, cuando se empezó a estudiar de forma intensa su obra *La lámpara maravillosa*, en la que el gran escritor gallego define su estética y donde se observa una mayor coherencia en sus percepciones sobre la literatura.[8] Por otra parte, Valle-Inclán es un escritor que, si bien ha apasionado a muchos lectores, repele a otros por lo que afirma en sus obras y por los recursos artísticos que utiliza.[9] Y es que la estética de don Ramón se adelantó mucho a la de su época, lo que justifica que sólo en los últimos veinte años la comprensión y estima de sus obras hayan alcanzado un nivel más elevado.[10]

Hace más de tres décadas, el insigne hispanista Federico de Onís se expresó sobre la poesía de Valle-Inclán después de vincularla con Quevedo e indicar cómo don Ramón se valía de un «lenguaje plebeyo madrileño moderno y rústico» y, a la vez, de un «lenguaje misterioso». Y, añade el crítico: «Con esta materia hará sus cuadros de figuras caricaturescas y colores recortados y disonantes: obras maestras de un arte que, aunque tiene sus antecedentes literarios y pictóricos, adquiere por su perfección e intensidad, por su verdad española y universal, todo el valor de un arte nuevo».[11] Lo dicho sobre la poesía de Valle por Federico de Onís es, en mi opinión, aplicable a toda su literatura y, por supuesto, a los relatos breves que nos conciernen en este volumen.[12]

En términos ideológicos, se observa en la narrativa breve de Valle-Inclán una preocupación por problemas españoles y universales: de hecho, muy a menudo, don Ramón tiene la habilidad de dar una dimensión universal a situaciones que, a primera vista, dan la impresión de ser esencialmente locales. Es así como se presenta la distancia entre lo que se nos dice que debe ser la realidad española y lo que en verdad es. En este sentido, por ejemplo, no sólo se percibe una crítica de ciertas circunstancias en un país específico, sino también de cómo el mundo moderno está muy lejos de cumplir con lo que constantemente promete, al carecer de verdadera autenticidad los organismos gubernamentales que nos rigen. Entidades que favorecen públicamente una elevada conducta ética sin que ello las obligue a ponerla en acción, pues, en última instancia, tienen que hacer frente a los conflictos prácticos del momento. Esta contradicción no sólo opera abiertamente en textos como «Una tertulia de antaño» y *Rosita*, sino que también existe en un plano personal cuando el amor, por sólo mencionar un caso, pierde su autenticidad en relatos como «La Condesa de Cela». Al dejar de ser el amor lo que debiera ser, esta emoción queda desvirtuada de sus atributos usuales, algo que a su vez lleva a la deshumanización del ser humano.

En el arte de Valle-Inclán, la deshumanización a que he hecho referencia es de capital importancia, y le lleva a parodias intertextuales que justifican su punto de vista y que, con gran frecuencia, desembocan en ambientes donde predomina lo lúdico como una posible solución a la problemática del hombre moderno. En el caso de los relatos que nos ocupan, lo lúdico no sólo se manifiesta en términos conceptuales, sino también por medio de una posición estética que, si bien innovadora en términos artísticos, tiene, en última instancia, la responsabilidad de enfrentar al individuo con su triste existencia dentro de un mundo donde las fuerzas deshumanizantes predominan, según se deduce del marcado énfasis que lo plástico posee en la ficción narrativa de don Ramón.[13] En este sentido, el énfasis de lo plástico lleva al autor a pintar cuadros estereotipados de lo individual: lo psicológico es secundario, ya que para él, muy a menudo, lo genérico es lo que nos permite comprender lo individual. A tal efecto, recuérdese «Eulalia». En este texto, un mundo idílico, que resulta ser auténtico en sí mismo, es violentado por fuerzas disruptivas y espúreas. La ya aludida confrontación es lo que nos permite comprender las vicisitudes que afectan a los protagonistas del relato, sobre cuya dimensión psicológica prácticamente no sabemos nada.

Como ya ha sido aseverado por un gran número de críticos, Valle-Inclán fue un hombre defraudado por la bajeza y por la mediocridad ética, estética y espiritual del mundo moderno y, por supuesto, de la España en que le tocó vivir. Su literatura se convierte así en un intento de respuesta a todo esto. Respuesta en el sentido de plantear con rigor y efectividad lo que creía que observaba a su alrededor y en su indeclinable vocación de explorar formas nuevas de comunicación, que le permitiesen expresar lo que para él era auténtico y, por tanto, fundamental en el hombre.

En las raíces de la humanidad encuentra Valle-Inclán las fuerzas que pueden redimir al ser y que le permiten retornar a lo que es genuino. De esta exploración proviene, en parte, la preocupación de don Ramón por lo arquetípico, aquello que por medio de ritos semejantes al que opera en *Augusta*, puede actualizar el ayer en el hoy del ser humano. Simultáneamente, Galicia se convierte para él, en muchos de sus relatos breves, en un lugar cuyos orígenes ancestrales conectan al hombre con lo verdaderamente valioso de su pasado (recuérdese, por ejemplo, cómo en «La adoración de los Reyes» lo gallego es relacionado con el nacimiento de Cristo, o cómo religión y sensualidad se fusionan en muchos de sus relatos).[14] En todo esto busca Valle-Inclán lo eterno, lo esencial y lo primordial: hacerlo es eminentemente lógico si el ser humano moderno va a poder escapar —o transcender, si se quiere— de su deficiente circunstancia.[15]

Nada de lo aquí discutido es dado por don Ramón de forma claramente didáctica. Su arte es, por encima de todo, esencialmente enigmático.[16] Lo diabólico, lo sobrenatural y lo colectivo juegan un papel muy importante en la expresión de lo enigmático, como bien está documentado en «Rosarito», «Beatriz» y «Mi hermana Antonia», textos donde la acción transcurre en una Galicia milagrera y, por consiguiente, con fuertes raíces ancestrales. Este es un arte de atmósferas y ambientes misteriosos (de hecho, existe un cuento —«Del misterio»— cuyo objetivo es explorar lo arcano y su influencia en el ser humano).

Frecuentemente, las narraciones breves de Valle-Inclán son auto-conscientes, en el sentido de que se percibe en ellas una conciencia de su poder expresivo, de su efectividad en la comunicación de atmósferas nada concretas. Este efecto surge a veces como resultado de que algunos de estos cuentos responden a historias recordadas. Es decir, un individuo en su hoy rememora su pasado. Al hacerlo, el ayer es inevitablemente manipulado al ejercer influencia en el hoy de su narrador. Esta manipulación no tiene que ser consciente por parte del narrador para que alcance la eficacia que le he atribuido. Y es que la contraposición del hoy y del ayer en un ser humano lleva a un forcejeo de perspectivas nada precisas, que, al mismo tiempo, facilitan la presencia de enigmas en el relato, ya que los narradores en primera persona tienden generalmente a ser indignos de confianza, característica que pone en entredicho sus impresiones de algo y dificulta, por consiguiente, la labor del lector.

* * *

Las narraciones breves de Valle-Inclán han atraído poca atención crítica si se comparan con otras obras suyas. Quizá ello se deba a que aquéllas son sus primeras creaciones y, por tanto, es lógico que algunos de estos textos ofrezcan ciertas deficiencias estilísticas. Esta actitud de la crítica ha llevado a especialistas como José Manuel García de la Torre a considerar, recientemente, que el valor de algunos de estos relatos recae en que «pueden considerarse como puntos de partida hacia otra más acabada manera» de escribir.[17] La percepción de García de la Torre cobra fuerza si se recuerda que Valle-Inclán tenía la costumbre de integrar sus textos tempranos en creaciones posteriores también suyas.[18] Por su parte, otros especialistas valoran por sí mismos los relatos breves, sin olvidar, por supuesto, la tendencia de Valle a reutilizarlos intratextualmente cuando lo cree oportuno.[19]

En relación con la integración de las narraciones breves en obras más amplias, cabe citar la republicación de estos relatos en diversas versiones que, a veces, son prácticamente idénticas a las anteriores y que, en otros casos, contienen cambios substanciales.[20] Estas últimas paralelan la asimilación dentro de obras posteriores, en el sentido de que en aquéllas, en general, se observan importantes cambios en los textos breves, al mismo tiempo que ellos quedan integrados. Estas modificaciones son, en mi opinión y en la de diversos críticos, indicio de un proceso de perfeccionamiento que es identificable en la carrera literaria de don Ramón.[21] Además, y como bien ha afirmado Carol S. Maier, este fenómeno responde, probablemente, a factores del proceso imaginativo de Valle, que le llevan a la «formación de un texto estético disperso a lo largo de varias obras».[22] Sea lo que fuere, de lo que sí hay certeza, sin embargo, es que tantas variantes requieren la publicación de unas obras verdaderamente completas de Valle-Inclán, textos donde se contrasten con claridad las divergencias existentes entre sus relatos; algo a lo que ya ha contribuido substancialmente la profesora Eliane Lavaud al haber identificado muchos de los escritos del gran gallego.[23]

Metodología y organización de este libro

El estudio de las narraciones breves de Valle-Inclán es para mí importante por dos razones fundamentales: 1) frecuentemente estos textos son valiosos como creaciones artísticas, y 2) es común que en ellos se anticipen aspectos importantes de la producción posterior de Valle-Inclán.

* * *

Como bien ha dicho David K. Herzberger, todo en la ficción es inventado: aun cuando seres o lugares reales —con existencia documentable fuera de un texto— son utilizados en un relato ficticio, se sabe positivamente que no son verdaderamente reales, sino más bien entidades hechas con palabras que responden a las necesidades del texto en el cual aparecen. Es decir, lo aparentemente real está subordinado a aquello que el narrador pretende expresar en su relato.[24] Esta percepción de Herzberger me inclina a evitar la ubicación de las narraciones breves de Valle-Inclán dentro de su vida y a concentrarme en ellas y en sus elementos constituyentes como obras de arte, al objeto de determinar ciertos conceptos expresados en ellas y de identificar los recursos narrativos utilizados en estos relatos.[25]

Trataré de alcanzar mis objetivos valiéndome de diferentes premisas que facilitan la interpretación de los códigos hermenéuticos imperantes en los textos que nos conciernen. Fundamentalmente, sin embargo, utilizaré los conceptos narratológicos que se prestan a mis propósitos, ya que ésta es la disciplina que estudia la naturaleza, forma y funcionamiento de la narrativa sin que importe qué manifestación de este tipo de textos es utilizada. Es decir, en mi estudio me preocupo de la ficción narrativa sin detenerme a diferenciar entre una novela y un cuento, distinciones que en mi opinión no son necesarias para lograr los objetivos propuestos.[26]

Al considerar en términos teóricos la ficción narrativa, me valgo principalmente del libro de Shlomith Rimmon-Kenan, *Narrative Fiction: Contemporary Poetics.*[27] Lo hago por varias razones: 1) en este tomo se sumarizan y comentan obras teóricas en torno a la narratología con precisión crítica y marcada sencillez (lo cual quiere decir que éste es un texto eminentemente práctico, a la vez que se vale de una metodología muy moderna); 2) en lo posible, se persigue la consistencia de las apreciaciones; para lo cual es útil vincularse a una misma obra de referencia en la que se utilizan, de forma sistemática, una serie de términos técnicos, evitando, en lo posible, la mezcla con otros que puedan confundir más que elucidar; y 3) el uso del libro de Rimmon-Kenan no impide que se instrumenten otros conceptos que no están incluidos en él o que son explorados de forma más detallada en otros textos teóricos. En general, mi empleo de fuentes narratológicas responde a cómo yo las interpreto y a mi visión de la literatura, ya que, para bien o para mal, no puedo creer en la efectividad de la aplicación mecánica de fórmulas preconcebidas.[28]

* * *

En este libro se estudian, en capítulos independientes, *Rosita*, «Eulalia», *Augusta*, «La Condesa de Cela», «La Generala», «Rosarito», «Beatriz», y «Mi hermana Antonia». En dos capítulos mixtos se analizan, respectivamente, los restantes relatos incluidos en *Jardín Umbrío* y los cuentos sueltos de Valle-Inclán, aquéllos que hoy en día no aparecen en una colección. Además, el libro contiene breves introducciones a *Corte de amor* y *Jardín Umbrío*, una conclusión sintética y un apartado bibliográfico.

Mis disculpas al lector, pues temo que a veces abuso de su paciencia al valerme de muchas notas que pretenden aclarar aspectos secundarios o que se concentran en la bibliografía disponible. Mi única excusa es que no quiero expropiar conceptos que no son míos. Es decir, siempre he creído en el proceso evolutivo de la crítica, y considero de importancia fundamental estar familiarizado con las aportaciones de mis colegas.

Por último, y a no ser que ello quede indicado de otra forma, he traducido al castellano —con cierta libertad— los pocos textos críticos en inglés y francés que he citado directamente.

NOTAS

1. «Un artículo de Azorín. La Generación de 1898», *La Esfera*, 17, 25 de abril (1914), s.p.
2. Alonso Zamora Vicente, «Prólogo», *Luces de bohemia* (Madrid, Espasa-Calpe, 1983[4], p. LIII), afirma, entre otros, que esta

obra «es, pues, una monumental edición crítica de la sociedad española contemporánea. Todo se nos ofrece en ruina escandalosa [...]».

3. Son muchos los textos históricos que documentan esto. Véanse: Gabriel Tortella Casares, Casimiro Martí y Martí, José María Jover Zamora, José Luis García Delgado y David Ruiz González, *Revolución burguesa, oligarquía y constitucionalismo*, en *Historia de España*, dirigida por Manuel Tuñón de Lara, vol. 8 (Barcelona, Labor, 1981[2]), Hugh Thomas, *La guerra civil española*, vol. 1 (Madrid, Urbión, 1979, pp. 18-54), y Raymond Carr, *España 1808-1975* (Barcelona, Ariel, 1984[2]). En la literatura, entre otros, nos dan un fondo de este período José-Carlos Mainer, *La Edad de Plata (1902-1939). Ensayo de interpretación de un proceso cultural* (Madrid, Cátedra, 1981), Sonya A. Ingwersen, *Light and Longing: Silva and Darío. Modernism and Religious Heterodoxy* (Nueva York, Peter Lang, 1986), Allen W. Phillips, «Algo más sobre la bohemia madrileña: testigos y testimonios», *Anales de la Literatura Española*, 4 (1985, pp. 327-362), Federico Carlos Sainz de Robles, *El espíritu y la letra (Cien años de literatura española: 1860-1960)* (Madrid, Aguilar, 1966, pp. 57-144), Ricardo Baroja, *Gente del 98*, en *Obras Selectas* (Madrid, Biblioteca Nueva, 1967 [publicado originalmente en 1935]), Luis S. Granjel, *Maestros y amigos de la generación del noventa y ocho* (Salamanca, Universidad de Salamanca, 1981), Iris Zavala, *Fin de siglo. Modernismo, 98 y bohemia* (Madrid, Cuadernos para el Diálogo, 1974), *Ideología y texto en «El cuento semanal» (1907-1912)* (Madrid, Ediciones de la Torre, 1986).

4. Entre otros, estudian ciertas influencias ejercidas sobre Valle-Inclán, Luis T. González del Valle, «*La cara de Dios*: novela alienígena», en *El teatro de Federico García Lorca y otros ensayos sobre literatura española e hispanoamericana* (Lincoln, Society of Spanish and Spanish-American Studies, 1980, pp. 175-191), Americo Bugliani, *La presenza di D'Annunzio in Valle-Inclán* (Milán, Istituto Editoriale Cisalpino-La Goliardica, 1976), y Leda Schiavo, «Vidas paralelas: D'Annunzio y Valle-Inclán», *Revista de Occidente*, 59 (abril de 1986), pp. 60-66. Por su parte, José Alberich, «Sobre la configuración literaria de don Juan Manuel Montenegro», *Boletín de la Biblioteca de Menéndez Pelayo*, 59 (1983), p. 295, afirma que don Ramón fue «un hombre de lecturas vastísimas».

5. Darío Villanueva, «*La media noche* de Valle-Inclán: análisis y suerte de su técnica narrativa», en *Homenaje a Julio Caro Baroja* (Madrid, Centro de Investigaciones Sociológicas, 1978,

pp. 1.032-1.033), llega a considerar a Valle como «uno de los eslabones perdidos de nuestra novelística frente al proceso renovador del género que se produjo, sobre todo, en la década de los años 20».

6. Sobre este género se han expresado Robert J. Clements y Joseph Gibaldi, *Anatomy of the Novella. The European Tale Collection from Boccacio and Chaucer to Cervantes* (Nueva York, New York University Press, 1977), Roger Paulin, *The Brief Compass. The Nineteenth Century German Novelle* (Oxford, Claredon Press, 1985), y Clare Hanson, *Short Stories and Short Fictions, 1880-1980* (Londres, The MacMillan Press Ltd., 1985).

7. «Opiniones», en *Julio Romero de Torres* (Madrid, Tipografía Artística, s.a., p. 11).

8. No voy a analizar aquí el extraordinario libro teórico de don Ramón. Más adelante en este volumen aludiré a conceptos de esta obra, al mismo tiempo que son vinculados a nuestro análisis de textos específicos. También se dará una bibliografía crítica sobre *La lámpara maravillosa*. Entre otros, se ha expresado en torno a la presencia de una cierta unidad en la obra de Valle-Inclán José Ferrater Mora, «El mundo de Valle-Inclán», en *Poemas y ensayos para un homenaje a Phyllis B. Turnbull*, ed. Eleanor Krane Paucker (Madrid, Tecnos, 1976, pp. 41-46).

9. De esto último nos da un magnífico ejemplo el conocido libro de Julio Casares, *Crítica profana* (Madrid, Espasa-Calpe, 1964[3]).

10. Otros factores que provocaron interés por la producción literaria de Valle-Inclán son la larga extensión de su carrera (más de cuarenta años), la identidad casi novelesca que alcanzó su figura y que él tanto cultivó, y su oposición a instituciones establecidas. Sobre todos estos factores existe mucha información en las biografías de Valle. Véanse: Francisco Madrid, *La vida altiva de Valle-Inclán* (Buenos Aires, Poseidón, 1943), Ramón Gómez de la Serna, *Don Ramón María del Valle-Inclán* (Madrid, Espasa-Calpe, 1969[4]), Melchor Fernández Almagro, *Vida y literatura de Valle-Inclán* (Madrid, Taurus, 1966), José Rubia Barcia, *Mascarón de proa. Aportaciones al estudio de la vida y de la obra de Don Ramón María del Valle-Inclán y Montenegro* (La Coruña, Ediciós do Castro, 1983), y Robert Lima, *Valle-Inclán. The Theatre of his Life* (Columbia, University of Missouri Press, 1988).

11. «Ramón del Valle-Inclán, 1869», en *España en América. Estudios, ensayos y discursos sobre temas españoles e hispanoamericanos* (Río Piedras, Ediciones de la Universidad de Puerto Rico, 1955, p. 218).

12. Un escritor español contemporáneo de primera fila, Gonzalo Torrente Ballester, ha dicho públicamente que «Valle-Inclán es el máximo escritor español de nuestro siglo». Este comentario es citado por José-Carlos Mainer, «Libros sobre Valle-Inclán», *Revista de Occidente*, 59 (abril de 1986), p. 79. Para Mainer el interés por Valle va en claro aumento, lo que se documenta también, y muy elocuentemente, en las afirmaciones que sobre este autor hizo recientemente en la Universidad de Colorado el novelista Ramón Hernández, figura de capital importancia en las letras españolas actuales.

13. Todo esto es detectable en el énfasis de lo descriptivo, en los contrastes plásticos, en las distorsiones «absurdistas» de los seres humanos, y en la artificialidad de las cosas y los personajes que, con frecuencia, adoptan definitorias poses teatrales. Sobre lo teatral en las obras de Valle-Inclán, véanse Enrique Segura Covarsi, «Los ciegos de Valle-Inclán», *Clavileño*, 17 (1952), p. 49, y Consuelo García Gallarín, *Aproximación al lenguaje esperpéntico (La corte de los milagros)* (Madrid, José Porrúa Turanzas, 1986, pp. 77-82).

14. Ya William Smither, *El mundo gallego de Valle-Inclán. Estudio de toponimia e indicaciones localizantes en las obras gallegas* (La Coruña, Ediciós do Castro, [1984] 1986), nos da información sobre cómo la realidad gallega creada por don Ramón en sus obras responde a reproducciones sintéticas. Véase también la reseña que de este libro escribió Sumner M. Greenfield, *Hispania*, 71 (1988), pp. 295-296.

15. En ocasiones, la insatisfacción va dirigida al progreso materialista y es por ello que lo arcaico —lo vetusto— predomina tanto en muchos de estos textos. Sobre ello se ha expresado Lily Litvak, *A Dream of Arcadia. Anti-Industrialism in Spanish Literature, 1895-1905* (Austin, University of Texas Press, 1975), y Juan Cano Ballesta, *Literatura y tecnología. Las letras españolas ante la revolución industrial (1900-1933)* (Madrid, Orígenes, 1981).

16. No es extraordinario que en algunos cuentos se posponga hasta su fin información fundamental para su comprensión. Ello obliga en, por ejemplo, «Un cabecilla», a reevaluar todo lo leído a la luz de datos tardíos en el texto.

17. «La evolución lingüística de Valle-Inclán», *Cuadernos Hispanoamericanos*, 438 (1986), p. 20.

18. Esta práctica de don Ramón ha sido censurada por la crítica y, a veces, ha sido interpretada como indicio de una incapacidad imaginativa en él, como evidencia de su poca habilidad para la narración breve. Véanse: Arthur L. Owen, «Sobre el arte

de don Ramón del Valle-Inclán», *Hispania*, 6 (1923), p. 75, José F. Montesinos, «Acerca de un libro sobre las publicaciones periodísticas anteriores a 1895 de Valle-Inclán», en *Ensayos y estudios de literatura española*, ed. Joseph H. Silverman (Madrid, Revista de Occidente, 1970, pp. 266 y 270) (esta reseña fue publicada originalmente en la *Nueva Revista de Filología Hispánica*, 8 [1954], pp. 91-99), Eduardo Tijeras, «El cuento en Valle-Inclán», *Cuadernos Hispanoamericanos*, 199-200 (1966), p. 400, Manuel Bermejo Marcos, *Valle-Inclán: introducción a su obra* (Salamanca, Anaya, 1971, p. 37), Manuel D. Ramírez, «Valle-Inclán's Self-Plagiarism in Plot and Characterization», *Revista de Estudios Hispánicos*, 5 (1971), pp. 71-83, Carlos Batal Batal, *Las primeras narraciones de Valle-Inclán*, tesis doctoral (Universidad Complutense de Madrid, 1980) y Clara Luisa Barbeito, *Épica y tragedia en la obra de Valle-Inclán* (Madrid, Fundamentos, 1985, pp. 22-23). Batal Batal llega a decir lo siguiente:

> Recordemos que ya destacamos en las páginas anteriores que Don Ramón no es cuentista, ni se realiza como tal [...].
>
> Además, sus excepcionales dotes de observador inciden en su prosa por el detallismo que le impide ajustarse a la precisión del cuento [pp. 25-26].
>
> Valle-Inclán no es cuentista, ni le interesa serlo. Jamás se preocupó por el manejo de las técnicas del cuento [p. 579]

19. Al efecto, asevera William L. Fichter: «[Valle-Inclán dio pruebas] de su facultad inventiva creando en ellos personajes y describiendo ambientes que no desdicen de los que entrarán luego en el repertorio de sus libros. Además, en estos cuentos y novelas asistimos al desarrollo de su arte, al verle introducir, en sucesivas reimpresiones, mejoras de estilo, y lo que es más, cambiar radicalmente el texto original» («Estudio preliminar», en *Publicaciones periodísticas de Don Ramón del Valle-Inclán anteriores a 1895* [México, El Colegio de México, 1952, p. 28]). También se expresa en términos semejantes Anthony N. Zahareas: «En su totalidad, la colección representa algo de la mejor prosa de Valle-Inclán. Sus cuentos son a menudo muy buenos e increíblemente bien trabajados [...], mientras que algunos, notablemente "Mi hermana Antonia" y "Rosarito", son considerados unos de los mejores ejemplos de narrativa breve en prosa española» («Collection of Stories and Novellas», en *Ramón del Valle-Inclán. An Appraisal of His Life and Works* [Nueva York, Las Américas Publishing Co., 1968, p. 273]).

20. Para Verity Smith, *Ramón del Valle-Inclán* (Nueva York, Twayne Publishers, 1973, pp. 107-108), Valle-Inclán republicaba debido a su precaria situación económica. Es por ello que «la prensa fue, en gran medida, la primera editora de Valle-Inclán» (Javier Serrano Alonso, en *Artículos completos y otras páginas olvidadas*, por Ramón del Valle-Inclán [Madrid, Istmo, 1987, p. 19]). Véase también Robert Lima, *Valle-Inclán. The Theatre of His Life*, p. 71.

21. Véanse: Fichter, p. 20, Montesinos, pp. 95-96, Emma Susana Speratti-Piñero, *De Sonata de otoño al esperpento* (Londres, Tamesis Books Limited, 1968, p. 3), Robert Lima, «Introduction», en *Autobiography. Aesthetics. Aphorisms*, por Ramón del Valle-Inclán (Limited Centennial Edition, 1966, s.p.), Batal Batal, p. 580, y Robert Lima, *Valle-Inclán. The Theatre of His Life*, p. 85.

22. «Lugares maravillosos: la creación de un espacio estético en la ficción de Ramón del Valle-Inclán», en *La CHISPA' 85. Selected Proceedings*, ed. Gilbert Paolini (Nueva Orleans, Louisiana, Conference on Hispanic Languages and Literatures, Tulane University, 1985, pp. 222-223). Véase también «*La lámpara maravillosa* de Valle-Inclán y la invención continua como una constante estética», en *Actas del VIII Congreso de la Asociación Internacional de Hispanistas*, ed. A. David Kossoff, José Amor y Vázquez, Ruth H. Kossoff y Geoffrey W. Ribbans, vol. 2 (Madrid, Istmo, 1986, pp. 237-245).

23. Me uno aquí a Eliane Lavaud, *Valle-Inclán: du journal au roman (1888-1915)* ([París], Klincksieck, 1979 [1980], p. 396), y a Luis Iglesias Feijoo, «Lavaud, Eliane: *Valle-Inclán...*», *Boletín de la Biblioteca de Menéndez Pelayo*, 57 (1981), pp. 389 y 392. Ambos favorecen la rigurosa publicación de las obras completas de Valle-Inclán. Aprovecho la oportunidad para indicar que sin la labor de la profesora Lavaud no habría podido redactar este libro. A ella le debemos mucho todos los valleinclanistas. En las pp. 19-59 de su tomo nos ofrece una lista de las obras de don Ramón publicadas en revistas, etc., así como una cronología de sus textos (pp. 61-95), y un estudio de los mismos. Léanse especialmente sus capítulos sintéticos sobre la temática y los recursos artísticos usados por don Ramón en sus narraciones breves (pp. 199-250). A través de mi libro, haré referencia a sus comentarios críticos a la vez que los contrasto con los míos.

24. «Split Referentiality and the Making of Character in Recent Spanish Fiction», *MLN*, 103 (1988), p. 419.

25. Más adelante quedará claro que, para varios críticos, los relatos breves de Valle poseen una dimensión autobiográfica.

26. Comprendo que si bien esta posición es aceptada en la narratología, no es vista universalmente con buenos ojos. Léanse, por ejemplo, los comentarios de Irene Andrés-Suárez, *Los cuentos de Ignacio Aldecoa. Consideraciones teóricas en torno al cuento literario* (Madrid, Gredos, 1986, especialmente las pp. 21-32). En las pp. 260-264, esta especialista nos da, esencialmente, una bibliografía crítica del cuento hispánico. Por su parte, Paul C. Sherr, *The Short Story and the Oral Tradition* (San Francisco, Boyd & Fraser Publishing Co., 1970, pp. XVII-XVIII), identifica diez características de los cuentos. Todas son aplicables a la ficción narrativa sin que importe si se trata de un cuento o de una novela. Además, la revista *Ínsula*, 495 (febrero de 1988), publicó varios ensayos sobre el cuento como género literario, los cuales fueron leídos en un encuentro de escritores y críticos en la Universidad de Salamanca en 1987. Entre ellos, léase, especialmente, el de José María Merino, «El cuento: narración pura», p. 21. Finalmente, véanse Gabriela Mora, *En torno al cuento: de la teoría general y de su práctica en Hispanoamérica* (Madrid, José Porrúa Turanzas, 1985), Catharina V. de Vallejo, «El estado actual de la teoría cuentística en lengua castellana», *Lucanor,* 1 (mayo de 1988), pp. 47-60, y *Formas breves del relato* (Zaragoza/Madrid, Secretariado de Publicaciones, Universidad de Zaragoza/Casa de Velázquez, 198[5]).

27. Nueva York, Methuen, 1983.

28. Otras perspectivas útiles en términos narratológicos, por sólo mencionar varios ejemplos, nos las ofrecen Wayne C. Booth, *The Rhetoric of Fiction* (Chicago, University of Chicago Press, 1961), Gérard Genette, *Figures II* (París, Seuil, 1969) y *Figures III* (París, Seuil, 1972), Mieke Bal, *Teoría de la narrativa (Una introducción a la narratología)*, trad. Javier Franco (Madrid, Cátedra, 1985 [apareció originalmente en 1977]), Seymour Chatman, *Story and Discourse: Narrative Structure in Fiction and Film* (Ithaca, Cornell University Press, 1978), Susan Sniader Lanser, *The Narrative Act. Point of View in Prose Fiction* (Princeton, Princeton University Press, 1981), Gerald Prince, *Narratology: The Form and Functioning of Narrative* (Berlín, Mouton, 1982) y *A Dictionary of Narratology* (Lincoln, University of Nebraska Press, 1987), y Peter J. Rabinowitz, *Before Reading. Narrative Conventions and the Politics of Interpretation* (Ithaca, Cornell University Press, 1987). Todos estos libros son muy útiles; en cada uno se enfoca la narratología según su autor lo cree oportuno, aunque, como es obvio, todos tienen mucho en común.

I

CORTE DE AMOR

VISIÓN PANORÁMICA DE *CORTE DE AMOR*

Una de las dos colecciones de relatos breves de Valle-Inclán que ha sobrevivido, *Corte de amor*, contiene en su versión actual cinco textos: tres cuentos («Eulalia», «La Condesa de Cela» y «La Generala») y dos novelas cortas (*Rosita* y *Augusta*).[1] En su impresión original de 1903[2] —al igual que en las de 1908[3] y 1914[4]—, *Corte de amor* incluía «Beatriz»;[5] sin embargo, no figuraban en este libro «La Condesa de Cela» ni «La Generala», cuentos que fueron añadidos a la colección a partir de su edición de 1922.[6] Las diferentes versiones de las narraciones incluidas en *Corte de amor* fueron también publicadas en otros libros, en revistas y periódicos, conteniendo, muy a menudo, variaciones de diversa importancia[7] que permiten que se considere a Valle-Inclán como a un autor preocupado por la mejora de sus escritos.[8] Estos cambios son, a veces, muy útiles para quienes estudian los relatos breves de Valle, ya que de la comparación de las muchas transcripciones de un texto se puede derivar una percepción más completa de sus elementos constituyentes.

I

Hasta la fecha, *Corte de amor* —«libro de juventud» según don Ramón—[9] ha atraído muy poca crítica extensa.

Abundan aseveraciones fragmentarias sobre este libro y sobre otros relatos breves que Valle-Inclán escribió en la última década del siglo XIX y en la primera del XX. Tanto es así, que Verity Smith afirma que «sus cuentos más tempranos poseen poco interés»,[10] y que para Manuel Bermejo Marcos se caracterizan por su pobreza literaria aunque posean rasgos del Valle-Inclán posterior.[11] Por su parte, Valentín Paz-Andrade cree que los escritos tempranos de don Ramón son indicio de sus dotes para grandes empresas literarias (y aquí se expresa sobre *Femeninas*, libro del que provienen dos cuentos de *Corte de amor*).[12] Por último, son curiosas las opiniones de tres especialistas modernos. En su libro sobre el teatro de Valle-Inclán, John Lyon nos dice que los escritos de don Ramón anteriores a 1900 revelan una «concentración sobre psicología individual y relaciones personales»,[13] mientras que para Lourdes Ramos-Kuethe «surgen Rosita, Currita, Eulalia [...], Augusta [...] como críticas de valores y actitudes tradicionales en un momento de crisis histórica. A través de ellas, directa o indirectamente, Valle analiza la actitud de la mujer española hacia la institución matrimonial».[14] El profesor Lyon enfatiza, injustificadamente, el aspecto psicológico de los personajes de estas narraciones al ser aquella dimensión prácticamente desatendida ya que, comúnmente, lo expuesto en los relatos responde a patrones preestablecidos, de los que se valió don Ramón y sobre los que volveré más adelante.[15] La profesora Ramos-Kuethe, por su parte, si bien se expresa sobre algo de capital importancia en estos relatos —la crítica de valores y actitudes en un momento de crisis—, debilita su posición al concentrarse en una institución específica —el matrimonio—, sobre la que poco de envergadura contienen los textos que nos conciernen.[16]

El tercer acercamiento a *Corte de amor* que merece atención en esta ocasión es el de la profesora Eliane Lavaud, sin duda alguna la estudiosa más destacada de los relatos que conciernen a este libro. Si bien su *Valle-Inclán: du journal au roman...* resulta indispensable en términos histórico-bibliográficos, no se puede sustentar lo mismo cuando se le considera como obra crítica de una creación literaria como *Corte de amor*:[17] Lavaud tiende a expresarse sobre la evolución y los cambios detectables en las diversas impresiones de estos relatos, sobre sus argumentos y la historia de la época, a expensas del análisis profundo de cada narración con vistas a desentrañar sus elementos constituyentes en términos narrativos. Al tratar de ofrecer una visión coherente de los textos sin haberlos estudiado con cierta profundidad —es decir, sin hacer una lectura imaginativa de ellos al interpretarlos muy literalmente—, Lavaud fracasa. ¿Qué otra explicación se le puede dar, si no, a su conclusión sobre la falta de imaginación que para ella caracteriza a Valle-Inclán en sus narraciones breves?:

> Valle-Inclán carecía de una cierta forma de imaginación necesaria para los cuentos. El estudio de sus fuentes nos explica el porqué el autor de *Corte de amor* abandonó este género literario en el cual había demostrado poca originalidad: él sobresalió con la estructura, él carecía de imaginación para el cuento [p. 250].

Y es que en su libro, Lavaud no pudo valorar el uso que don Ramón dio a textos de otros escritores —y aun a otros previos suyos— en la creación de sus extraordinarios relatos breves.[18]

II

Si bien trataré con detalle y por separado los textos incluidos en *Corte de amor*, es necesario considerar en esta ocasión la importancia del título (*Corte de amor*) y del subtítulo (*Florilegio de nobles y honestas damas*) de la colección a la luz de los relatos que contiene hoy en día. Las palabras «corte» y «nobles y honestas damas» implican una cierta elevación al quedar vinculado el título con el amor (en este caso, un sentimiento personificado en una entidad tangible que tiene una corte de seguidores), detectándose, al mismo tiempo, una marcada ironía en el uso de este título y subtítulo. Ironía proveniente de que los seres que experimentan el amor en estas narraciones están moralmente muy lejos de la jerarquía que se asocia usualmente con una corte. Añádase que, muy a menudo, tampoco existe un verdadero amor entre algunos de los protagonistas (por ejemplo, en *Augusta*, *Rosita*, «La Generala» y «La Condesa de Cela»), y que ello, seguramente, recalca el sentido irónico de los elementos paratextuales a que me he referido.[19]

NOTAS

1. *Corte de amor. Florilegio de honestas y nobles damas* (Madrid, Espasa-Calpe, 1979[6]). No se ajusta mi distinción entre cuentos y novelas cortas a la de Eliane Lavaud, *Valle-Inclán: du journal au roman (1888-1915)* ([París], Klincksieck, 1979 [1980]).

2. *Corte de amor: Florilegio de honestas y nobles damas* (Madrid, Imprenta de Antonio Marzo, 1903).

3. *Corte de amor: Florilegio de honestas y nobles damas* (Madrid, Imprenta de Balgañón y Moreno, 1908).

4. *Corte de amor. Florilegio de honestas y nobles damas. Opera Omnia*, vol. XI (Madrid, Perlado, Páez y Compañía, Editores, 1914).

5. Más tarde, «Beatriz» pasó a *Jardín Umbrío. Historia de santos, de almas en pena, de duendes y ladrones. Opera Omnia*, vol. XII (Madrid, Sociedad General de Librería Española, 1920).

6. *Corte de amor. Florilegio de nobles y honestas damas. Opera Omnia*, vol. XI (Madrid, Sociedad General Española de Librería, 1922). En esta impresión, deja de aparecer «Beatriz» en *Corte de amor*.

7. De la evolución de estos textos se ofrecerá información cuando cada uno sea estudiado individualmente. Sobre esta materia, véanse Eliane Lavaud, pp. 25-59, 175-197, 599-622 (se incluyen aquí textos que ya no aparecen en *Corte de amor*) y José Rubia Barcia, *Mascarón de proa. Aportaciones al estudio de la vida y de la obra de Don Ramón del Valle Inclán y Montenegro* (La Coruña, Ediciós do Castro, 1983, pp. 11-83).

8. Concordamos en esta interpretación con Roberta Salper de Tortella, «Valle-Inclán in *El Imparcial*», *MLN*, 83 (1968), p. 282. Por su parte, la reproducción de textos es criticada por

Julio Casares en *Crítica Profana* (Madrid, Espasa-Calpe, 1964[3], p. 16). Reflejan también estos cambios la crisis económica que afectaba a don Ramón, obligándole a publicar una y otra vez sus narraciones para obtener fondos (al respecto, véase lo que sustenta Rubia Barcia).

9. «Breve noticia acerca de mi estética cuando escribí este libro», en *Corte de amor* (1908 y 1914, pp. 13 y 19 respectivamente). Valle no está repudiando verdaderamente sus textos tempranos aquí. Obsérvese que esta «Breve noticia...» es, de hecho, una ampliación de un artículo suyo —«Modernismo»— que publicó por primera vez en *La Ilustración Española y Americana* (22 de febrero [1902]). Sobre *Corte de amor* y otros asuntos también se expresó don Ramón en un breve artículo en el que responde al crítico Francisco Navarro Ledesma, quien, a su vez, había escrito una reseña muy negativa de este libro en *Gedeón*, periódico satírico fundado por él («¡El papel vale más!» [3 de abril de 1903]). El texto de Valle se titula «Una lección», *El Globo* (6 de abril [1903]). Lo reproduce Juan Antonio Hormigón en *Valle-Inclán. Cronología. Escritos dispersos. Epistolario* (Madrid, Fundación Banco Exterior, 1987, pp. 303-304).

10. *Ramón de Valle-Inclán* (Nueva York, Twayne Publishers, 1973, p. 105).

11. *Valle-Inclán: introducción a su obra* (Salamanca, Anaya, 1971, pp. 33-34).

12. *La anunciación de Valle-Inclán* (Buenos Aires, Losada, 1967, p. 72). Ya con anterioridad William L. Fichter se quejó de la poca atención crítica que había recibido *Femeninas*. Ver «Primicias estilísticas de Valle-Inclán», *Revista Hispánica Moderna*, 8 (1942), p. 289.

13. *The Theatre of Valle-Inclán* (Cambridge, Cambridge University Press, 1983, p. 31) (Lyon se está refiriendo a *Femeninas* y *Epitalamio*, libros que en total contienen tres de los cinco relatos incluidos en *Corte de amor*, al ser *Epitalamio* una versión temprana de *Augusta*).

14. «El concepto de libertinismo en la narrativa temprana de don Ramón del Valle-Inclán», *Hispanic Journal*, 4 (1983), p. 52.

15. Otro crítico que coincide con Lyon es Lavaud (pp. 199 y 223). Para ella, lo psicológico es muy importante en estos textos, dada la preocupación de Valle por los problemas sociales que retrata en sus relatos. Esta interpretación me parece algo inauténtica, como se observará más adelante.

16. Otra curiosa interpretación de *Corte de amor* la ofrece Juan R. Jiménez en «*Corte de amor: Florilegio de honestas y no-*

bles damas: Lo compuso Don Ramón del Valle-Inclán», *Helios*, I, 2 (mayo de 1903), p. 246. En esta reseña, si bien se hace referencia a atmósferas y actitudes presentes en muchas obras tempranas de don Ramón, se dicen muy pocas cosas que faciliten nuestra mejor comprensión de *Corte de amor*. Léanse además los comentarios de Manuel Murguía, «Prólogo», en *Femeninas* (Pontevedra, Imprenta y Comercio de A. Landín, 1895, pp. IX-XXII) (texto que dice poco a la vez que alaba a don Ramón y que, si bien fue escrito para *Femeninas*, fue añadido por Valle a la edición de *Corte de amor* publicada en 1922), y Enrique Segura Covarsí, «La flora y la fauna en la obra de Valle-Inclán», *Revista de Literatura*, 23-24 (1957), p. 38 (donde se advierte la presencia del paisaje gallego en *Femeninas*, *Historias perversas*, *Corte de amor*, etc.).

17. Específicamente, léanse los comentarios que Lavaud hace en las páginas 199-250 sobre aspectos temáticos y técnicos de estas narraciones breves. En general, mis percepciones sobre el libro de Lavaud son parecidas a las de Luis Iglesias Feijoo. La reseña de L. Iglesias Feijoo llegó a mis manos gracias a la gentileza de su autor después de que yo hubiera terminado el tomo de Lavaud, reafirmándome en mis creencias sobre él. Ver el *Boletín de la Biblioteca de Menéndez Pelayo*, 57 (1981), pp. 389-397.

18. Quizá parte del problema de Lavaud se deba a su aparentemente ingenua tendencia a creer que Valle-Inclán expresaba sus percepciones personales por medio de sus relatos (pp. 208 y 217, por sólo dar un par de ejemplos). Esta preocupación por las actitudes de don Ramón les resta autonomía a sus textos, atributo que poseen al ser creaciones literarias que responden, por encima de todo, a sus necesidades orgánicas.

19. Una posible excepción nos la ofrece «Eulalia», aunque el amor que al parecer sienten los protagonistas no es todo lo perfecto que podría ser (cada cual tiene sus objetivos y desea imponérselos a su amante). Sobre la ironía que provoca el título del libro, se han expresado Ruth Whittredge al discutir *Augusta* («Los libros de cuentos de Valle-Inclán. Estudio bibliográfico», *Grial*, 32 [1971], p. 219), Antonio Risco (*El demiurgo y su mundo: hacia un nuevo enfoque de la obra de Valle-Inclán* [Madrid, Gredos, 1977, p. 80]), y Antonio de Zubiaurre («Introducción», en *Femeninas. Epitalamio* [Madrid, Espasa-Calpe, 1978, p. 24]).

LO LÚDICO EN *ROSITA**

Es bien sabido por quienes conocen sobre todo las obras maduras de don Ramón del Valle-Inclán cuán defraudado se sentía ante la mediocridad —la bajeza— ética, estética y espiritual de su época, circunstancia que se reflejaba en la nación española y, por consiguiente, en sus ciudadanos.[1] La expresión de estas creencias del gran escritor gallego menos conocida es *Rosita*, un breve relato suyo cuya primera e incompleta versión data de 1899,[2] y del cual se conservan nueve impresiones adicionales hasta 1936, año en que murió don Ramón. No todas las tiradas de *Rosita* exhibían cambios sustanciales con respecto a su primera versión. En la segunda, por ejemplo, aparecen pasajes de la primera junto con nuevos segmentos asimilados a la versión publicada, después de la guerra civil, en la Colección Austral.[3] Es, sin embargo, en su tercera y hasta hace poco desconocida versión cuando los elemen-

* En su forma original, este estudio fue escrito en colaboración con mi padre, Antolín González del Valle (*Nueva Revista de Filología Hispánica*, 22, 2 [1973], pp. 328-337). Más tarde volvió a aparecer algo ampliado en *El teatro de Federico García Lorca y otros ensayos sobre literatura española e hispanoamericana* (Lincoln, Society of Spanish and Spanish-American Studies, 1980, pp. 159-173).

tos fundamentales de la narración quedan asimilados por primera vez.[4] Por su parte, en la cuarta aparición de *Rosita* el texto queda incluido por fin en *Corte de amor,*[5] no por ello dejando de evolucionar en futuras impresiones, algo que fue muy común con los cuentos y otras narraciones breves de Valle-Inclán[6] y que, indudablemente, crea grandes dificultades al estudioso al no disponer de ediciones críticas de muchos de sus escritos.[7]

A primera vista, *Rosita* da la impresión de centrarse en un hecho sin trascendencia: el paseo por los jardines del Foreign Club de una pareja que no se ha visto en varios años. Si bien lo que contiene esta obra es lo que sucede en este breve paseo, mucho de cuanto ocurre aquí anticipa escritos posteriores valleinclanescos y, lo que es aún más importante, posee gran complejidad conceptual y artística.

La nobleza

Más que a la aristocracia como institución ideal, Valle-Inclán se refiere en *Rosita* a la nobleza decadente (quizá la española) tal como lo hace en *Farsa y licencia de la reina castiza* (una visión idealizada se encuentra, por su parte, en *Voces de gesta* y, hasta cierto punto, en *Sonata de invierno*).[8]

Toda la novela se desenvuelve en un ambiente de nobles que por sus rasgos físicos y sus capacidades están muy lejos de serlo. Un buen ejemplo lo ofrece la descripción de un grupo de ellos, séquito que, en términos sensoriales, recalca cómo Rosita y el Duquesito no actúan en un vacío, ya que reflejan una realidad más amplia:

> Desde la orilla lejana, un largo cortejo de bufones y de azafatas, de chambelanes patizambos y de princesas locas, parecía saludar a *Rosita* agitando las hachas de viento que se reflejaban en el agua. Era un séquito real. Cuatro enanos cabezudos conducían en andas a un viejo de luengas barbas, que reía con la risa hueca de los payasos, y agitaba en el aire las manos ungidas de albayalde para

> las bofetadas chabacanas. Princesas, bufones, azafatas, chambelanes, se arremolinaban saltando en torno de las andas ebrias y bamboleantes. Todo el séquito cantaba a coro, un coro burlesco de voces roncas [pp. 25-26].[9]

La visión crítica culmina, sin embargo, con la unión de Rosita a un rey negro. Resultado de este matrimonio es la evolución de ella: de gitana pasa a ser Reina de Dalicam. Su elevación de rango es, por tanto, forzada, y no producto de valores personales. Pero si bien el caso de Rosita es uno aislado, establece el texto relaciones indirectas entre él y otros sucesos similares al convertirse el rey negro en una entidad análoga a cualquier otro monarca. El Rey de Dalicam no es distinto a sus mayestáticos colegas distribuidos por todo el mundo, tal y como los ve el Duquesito de Ordax, quien, como «gentilhombre en la corte de España [...] conocía el ceremonial palatino» (p. 49). Por ello, lo trata con la distinción debida a todo soberano. Lo que importa —y esto queda implícito en el texto— no son valores del espíritu, sino el cargo: la posición de un aristócrata es lo que determina el trato que le damos, sin que nos concierna, por ejemplo, si sabe o no leer. Más aún, si el rey no sabe leer —es ignorante— este aparente defecto puede y tiene que convertirse en algo positivo: ¿a qué, si no a una gran ironía, responde el uso de las palabras «magnífico» y «edades heroicas» en este párrafo?: «Había sentido el aleteo de la inspiración, bajo la mirada amorosa de su dueño, aquel magnífico rey negro de las Islas de Dalicam, que, como los reyes de las edades heroicas, afortunadamente, no sabía escribir [...]» (p. 50).

El amor

El amor aparece en esta novelita como una emoción falsa que se caracteriza por seguir varios estereotipos.[10] No cabe duda de que la visión ofrecida del amor es crítica y provoca en el lector una reacción similar a aquella derivada, hoy en día, de escritos como *Las reglas del Amor*

Cortés de Andreas Capellanus. Se trata de una reacción contra la artificialidad y deshumanización de esa emoción. El amor que aparece en *Rosita* es como un rito que ha perdido su ingenuidad, su espontaneidad original, transformándose en un tipo de juego que no refleja los sentimientos reales del individuo. Consideremos las características de este amor con ejemplos específicos.

Rosita le da al Duquesito de Ordax, como excusa para no volver a sostener relaciones con él, una razón bastante artificial que demuestra cómo ciertas reglas dominan sus sentimientos: «Es de muy malísimo tono restaurar amores viejos» (p. 27). A esta relación entre el amor y el buen gusto, le añade ella su opinión de que el acto sexual debe solamente realizarse en lugares apropiados: «No me siento Lucrecia, chalado [...]. ¡Pero lo que pretendes no tiene sentido común! [...]. ¡Aquí, al aire libre, sobre la hierba! [...]. Ciertas cosas, o se hacen bien o no se hacen [...]» (p. 28). El amor, en este último ejemplo, se ha convertido en una actividad cotidiana, perdiéndose de esta forma la espontaneidad humana que se asocia con las relaciones entre miembros de sexos opuestos. Es de interés señalar que Rosita adopta su posición de forma consciente: una perspectiva de la vida, que está en implícito acuerdo con la de su ambiente, le dice que responder a las fuerzas naturales es algo que animaliza y que, por tanto, debe evitarse:

> —Cómo se conoce que eres hombre. ¡Todos sois iguales! Así oye una esas tonterías de que venimos del mono. ¡Vosotros tenéis la culpa, mamarrachos! A los monos también les parece admirable la hierba para hacerse carocas. Los he visto con mis bellos ojos en la India. ¡En achaques de amor, sois iguales! [p. 29].

La falsedad del amor, a través del culto de lo artificial, es algo que se observa en *Rosita* de forma aún más clara en las muchas referencias hechas a los diálogos grandilocuentes y poco auténticos de las piezas de José Echegaray. Por ejemplo, el Duquesito le confiesa a Rosita que sus cartas de amor provienen de Echegaray: «¡Ay, Rosita! [...] ¡Si te dijese que todas esas tonterías las copiaba de los dramas de Echegaray! ¡Las mujeres sois tan sugestionables!» (p. 32). Hay que fijarse que este mismo personaje llama «tonterías» al contenido de su plagio.[11] Pero no sólo en cartas se vale el Duquesito de falsedades, lo mismo sucede en algunos de sus encuentros con ella:

> ¿De manera que la tarde aquélla, cuando me enseñaste un revólver jurando matarte, también copiabas de Echegaray?
>
> —La frase de Echegaray, el gesto de Rafael Calvo.
>
> —Por lo visto, en la aristocracia únicamente servís para malos cómicos.
>
> El Duquesito se atusó el rubio bigotejo con toda la impertinencia de un dandy:
>
> —Desgraciadamente ciertos desplantes sólo conmueven a los corazones virginales.
>
> Rosita suspiró, recontando el varillaje de su abanico:
>
> —¡Toda la vida seré una inocente! [p. 34].

Al terminar estos párrafos, Rosita se llama a sí misma «inocente» pues, aparentemente, ignoraba las falsedades de su amante.[12] Digo «aparentemente», ya que en el siguiente capítulo de la novela (el número IV), sostiene una conversación con el Duquesito de Ordax que demuestra cuán bien ella sabe participar en el juego de engaños del amor. Afirma querer morir pero, a la vez, comparte con un triste pescador su expresivo cántico sobre sus amores (p. 37). Acto seguido, Rosita invita al Duquesito a sentarse junto a ella y empieza a llorar (p. 37). La reacción de él es parecer consternado (p. 37). El Duquesito adopta la actitud apropiada ante lo que sucede sin sentirse realmente motivado por lo que le rodea. La escena que sigue parece una reproducción de un drama de Echegaray: la dama que se queja de su mala fortuna al no haber encontrado a un hombre de bien en su juventud y el hombre que ofrece unirse a ella (pp. 37-38) son los elementos esenciales de esta escena. De este vago ofrecimiento se pasa a discutir sobre el amante ideal. Es allí cuando se menciona a Abelardo y a Romeo, ejemplos tradicionales del hombre verdaderamente enamorado, del amante por excelencia

(p. 38). Es indiscutiblemente el romanticismo tardío el que dicta esta escena:

> El Duquesito no respondió, pero su mano buscó en la sombra la mano de Rosita, una mano menuda que, íntima y tibia, se enlazó con la suya. La dama y el galán guardaron silencio mirando a lo lejos cómo la luna crestaba de plata las ondas negras. El Duquesito murmuró en voz baja, con cierto trémolo apasionado y ronco:
> —Hace un momento, cuando tú me has llamado, iba pensando en dar un paseo solitario. También estaba triste sin motivo. Cruzaba por la Avenida removiendo en mi pensamiento recuerdos casi apagados. Aventando cenizas.
> —¿Pensabas en mí?
> —También pensaba en ti... ¡Y cuánta verdad, que muchas veces basta un soplo para encender el fuego! Tu voz, tus ojos, tu deseo de un amor ideal, ese deseo que nunca me habían confesado tus labios... ¡Si yo lo hubiese adivinado! Pero qué importa, si aun ignorándolo te quise como a ninguna otra mujer, porque yo no he querido a nadie más que a ti, y te quiero aún... Cuando me hablabas hace un momento, veía en tus ojos la claridad de tu alma [p. 39].

Todo el fragmento anterior está lleno de sensiblerías y clichés de mal gusto matizados por el giro «también» del Duquesito (al decirle que «También pensaba» en ella, él le ofrece un indicio de cómo sus palabras actuales reflejan un deseo de ajustarse a lo que es apropiado en una escena de amor más que reflejar cómo fue todo en verdad). Valle-Inclán, por tanto, está reproduciendo esa literatura propia de Echegaray (romántico tardío) y de su escuela que don Ramón tanto despreciaba.[13] Que los párrafos anteriores responden a un intento de condensación de lugares comunes en la obra de Echegaray[14] lo prueba la actitud de Rosita en vista de las confesiones que le hace el Duquesito:

> Rosita le interrumpió, riendo:
> —¡Calla! ¡Calla!... Nada de citas.
> —¿De citas?
> —Sí... ¡De Echegaray, supongo!... ¡De los dramas de Echegaray!

> El galán agitó los guantes, y, un poco perplejo, miró a la dama, que reía ocultando el rostro tras el abanico [p. 39].

En este pasaje, Rosita demuestra que toda su conversación con el Duquesito ha sido algo artificial —sin realidad— y que ambos han estado actuando sus papeles de buenos amantes románticos y sensibleros a lo Echegaray, papeles cuyo verdadero sentido es sólo comprensible en relación con otros textos de los que se vale en la creación de una parodia de una tradición literaria.[15] Ambas, la parodia de Echegaray y las falsedades del amor, son elementos que aparecen en otras obras de don Ramón: por ejemplo, las *Sonatas* (en la actitud de Bradomín hacia las mujeres que le aman) y *Los cuernos de don Friolera* (en la burla a Echegaray).

La libertad

Si bien Rosita, en su trato con el Duquesito, demuestra comulgar con normas de conducta establecidas en un mundo altamente inauténtico, paradójicamente confiesa que viajó a la India para «ver leones y panteras en libertad» (p. 42). En su viaje, no ve estas fieras y por ello se lamenta varias veces (un ejemplo, cuando se queja del elefante que encontró en la India y que se arrodillaba para que ella lo montase: «¡Calcúlate lo fiero que sería!», p. 42). Este interés de Rosita por fieras libres constituye un tipo de repudio inconsciente de la vida artificial y civilizada, actitud que muy probablemente se deba, en el contexto de la narración, a su sangre gitana, que, instintivamente, se inclina por la libertad que las cosas en su estado natural todavía poseen y que ella ha perdido al desenvolverse en un medio «civilizado»:

> ¡Ella era muy gitana! Todas sus palabras tenían un aleteo gracioso, como los decires de las manolas. En el misterio de su tez morena, en la nostalgia de sus ojos negros,

en la flor ardiente de su boca bohemia, vivía aquella quimera de admirar en libertad tigres y leones. Las fieras rampantes y bebedoras de sangre que hace tantos siglos emigraron hacia las selvas lejanas y misteriosas donde están los templos del sol [pp. 42-43].

Concepción estética

La novela responde a una visión plástica y ligera del cosmos. Una frase de la obra que sumariza esta última creencia es aquella enunciada por Rosita (y la tomo fuera de contexto): «Me aburre lo serio»[16] (p. 27), parecida a aquella tan famosa del Marqués de Bradomín en *Sonata de invierno*: «¡Viva la bagatela!». En este último caso, se refiere el personaje al objetivo de sus memorias: divertir, y no enseñar.

El espíritu lúdico que prevalece en Rosita, por su parte, tiene mucho que ver con la relación amorosa entre los dos protagonistas. Ambos saben con certeza que lo que dicen responde a lugares comunes; cada cual se divierte al hacer su papel (es por ello que «se miraron alegremente en los ojos» [p. 23] después que el Duquesito galantea a Rosita de forma tradicional: para ella la manera en que él se desenvuelve le recuerda el ingenio juguetón de los sevillanos [«¡Vaya, que deseaba encontrarme con alguno de Sevilla!» p. 23]). Aun con sus ojos, según Rosita, «Parece que jugamos al escondite» (p. 41). Lo lúdico existe, además, debido al uso que se da a las palabras en las conversaciones de los «supuestos amantes». Es así como Rosita de «Majestad» pasa a ser «Su graciosa Majestad» en labios del Duquesito (p. 25), o que su «reputación de mujer de mundo» tiene que ser protegida (p. 27), o que su vida ha sido «Una historia maravillosa» (p. 44), o que se concibe a sí misma como «una inocente» (p. 34). Por supuesto, los juegos implícitos en estas palabras responden a que Rosita no ha sido, en un sentido estricto de cada término, ni majestad ni inocente; tampoco, indudablemente, ha sido su vulgar existencia «maravillosa» ni ha tenido «reputación» que no sea la de una inmoral. Por otra parte, que las cosas no sean como aparentan, no es sólo un rasgo que en exclusiva posean los dos «amantes»: en última instancia, ellos reflejan la distancia que existe en el mundo de este relato entre lo que debe ser y lo que en verdad es todo (ejemplo de esto lo ofrece el séquito real que cruza junto a Rosita y el Duquesito, y en el cual el aparente monarca «reía con la risa hueca de los payasos, y agitaba en el aire las manos ungidas de albayalde para las bofetadas chabacanas», cortejo de borrachos tambaleantes que se suponía eran nobles [p. 26]).

Se respira, además, por toda la novela, un aire «absurdista» que nos recuerda la producción más tardía de don Ramón. Aquí, como en obras posteriores (por ejemplo, *Tirano Banderas*), la distorsión «absurdista» responde en parte a la posición lejana del narrador —a su muy poca intromisión— sobre cuanto presenta. Más que nada, a través del estilo, entonces, se expresa la censura silente del autor implícito al amor falso, a Echegaray y a la aristocracia.[17]

El absurdo se logra bastante en *Rosita* por medio de visiones o contrastes plásticos, que en su totalidad, junto a cuanto ocurre, crean el efecto deseado por don Ramón. Un buen medio de observar este proceso lo ofrece el Duquesito de Ordax. La primera descripción que tenemos de él —tipo de caracterización directa— le presenta como un ser algo amanerado que intenta aparentar elegancia con sus gestos (no se olvide el énfasis puesto por Valle-Inclán en el gesto —la mueca, especialmente— en *Luces de Bohemia*): «[...] con ademán de rebuscada elegancia se ponía el monóculo para ver quién le llamaba» (pp. 21-22).[18] El uso del monóculo, indudablemente, facilita la asociación del personaje con lo ridículo. Corrobora esta opinión la siguiente descripción de él cuando reconoce a Rosita: «El Duquesito arqueó las cejas y dejó caer el monóculo. Fue un gesto *cómico* y exquisito de *polichinela* aristocrático. Después exclamó, atusándose el rubio *bigotejo* con el puño cincelado de su bastón [...]» (p. 22, énfasis mío). Su gesto es calificado de «cómico»; también se le llamaba «polichinela», y su bigote es considerado un «bigotejo». En el pasaje que acabo de citar, la caída del monóculo es lo que motiva la descripción del Duquesito. Algo parecido sucede cuando un temblor de este monóculo, a finales del capítulo I, se ve acompañado del vocablo «gomoso» (p. 24), que alude a la condición de la elegancia artificial y amanerada del personaje.[19]

De la descripción de un personaje ridículo y fantochesco,[20] pasa la novela a circunstancias algo absurdas, como cuando el Duquesito quiere besar a Rosita y ella accede a recibir este beso solamente en la mano (pp. 26-27; éste es un ejemplo de caracterización indirecta). Lo absurdo de todo esto reside en cómo reacciona él después de besarla: «El Duquesito posó apenas los labios. Después se atusó el bigote, porque un beso, aun cuando sea muy ceremonioso, siempre lo descompone un poco» (pp. 26-27). Esta actitud suya, su aparente falta de calma, es ilógica, porque originalmente sus intenciones eran aún más audaces. Este pasaje, si bien se centra en las ridiculeces de un personaje, no por ello pierde su aire absurdo (ambas cosas me parecen relacionadas).

El absurdo cobra aún más fuerza en la novela cuando Rosita revela su nueva identidad. Su boda con el Rey de Dalicam no es en sí algo absurdo. Esta cualidad se deriva de cómo y cuándo dicho matrimonio es presentado en la novela: mientras ella le narra al Duquesito sus aventuras con otro amante (p. 43). Después de terminar de explicar cómo se separó de su «lord», Rosita habla de su boda con el Rey:

> Con todo, el viaje me trajo la suerte. Creo que Dios quiso premiar mi resolución de mandar a paseo a un tío protestante. Esta sortija de la esmeralda me la regaló el emperador del Japón cuando me casé.
>
> Aquello era tan extraordinario, que el Duquesito dejó caer el monóculo:
>
> —¡Diablo, qué cosas! Nada, ni la menor noticia.
>
> —¿De veras! [...] ¡Pero si es imposible que no sepas! [...]. Todas las ilustraciones han traído mi retrato. De España también me lo pidieron, pero no me quedaba ya ninguno.

> Me escribió aquel tío que vendía en Sevilla el agua de azahar. Puede ser que quisiese darme en un anuncio como Madama Soponcio. El hombre decía que era dueño de un periódico, y me mandaba un número que traía a la familia real. ¡Daba pena verla, pobrecilla! [pp. 43-44].

Cuanto este pasaje presenta es tan extraño y contradictorio que aun el Duquesito, otro personaje de la novela, hace evidente su sorpresa dejando caer el monóculo. Tenemos entonces un enjambre de elementos dispares: abandono de un amante, regalo del emperador del Japón, boda con un rey, aparición de todo en los periódicos, posible deseo de un compatriota de ponerla en un anuncio y una lamentable foto de la familia real. Culmina esta atmósfera ilógica con la entrada del Rey de las Islas de Dalicam, a quien trata de besarle la mano el Duquesito sin lograrlo, debido a que la «sombrilla llena de encajes» de Rosita se lo impide (p. 45). Este suceso es un ejemplo más del absurdo conseguido por medio de un contraste plástico: se observa una contraposición entre la figura real y una vulgar sombrilla de encajes. A este contraste hay que añadirle las palabras poco apropiadas de Rosita, ahora Reina de Dalicam: «¿Qué haces, resalado! ¿No sabes que viajamos de incógnito!» (p. 45). Es claro que la distancia entre la posición que usualmente se le atribuye a algo y la forma en que dicho algo aparece en esta novela crea la atmósfera «absurdista» de *Rosita*. Hace patente esta dicotomía la reacción de la Reina de Dalicam cuando el Duquesito de Ordax le quiere pagar una deuda: «¡Ahora no! Pueden verte y creer que se trata de otra cosa. Te lo recuerdo porque estoy completamente arrancada. Nos hemos jugado la corona, y estamos en camino de jugarnos el cetro» (p. 49). En este pasaje, ella le pide que no le dé dinero ya que las malas lenguas pueden creer que él le está pagando por sus servicios de prostituta. Por supuesto, los temores de ella, al igual que su posible juego del cetro, están en desacuerdo con la posición social que se nos dice tiene Rosita al ser una reina y, por ello, todo cuanto está sucediendo nos parece un absurdo, cuyo único sentido es hacernos perceptible una actitud displicente hacia la falsa aristocracia.

Se ha discutido ya sobre la importancia de lo plástico en la expresión de lo absurdo. A ello hay que añadir que *Rosita* es una novela con un marcado énfasis en lo descriptivo. Se describen en esta novela, entre otras cosas, una sonrisa (p. 23), un suspiro (p. 4), un cortejo (pp. 25-26) y la figura del Duquesito como un «dandy» (p. 24). Algunas descripciones se convierten en tipos de acotaciones imprecisas que intentan captar, mediante un paralelo emocional, la disposición anímica de una escena central:

> Rosita Zegri, un poco pensativa, paseó sus ojos morunos y velados todo a lo largo de la orilla que blanqueaba el claro de la luna. Los remos de una góndola tripulada por diablos rojos batían a compás en el dormido lago, donde templaban amortiguadas las estrellas, y alguna dama, con la cabeza empolvada, tal vez una duquesa de la fronda, cruzaba en carretela por la orilla. Rosita se apoyó lánguidamente en el brazo del Duquesito [pp. 28-29].

La languidez de Rosita y el paso de la góndola que no sabemos quién tripula se complementan en la creación del ambiente romántico buscado por Valle-Inclán. Como es sabido, en el teatro romántico español del siglo XIX es muy frecuente encontrar las vicisitudes de un protagonista reflejadas simbólicamente en el mundo que le rodea (por ejemplo, en la naturaleza).[21]

Parte del juego que prevalece en esta obra se ve en el personaje de Rosita. A pesar de ser una gitana vulgar, el narrador ofrece datos descriptivos de ella que le otorgan una aureola poética, quizá producto de lo evasivas que son estas descripciones:

> Rosita Zegri entornaba los ojos con desgaire alegre y apasionado, como si quisiese evocar la visión luminosa de la India [p. 22].
>
> Aquel suspiro hondo y perfumado levantó el seno de Rosita Zegri como una promesa de juventud apasionada [p. 24].

> Y la risa volvió a retozar en los labios de Rosita Zegri, aquellos labios de clavel andaluz, que parecían perfumar la brisa [p. 29].
>
> Hablaba con adorable alocamiento, entornando los ojos de princesa egipcia. Bajo sus pestañas parecía mecerse y dormitar la visión maravillosa del tiempo antiguo con las serpientes dóciles al mandato de las sibilas, con los leones favoritos de cortesanas y emperatrices. Siempre riendo, riendo, proseguía el cuento cascabeleante de sus aventuras [p. 43].

La forma en que ella entorna los ojos cuando evoca la India, su suspiro-promesa, sus labios rojos que perfuman, la impresión provocada por sus pestañas, son elementos formativos de la aureola poética a que me refiero. El propósito de las descripciones imprecisas y poéticas de Rosita es realzar el contraste entre lo que ella era por su formación y lo que debería ser como reina. Es, pues, éste un medio ambiguo por el cual se logra que visualicemos a la protagonista en su forma potencial, en sus posibles cualidades. De Rosita tenemos tres niveles: el real (gitana), el absurdo (reina) y el ideal (poético).[22] Estos diferentes planos no sirven únicamente de contraste: permiten también la interpretación de la obra desde distintos ángulos. La novelita puede ser leída por seres de diversos temperamentos, sin que ello mengüe el placer que se deriva de su lectura.

En *Rosita* es interesante también el empleo de la ironía, algo que paralela muy bien el efecto que se consigue con el título y el subtítulo de la colección a que pertenece este relato. Son ejemplos de ironía en la novela cuando la protagonista dice haber llorado la muerte de un amante por largo tiempo («cerca de una hora», p. 23) y cuando se habla de una famosa bailarina española cual si fuese una «gloria nacional» (p. 25).

Existen además en *Rosita* asociaciones entre personas y animales que reflejan la posición del narrador ante los personajes y que constituyen un tipo de caracterización por analogía (Rimmon-Kenan, pp. 67-70). Así, tenemos que las risas de las damas que están en el Foreign Club y de Rosita se ven comparadas con el gorjeo de los pájaros (pp. 21 y 27), y que al pedirle el Duquesito a Rosita la mano para besársela, llame a dicha mano «garra» (p. 33). Estas asociaciones no se limitan a animales simplemente. Las hay que se refieren a entidades paganas, como cuando se dice que la risa de Rosita es «de faunesa alegre» y que el monóculo del Duquesito bailaba «como la pupila de un cíclope» (ambos en la p. 32).

Finalmente, conviene destacar el primer párrafo del capítulo VI, en el que el narrador, al describir un instante en el Foreign Club, lo rellena con muchos detalles diversos e inconexos que hasta cierto punto dan en su totalidad una impresión de caos:

> En los jardines del Foreign Club, Pierrot y la señora de Pompadour, Colombina y Fausto, bebían cócteles y humeaban cigarrillos turcos. La bella Cardinal y la bella Otero, como dos favoritas reales, se apeaban de sus carrozas doradas luciendo el zapato de tacón rojo y la media de seda. Un loro mexicano gritaba en el minarete del palacio árabe, y una vieja enlutada, con todo el cabello blanco, acechaba tras los cristales esperando al galán de su señora la princesa, para decirle, por señas, que no podía subir. El enjambre de abejorros y tábanos zumbaba en torno de los globos de luz eléctrica que iluminaban el pórtico del Foreign Club y sobre la terraza de mármol blanco, colgada de enredaderas en flor, la orquesta de zíngaros preludiaba en sus violines un viejo minué de Andrés Belino [p. 47].

Lo que el narrador hace en este párrafo es proveer muchos incidentes para un pequeño lapso, otorgándole a lo narrado gran densidad cuando se describen acciones simultáneas.[23] De esta forma, se enfatiza que cuanto ocurre es parte de una realidad más amplia —plurifacética— donde muy probablemente suceden hechos semejantes.

A pesar de que a primera vista *Rosita* no resulte ser un texto muy complicado, ello no obstaculiza que se detecte en sus capítulos una marcada simetría —una arquitectura funcional— que recuerda obras más tardías de Valle-Inclán (*Tirano Banderas*, por ejemplo). En un sentido panorámico, la estructura de *Rosita* es circular, al comenzar y concluir la acción en el vestíbulo del Foreign Club. Por su parte, los seis capítulos que forman la novela se desarrollan en parejas. Los dos primeros se centran en el encuentro de Rosita y el Duquesito y en sus infructíferas solicitudes amorosas. En ellos prevalece un aire bastante real. Los capítulos tres y cuatro giran alrededor de una parodia a Echegaray, y su atmósfera es más bien de juego. Los últimos dos capítulos son bastante absurdos. Rosita aparece como la Reina de las Islas de Dalicam y queda claro lo distante que está de la nobleza ideal que se supone posee la aristocracia.

Desde un ángulo narratológico, predomina en el texto el uso del diálogo acompañado de las observaciones de un narrador extradiegético-heterodiegético[24] que describe gestos, lugares, sucesos, actitudes, etc., a través de la novela y que nunca participa en lo que narra. Al parecer, este narrador posee cierta omnisciencia,[25] como cuando se refiere a las añoranzas que Rosita siente por su Andalucía (p. 23). De suma importancia en el relato es también cómo el narrador en varias ocasiones opera a la vez como focalizador.[26] Al hacerlo, el narrador no expresa directamente sus impresiones, sino que lo hace en forma indirecta: por medio de la forma en que las cosas quedan descritas. De este modo, cuando dice que la risa de Rosita «era fragrante» y «aromaba» el aire (p. 39), o que las risas de las damas eran «locas, gorjeadas con gentil coquetería» (p. 21), el narrador se vale de giros cuyos sentidos últimos no dependen de lo que quieren decir directamente y sí de lo que el lector implícito[27] les atribuirá al vincularlos a otros aspectos de la realidad y a la luz de lo que ocurre en el texto. En este sentido, no se dispone de interpretaciones hechas y sí de indicios que, al ser analizados, harán posible entender cómo interpreta la realidad el narrador.[28] Además, en el caso de *Rosita*, estos indicios compaginan con los restantes elementos del texto (o sea, narrador y autor implícito coinciden en sus percepciones) siendo, por tanto, el narrador de *Rosita* esencialmente fidedigno.

* * *

En *Rosita* todo es un juego ligero, absurdo y grotesco, que refleja el vacío típico de ciertos seres humanos, condición que se manifiesta en una institución como la nobleza y en una emoción tan íntima como lo debiera ser el amor. Lo lúdico es fundamental en este relato al ser vehículo para expresar una problemática que preocupó a Valle-Inclán en diversos textos suyos que se enfrentan a la naturaleza humana, la sociedad moderna y España. La importancia de la novelita recae entonces en su vinculación con el arte de don Ramón y en sus propios valores estéticos.

NOTAS

1. Restricciones de espacio impiden que se dé una bibliografía de aquellos críticos que han discutido esto en una forma u otra. Basten pues unas palabras de Manuel Bermejo Marcos que ejemplifican este lugar común en la crítica sobre don Ramón y sus escritos: «Valle-Inclán desde muy temprano comenzó a tener dudas acerca del mundo, de los seres que lo habitan. Como otro Quevedo escéptico [...] es un moralista que se sirve de su arte para dejarnos su lección» (*Valle-Inclán: introducción a su obra* [Madrid, Anaya, 1971, p. 16]).

2. Véase «La reina de Dalicam», *La Vida Literaria*, 15, 20 de abril (1899), p. 244.

3. Consúltense, respectivamente, «Rosita Zegri», *Los Lunes de El Imparcial* (14 de julio [1902]) y *Rosita*, en *Corte de amor* (Buenos Aires, Espasa-Calpe Argentina, 1942).

4. «La reina de Dalicam», *Revista Ibérica*, año I, 1, 15 de julio (1902), pp. 9-17. Robert Lima era el único bibliógrafo que hacía referencia a un cuento de Valle-Inclán en esta revista y al hacerlo no ofrecía ni el título del relato ni muchos de sus datos bibliográficos, siendo todo esto indicio de su limitada familiaridad con el texto (ver *An Annotated Bibliography of Ramón del Valle-Inclán* [University Park, The Pennsylvania State University Libraries, 1972, p. 12]). La versión de la *Revista Ibérica* la descubrí en 1984 y es mencionada públicamente, por primera vez, por Juan Antonio Hormigón, *Valle-Inclán. Cronología. Escritos dispersos. Epistolario* (Madrid, Fundación Banco Exterior, 1987,

p. 150). Este crítico reimprime, además, los textos publicados originalmente en *La Vida Literaria* (pp. 151-152) y *Los Lunes de El Imparcial* (pp. 152-155).

5. *Corte de amor: Florilegio de honestas y nobles damas* (Madrid, Imprenta de Antonio Marzo, 1903, pp. 9-68).

6. Las restantes impresiones son: *Corte de amor* (Madrid, Imprenta de Balgañón y Moreno, 1908, pp. 31-85); *Historias de amor* (París, Garnier Hermanos, Libreros-Editores, [1909], pp. 25-56); *Corte de amor. Opera Omnia*, vol. XI (Madrid, Imprenta Helénica, 1914, pp. 35-87); *Rosita* (Madrid, La novela corta, año II, 93, 13 de octubre de 1917); *Corte de amor. Opera Omnia*, vol. XI (Madrid, Sociedad General Española de Librería, 1922, pp. 25-79); y *Flores de almendro* (Madrid, Librería Bergua, 1936, pp. 163-179). Esta última colección fue póstuma, aunque según Juan B. Bergua fue autorizada por don Ramón (*Flores de almendro*, pp. 5-12). Eliane Lavaud (*Valle-Inclán: du journal au roman* [1888-1915] [París], Klincksieck, 1979 [1980], p. 269), con razón, no detecta una clasificación —un orden especial— en los textos incluidos en *Flores de almendro*.

7. En *Rosita*, por dar sólo un ejemplo, en la impresión moderna de la Colección Austral, hay una conversación algo extraña entre la protagonista y el Duquesito:

> —¡Pero eres tú, Rosita!
> —¡La misma, hijo de mi alma!... ¡Pues no hace poco que he llegado de la India!
> El Duquesito arqueó las cejas y dejó caer el monóculo. Fue un gesto cómico y exquisito de polichinela aristocrático. Después exclamó, atusándose el rubio bigotejo con el puño cincelado de su bastón:
> —¡Verdaderamente tienes locuras dislocantes, encantadoras, admirables!
> Rosita Zegri entornaba los ojos con desgaire alegre y apasionado, como si quisiese evocar la visión luminosa de la India.
> —¡Más calor que en Sevilla!
> Y como el Duquesito insinuase una sonrisa algo burlona, Rosita aseguró:
> —¡Más calor que en Sevilla! ¡No pondero la menos...! [p. 22].

La referencia al calor de la India resulta abrupta, ya que no responde claramente al intercambio sostenido por los dos personajes (recuérdese que no todo en el trozo citado proviene de la conversación, ya que intercaladas a lo que los personajes dicen están las percepciones del narrador). La falta de fluidez a que he hecho referencia desaparece si se leen las primeras ocho versiones de la novelita. Allí se incluía la frase «¡Qué tierra aquella!», expresión que hace lógico el comentario de Rosita sobre el calor de la India. Esta frase desaparece en su versión de 1922 a pesar de ser necesaria al texto. A no ser que se indique otra cosa, citas y referencias a *Rosita* provienen de *Corte de Amor* (Madrid, Espasa-Calpe, 1979[6]).

8. En ambos casos, Valle alude al carlismo sin ser en verdad carlista. Es decir, y como bien ha aseverado Dru Dougherty (*Valle-Inclán y la Segunda República* [Valencia, Pre-Textos, 1986]), don Ramón mantiene cierta distancia de los carlistas y de los republicanos. Y añade este crítico que «más vale entender su republicanismo como un ideal utópico —soñaba con una España digna y justa, capaz nuevamente de "hacer historia"— desde el cual enjuiciaba la trayectoria histórica del nuevo régimen» (p. 139).

9. Ya Paul Ilie, «The Grotesque in Valle-Inclán. A Monograph», en *Ramón del Valle-Inclán. An Appraisal of His Life and Works*, ed. Anthony N. Zahareas, Rodolfo Cardona y Sumner Greenfield (Nueva York, Las Américas Publishing Company, 1968, p. 536), se valió de esta escena para referirse a la visión que don Ramón tenía de la aristocracia decadente.

10. Quizá esta falta de autenticidad haya sido lo que movió a Eduardo Tijeras a calificar, de pasada, el ambiente del relato como cargado de «vaciedad enmascarada en los fríos protagonistas». Ver «El cuento en Valle-Inclán», *Cuadernos Hispanoamericanos*, 199-200 (1966), pp. 401-402.

11. Nótese que el Duquesito también usa unos versos de Bécquer con Rosita (p. 33): está utilizando una poesía romántica, provocada por una profunda emoción, en un contexto calculador y frío.

12. Aunque, claro está, su amiga Carolina Otero le había dicho que había leído en otro lugar los poemas del Duquesito.

13. Ya en su «Breve noticia acerca de mi estética cuando escribí este libro», en *Corte de amor* (1908 y 1914), pp. 16 y 22 respectivamente, Valle-Inclán atacó de pasada a Echegaray. Sobre la actitud de Valle-Inclán hacia Echegaray véase Melchor Fernández Almagro, *Vida y literatura de Valle-Inclán* (Madrid, Taurus, 1966, pp. 94-95). Estudios críticos sobre este asunto los dan Sumner M. Greenfield, *Valle-Inclán: anatomía de un teatro problemático* (Madrid, Fundamentos, 1972, pp. 264-270), Vicente Cabrera, «Valle-Inclán y la escuela de Echegaray: un caso de parodia literaria», *Revista de Estudios Hispánicos*, 7 (mayo de

1973), pp. 193-213, Verity Smith, *Ramón del Valle-Inclán* (Nueva York, Twayne Publishers, 1973, p. 99), y Eva Llorens, *Valle-Inclán y la plástica* (Madrid, Ínsula, 1975, pp. 56-57).

A Echegaray y su escuela se les puede añadir la llamada «novela rosa». Sobre este tipo de obras en España, léase Andrés Amorós, *Sociología de una novela rosa* (Madrid, Taurus, 1968). Amorós utiliza, como punto de partida de su estudio, las obras de Corín Tellado.

14. He buscado en la producción dramática de Echegaray (aunque no exhaustivamente) pasajes parecidos. El resultado de esta búsqueda me lleva a la conclusión de que más bien Valle-Inclán está tratando de captar un temperamento, una atmósfera, que de reproducir palabra por palabra a Echegaray. Ejemplos que dejan ver una comunidad entre los pasajes que han sido citados de *Rosita* y algunas escenas de obras de Echegaray se encuentran en *El hijo de don Juan*, 2.ª ed. (Madrid, Tip. Yagues), Acto Segundo, Escena X, pp. 64-65, y Acto Tercero, Escena V, pp. 81-85, y en *El libro talonario. Teatro escogido* (Madrid, Aguilar, 1955[2]), Escena XIX, pp. 102-104. Sobre Echegaray, léase María Isabel Martín Fernández, *Lenguaje dramático y lenguaje retórico (Echegaray, Cano, Sellés y Dicenta)* (Cáceres, Universidad de Extremadura, 1981).

15. Todo esto, indudablemente, es vinculable a los conceptos de «intertextualidad» y «modelos de coherencia», según quedan definidos por varios críticos (al respecto, véase mi estudio sobre «La Generala» en este tomo).

Una interpretación algo diferente a la mía la ofrece E. Jack Roberts, *Definition and Contrast of Love in the «Corte de Amor» and the «Sonatas» of Ramón del Valle-Inclán*, tesis doctoral (Louisiana State University, 1967):

> En resumen, lo que se presenta en *Rosita* es una coqueta desilusionada y un noble en la misma circunstancia. Ambos buscan el amor y ambos están seguros de que nunca lo encontrarán. Él es de la nobleza: ella es una gitana [...]. Pero el epítome de la ironía recae en el hecho de que Rosita ha rechazado a este aristócrata para casarse con un negro analfabeto [p. 26].

Para nosotros, Roberts toma la novela con excesiva seriedad. No se da cuenta de la parodia de Valle-Inclán a Echegaray, y de que el verdadero tema es la falsedad del amor. Además, es erróneo decir, como lo hace Roberts, que Rosita haya rechazado al Duquesito por un negro analfabeto, porque las relaciones entre ellos habían concluido hacía varios años. El pasaje del negro, como ya vimos, se refiere más bien a otro tema central de la novela: la nobleza. Tampoco acierta Lourdes Ramos-Kuethe, «El concepto del libertinismo en la narrativa temprana de don Ramón del Valle-Inclán», *Hispanic Journal*, 4 (1983), p. 54, cuando hace una lectura literal del texto y no detecta el juego entre Rosita y el Duquesito.

16. Para Roberts, p. 19, esta frase «es clave de la personalidad de Rosita» porque la vida para ella es un juego; ella es «la coqueta eterna [...]». Mi énfasis, por otro lado, al ocuparme de esta frase, es más bien estético.

17. Sobre el autor implícito, léanse los comentarios de Shlomith Rimmon-Kenan, *Narrative Fiction: Contemporary Poetics* (Nueva York, Methuen, 1983, pp. 86-89). Disponer de este término es muy útil: se evita que se le atribuya a Valle-Inclán lo que ocurre en sus obras, algo que la crítica no ha hecho muy a menudo (véase, por ejemplo, Emma Susana Speratti-Piñero, «Los brujos de Valle-Inclán», *Nueva Revista de Filología Hispánica*, 21 [1972], p. 50).

Los conceptos de «caracterización directa e indirecta», por su parte, resultan apropiados en la explicación de cómo el narrador define a los personajes (Rimmon-Kenan, pp. 60-67). La caracterización del narrador es directa cuando define al personaje con un adjetivo, nombre abstracto u otro tipo de sustantivo o parte de la oración; es indirecta cuando, por otro lado, no se da la característica directamente y se la muestra o ejemplifica a través de las acciones del personaje, etc. (en la segunda categoría, el lector se ve forzado a interpretar y a llegar a sus propias conclusiones). De los dos tipos de caracterización hay ejemplos en *Rosita* (muy a menudo, ambos aparecen intercalados).

18. La caracterización del Duquesito es, hasta cierto punto, típica de la figura del dandy, tan popular en el siglo XIX y a principios del XX. Sobre el dandy, léanse *El Dandismo* (Barcelona, Anagrama, 1974), colección que contiene ensayos de Clotas, Balzac, Baudelaire y Barbey D'Aurevilly, y Hans Hinterhäuser, *Fin de siglo. Figuras y mitos*, trad. María Teresa Martínez (Madrid, Taurus, 1980, pp. 67-89).

19. Las descripciones de gestos recuerdan las acotaciones que caracterizan el arte de Valle-Inclán en algunas de sus obras dramáticas (por ejemplo, las *Comedias bárbaras*). Sobre estas acotaciones véanse Greenfield (pp. 22-25), Anthony N. Zahareas («Introducción», en *Teatro selecto de Ramón del Valle-Inclán* [Madrid, Escelicer, 1969, pp. 41-44]), E. Segura Covarsí («Las

acotaciones dramáticas de Valle-Inclán», *Clavileño*, 7, 38 [1956], p. 44), Pedro Salinas (*Literatura española siglo XX* [México, Antigua Librería Robredo, 1949², p. 93]), y Alfredo Matilla («Las *Comedias Bárbaras*: una sola obra dramática», *An Appraisal...*, pp. 294-297).

20. Rosita misma llama al Duquesito «mamarracho» (p. 27).

21. Véanse Jorge Campos, «El Romanticismo. El movimiento Romántico, la poesía y la novela», en *Historia general de las literaturas hispánicas*, ed. Guillermo Díaz-Plaja, tomo 4, 2.ª parte (Barcelona, Barna, 1957, pp. 158-159), Guillermo Díaz-Plaja, *Introducción al estudio del romanticismo español* (Madrid, Espasa-Calpe, 1936, p. 105), y Russell P. Sebold, *Trayectoria del Romanticismo español* (Madrid, Taurus, 1983).

22. De los tres se deriva cierto exotismo en la figura de Rosita. Sobre lo exótico en España a finales del siglo XIX, véanse los comentarios de Lily Litvak, *El sendero del tigre. Exotismo en la literatura española de finales del siglo XIX, 1880-1913* (Madrid, Taurus, 1986).

23. No es esta técnica acumulativa un fenómeno extraordinario. Algo similar (aunque con mayor intensidad) sucede en *Tirano Banderas* donde, por ejemplo, en la Segunda Parte la acción de los Libros Primero y Segundo tiene lugar, más o menos, al mismo tiempo, mientras que la del Libro Tercero sucede poco después. Sobre la preocupación de Valle-Inclán en llenar el tiempo como, por ejemplo, el Greco llenaba el espacio, léase su carta a Alfonso Reyes escrita en 1923 (en Alfonso Reyes, *Obras Completas*, vol. 4 [México, Fondo de Cultura Económica, 1956, p. 406]). Véanse, además, las ideas que al respecto y sobre otros escritos de don Ramón tienen Harold L. Boudreau, «Continuity in the *Ruedo Ibérico*», en *An Appraisal...*, pp. 777-791, y Peggy Lynne Tucker, *Time and History in Valle-Inclán's Historical Novels and «Tirano Banderas»* (Madrid, Albatros-Hispanófila, 1980, pp. 48-65).

24. Al respecto, véanse los comentarios de Rimmon-Kenan, pp. 94-95.

25. Para Rimmon-Kenan (p. 95), este término muy probablemente resulte algo exagerado.

26. Rimmon-Kenan, pp. 73-74. Son también focalizadores a veces Rosita y el Duquesito.

27. Rimmon-Kenan, pp. 87 y 118-119.

28. En términos tradicionales, esto es lo que ha sido considerado como ejemplo de la ausencia del autor —de Valle-Inclán— en sus textos dramáticos, tipo de alejamiento entre don

Ramón y sus creaciones. La teoría del distanciamiento fue elaborada por Valle-Inclán en una conversación con G. Martínez Sierra («Hablando con Valle-Inclán», *ABC* [7 de diciembre de 1928; este texto es incluido por José Esteban en *Valle-Inclán visto por...*, Madrid, Gráficas Espejo, 1973, pp. 295-300]) y a través de don Estrafalario en *Los cuernos de don Friolera*. De forma crítica, estas ideas han sido estudiadas, desde diversos ángulos, por Antonio Buero Vallejo, «De rodillas, en pie, en el aire», *Revista de Occidente*, 44-45 (noviembre de 1966), pp. 132-145 (este ensayo apareció en *Tres maestros ante el público* [Madrid, Alianza, 1973, pp. 29-54]). Otros que se han expresado sobre esta materia con cierta precisión son S.M. Greenfield (*Valle-Inclán: anatomía y...*, pp. 242-243), Domingo García-Sabell («*La cara de Dios* o Valle-Inclán en persona», en *La cara de Dios* [Madrid, Taurus, 1972, pp. 12-14]), y Francisco Ruiz Ramón (*Historia del teatro español. Siglo XX* [Madrid, Cátedra, 1977[3], pp. 118-123]; Ruiz Ramón, muy perspicazmente, identifica la difícil —quizá imposible— aplicación de esta teoría al teatro de Valle). Por su parte, Darío Villanueva («*La media noche*, de Valle-Inclán: análisis y suerte de su técnica narrativa», en *Homenaje a Julio Caro Baroja* [Madrid, Centro de Investigaciones Sociológicas, 1978, especialmente las pp. 1.033-1.037]) estudia con marcada precisión la «visión estelar» que tanto preocupó a don Ramón en *La media noche*, concepto que aun amplifica más los horizontes del gran escritor gallego, en lo concerniente al punto de vista del narrador.

EL DESGARRAMIENTO DE LA «EDAD DORADA» Y LAS ESTRATEGIAS NARRATIVAS EN «EULALIA»*

La historia de Eulalia es la de un amor imposible dentro de un ambiente social y natural que, aun no siendo definido con precisión, sin embargo, al menos aparece identificado en líneas generales. En términos sociales, ella es una mujer adúltera, pues ha sostenido relaciones con Jacobo Ponte a pesar de estar casada y tener hijas. Estas últimas son los seres que indirectamente impiden que ella se vaya con Jacobo: Eulalia no desea abandonar a sus hijas (p. 67),[1] ni causarle dolor a un esposo al que aunque no ama tampoco odia (pp. 72 y 74-75).[2]

En general, en el cuento hay poca elaboración de los sentimientos de Eulalia y Jacobo: si bien se sabe qué los motiva, se desconoce, sin embargo, la psicología de cada uno, pues en su realidad interna no se penetra más allá de lo que de ella reflejan ciertos rasgos exteriores (por ejemplo, «Jacobo la miró con amargura» [p. 74]).[3] El diálogo mismo de los dos tampoco es muy revelador: los momentos claves de sus conversaciones —aquéllos que

---

* Una versión más breve de este texto fue publicada en *Ínsula*, 476-477, julio-agosto (1986), pp. 5 y 24, bajo el título de «Una nueva lectura de un cuento olvidado de Ramón del Valle-Inclán».

muestran a los protagonistas en su privacidad— son únicamente sumarizados en cuanto a su contenido y al estado anímico imperante:[4]

> Se contaban su vida durante aquellos días que estuvieron sin verse. Era un susurro ardiente, entrecortado de suspiros. Tenía la melancolía del amor y la melancolía de la noche [p. 71].

I

La poca atención que recibe la realidad interna de los dos enamorados se debe a que no es esto lo central en el texto. En «Eulalia» predomina un ambiente de paz, que en el relato queda identificado con el mundo rural donde la obra ocurre:

> En la tarde azul, llena de paz [...] [p. 55].
>
> Es alegre y geórgica la paz de aquel molino [...]. Feliz y benigna, la piedra gira [...]. Las palomas torcaces picotean en la era llena de sol [p. 59].
>
> En el fondo de los yerbales pacen las vacas, y sobre los oteros triscan las ovejas. La lejanía son montes azules con el caserío sinuoso, cándido y humilde de los nacimientos [p. 61].

La acción del cuento se desenvuelve en un mundo bucólico, donde todos los seres humanos oriundos de este sitio —los pastores, el barquero, los segadores, etc.— resultan funcionales al ser su presencia parte integral del mundo descrito (siendo esto último algo que no se les puede atribuir ni a Jacobo ni a Eulalia). Este lugar está cargado de esa armonía cósmica que caracteriza el arte pastoril y que aquí, a primera vista, parece reflejar además el amor idílico de los protagonistas:[5]

> —¡Tú no sabes cómo te quiero!
>
> Caminaban enlazados como esos amantes de pastorela en los tapices antiguos. Los dos eran rubios, menudos y gentiles [p. 66].

Significativamente, no es sólo en el trozo citado donde se vincula lo antiguo con lo pastoril en un tipo de evocación de una «Edad Dorada» perfecta. Lo mismo ocurre también cuando los dos enamorados contemplan la llegada del anochecer y se hacen copartícipes de la paz natural que caracteriza ese instante, momento con antecedentes en las tradicionales evocaciones que a través del tiempo han hecho las abuelas:

> Jacobo sonrió bajo los besos de Eulalia, dejándose acariciar como un niño dócil y silencioso. Permanecieron en la ventana con las manos unidas y las almas presas en la melancolía crepuscular. Gorjeaban los pájaros ocultos en las copas oscuras de los árboles. Se oyó lejano el mugir de un buey, y luego el paso de un rebaño y la flauta de un zagal. Después todo se hundía en ese silencio campesino, lleno de paz, con fogatas de pastores y olor de establos. En medio del silencio, resonaba la rueda del molino, y, como un acompañamiento, recordaba las voces caducas y temblonas de las abuelas sabidoras que refieren consejas y decires, dando vueltas al huso, sentadas bajo el candil que alumbra la velada, mientras cae el grano y muele la piedra [p. 69].[6]

La ilusión de comunión entre los dos amantes y la naturaleza, sin embargo, se esfuma cuando en el capítulo IV comprenden que su adúltera relación amorosa es disruptiva y que, por tanto, tendrá que terminar. Dicho de otra forma, en el cuento, lo pastoril es un medio por el cual se contrasta el paisaje con el amor de Eulalia y Jacobo: si bien ambos poseen elementos comunes, resultan esencialmente diferentes al ser el uno totalmente armónico mientras que el otro responde a circunstancias deficientes en términos éticos y sociales.[7] No sorprende, pues, que ante la imposibilidad de continuar su relación, los dos amantes se separen y ella, el personaje central, perezca en un río cuya profundidad —o real esencia— desconocía (p. 54) y por el cual expresó reverencia el narrador al considerarlo «paternal y augusto como una divinidad antigua» que da vida a los prados (p. 61).[8]

El nexo entre una corriente de agua y una divinidad responde en la mitología al beneficio que la humanidad ha derivado de los ríos. En «Eulalia», específicamente, el río es «paternal» y, por tanto, puede ser concebido como un símbolo ambivalente «de la fuerza creadora de la naturaleza» y de la muerte al morir Eulalia ahogada en él y al lograr, simultáneamente, alcanzar esa paz que su relación amorosa con Jacobo le había negado.[9] Es decir, el río, al unísono, permite la coexistencia de la vida y la muerte (es por el agua que lo constituye que junto a él se han establecido las grandes civilizaciones y él, debido a su constante movimiento e indomable fuerza, ha pasado a ser símbolo de la destrucción y de la muerte). En «Eulalia», el río traerá la muerte física de la protagonista a la vez que le permitirá reasimilarse a la naturaleza. Es en este último sentido que el río desempeña para Eulalia un papel semejante al que le atribuyó a su abuelo, otra figura paternal que, según ella, si viviese no permitiría que fuese «tan desgraciada» (p. 62).

En «Eulalia», más que la historia de dos seres específicos, tenemos un ejemplo de lo que para Arnold Reichenberger fue característico del teatro español del Siglo de Oro: «[...] el patrón de orden alterado a orden restaurado».[10] Es por ello que el cuento concluye con la alegre —vital— canción de un mozo aldeano, música que ocurre en el silencio —en la paz del campo— y que reafirma la armonía del universo después que ha concluido la «disrupción» cósmica que resultó del amor adúltero entre Eulalia y Jacobo y que culmina en gran parte del capítulo V.[11] Simultáneamente, al estar escrita en gallego, esta canción reafirma los vínculos existentes entre el mundo rural de donde proviene esta lengua y la armonía cósmica con que concluye este relato.[12] Dicho de otra forma, «Eulalia» ejemplifica esa añoranza tan bien explicada por Lily Litvak al describir ciertas preocupaciones básicas de don Ramón y su época. En este sentido, el relato constituye un indicio de la insatisfacción que Valle y otros intelectuales de finales del siglo XIX y principios del XX sentían ante el «progreso» materialista detectable entonces en España. Ante dicho progreso, es contrapuesta por ciertos escritores y pensadores una actitud benevolente hacia los valores que tradicionalmente han sido asociados con un mundo idílico natural y rural. Todo esto, añádase, queda manifestado en una atracción por las sociedades rurales más primitivas (por Galicia en Valle) y por una nueva visión de la naturaleza ejemplificada en la importancia de lo idílico-pastoril en ciertos textos de don Ramón.[13] En el caso de Valle-Inclán, su pasión por el mundo gallego rural según aparece en «Eulalia» es, por supuesto, una forma de transcender el presente, de ir a las raíces de un pueblo para expresar su verdadera esencia, sus atributos más auténticos.[14]

II

«Eulalia» es un cuento donde predomina el silencio. El texto comienza con la despedida silenciosa de la protagonista y sus hijas y concluye con el silencio mortal que precede a su muerte y a la canción de un aldeano. A través del relato, el narrador pone énfasis en períodos silenciosos: al efecto, la palabra silencio y otras derivadas de ella aparecen dieciséis veces junto con otros giros que denotan calma (por ejemplo, «mudo» y «quieto»). En su *Diccionario de la Lengua Española*, la Real Academia define la palabra «silencio» como una «Falta de ruido. El SILENCIO de los bosques [...]».[15] En el cuento que nos concierne, sin embargo, este giro no implica necesariamente una total falta de sonidos. Existen en este cuento dos tipos fundamentales de silencio. El primero está constituido por esos instantes en que nada se escucha o en los que se oyen las ranas, el ruiseñor, y aun las voces distantes e indistinguibles de quienes viven en el campo, seres cuya identidad poco importa y que se supone han sido siempre parte de ese mundo rural (como en el caso de la cuadrilla de segadores y sus gritos en «lengua visigoda», p. 56).[16] Estas voces constituyen un tipo de fondo al cuento: son una manifestación más del ambiente bucólico-armónico que prevalece en la narración. El segundo tipo de silencio, por su parte, es aquél en el cual se detecta un deseo de no comunicación —de hostilidad—, como cuando Jacobo no responde a las llamadas de Eulalia en el capítulo V.[17]

En contraste con el silencio bucólico —indicio de la existencia de un cosmos perfecto—, surgen las conversaciones entre Eulalia y su amante, intercambios que terminan en recriminaciones y que recalcan la falta de armonía que tipifica los lazos entre ellos al estar su relación basada en un amor adúltero que de perdurar hará sufrir al esposo y a las hijas de Eulalia, y que de concluir —o sea, lo que ocurre— les traerá insatisfacción a dos seres que se aman.[18] En este sentido, las conversaciones entre Eulalia y Jacobo están muy vinculadas al silencio hostil que también existe entre ellos.

III

Desde que comienza la narración, se empiezan a perfilar ciertas características ambientales que harán plausible la muerte de Eulalia al final del cuento: ella es una mujer con hijas, que suspira, «con una sombra de vaga tristeza en los ojos», y con cierta indecisión (p. 53). Quien así interpreta a Eulalia es un narrador «extradiegético», que opera, simultáneamente, de forma «heterodiegética» al no aparecer en el mundo que narra. Este narrador demuestra omnisciencia a través de todo el texto al tener familiaridad con los pensamientos y sentimientos privados de Eulalia. Así sucede, por ejemplo, cuando identifica la «larga delicia sensual» que sentía «al sumergir su mano» en el río durante su viaje al molino de la Madre Cruces (p. 55).

Además, este narrador matiza —enfoca— mucho de lo que ocurre a través de breves afirmaciones que ni fueron dichas ni pensadas por los personajes y que, indudablemente, guían al lector en su intento de descrifrar el sentido último del texto que lee. En esas ocasiones, el narrador se convierte en el prisma (o perspectiva) por donde se filtra mucho de lo que se sabe del mundo de «Eulalia», y pasa a ser un tipo de focalizador externo del texto (Rimmon-Kenan, pp. 71-74).[19] Sirvan dos ejemplos para ilustrar este fenómeno. A finales del primer capítulo, nos dice el narrador que el corazón de Eulalia «latía como un pájaro prisionero» (p. 57) cuando tiene ante sí el molino donde reside su amado. Al hacerlo, el narrador enfoca a Eulalia según él concibe la realidad e intensifica poéticamente las emociones de ella para facilitar que se comprenda la excitación que la protagonista siente (recuérdese que todavía no se sabe por qué Eulalia va al molino). Por su parte, a principios del capítulo II, el narrador describe el mismo molino como un sitio idílico donde «el agua verdea en la presa, llena de vida inquieta y murmurante» (p. 59). Con los dos últimos adjetivos —«inquieta» y «murmurante»— el narrador puntualiza sus percepciones sobre este extraordinario lugar: lo que aquí se detecta es lo vital en su inquietud y sonido, algo esencialmente lógico, pues será aquí donde Eulalia se encontrará con Jacobo.

Existen también otros recursos narrativos en «Eulalia» que merecen consideración. A través del relato hay anticipaciones por parte del narrador que tienden a crear una discrepancia entre el orden lógico de la historia que se narra y el texto en que realmente es narrada dicha fábula. Estas anticipaciones constituyen lo que Gérard Genette denominó «amorce»: o sea, un tipo de preparación que facilita la comprensión del lector de lo que se avecina, aunque este conocimiento sólo ocurra cuando, retrospectivamente, el lector evalúe el texto.[20] Es así como, temprano, en «Eulalia» se pone énfasis en la indecisión que caracteriza a la protagonista cuando, en un tipo de sinécdoque, su cabeza —ella misma— estaba «indecisa entre sombra y luz» (pp. 53-54). Este titubeo de Eulalia ocurre además cuando ella es descrita como «sonriente y pensativa» (p. 57) y cuando, paradójicamente, dice que llama a algo que teme y que, sin embargo, desearía alcanzar: «Yo la llamo, pero le tengo miedo... Si no la tuviese miedo, la buscaría...» (p. 63). Esta actitud de Eulalia hacia la muerte —su aparente preocupación al respecto— puede ser interpretada retrospectivamente como un indicio del desenlace de la obra cuando ella muere ahogada (pp. 81-82).[21]

En «Eulalia», como en toda narración, la colocación de sus elementos constituyentes es de suma importancia. Es por ello por lo que una aparentemente banal conversación entre Eulalia y un zagal posee más envergadura de la que se le podría atribuir a primera vista. En este diálogo, el joven le dice a la dama que sabe que «la señora va a visitar al caballero que vino poco hace. Un caballero enfermo que toma los aires en el molino de la Madre Cruces» (p. 57). Con esta aseveración queda planteada una relación sobre la cual nada sabe el lector y que, finalmente, constituirá el núcleo central de la obra. Por el momento, sin embargo, el comentario del zagal propele al lector implícito a especular sobre circunstancias que le son desconocidas y que se aclararán en términos generales en el próximo capítulo. Sirve, pues, esta aparentemente insubstancial conversación para despertar interés al insinuarse una situación que no quedará planteada de forma más detallada hasta más adelante. Se consigue así, por consiguiente, la creación de un enigma que simultáneamente prolonga el desconocimiento del lector implícito y provoca que siga leyendo el texto que tiene frente a sí a la vez que se enfrenta con una incógnita.

* * *

En «Eulalia», nuevamente, Valle-Inclán enfatiza sobre la existencia de una «Edad Dorada» esencialmente rural —tipo de *locus amoenus*—,[22] donde el ser humano, con sus acciones, violenta el orden establecido y perece, a la vez que pasa a ser parte misma de la naturaleza al sucumbir en las aguas de un río-deidad que es fuente de todo.[23] Con la muerte de la protagonista queda restaurada la armonía cósmica según lo manifiesta, en términos prácticos, la composición musical con que concluye el texto.[24]

NOTAS

1. Citas y referencias a «Eulalia» provienen de *Corte de amor* (Madrid, Espasa-Calpe, 1979[6]). Valle-Inclán supervisó las siguientes versiones de este texto: *Los Lunes de El Imparcial*, 18 y 25 de agosto, 8, 15 y 22 de septiembre (1902), *Corte de amor* (Madrid, Imprenta de Antonio Marzo, 1903, pp. 69-123), *Corte de amor* (Madrid, Imprenta de Balgañón y Moreno, 1908, pp. 87-141), *Historias de amor* (París, Garnier, [1909], pp. 225-256), *Corte de amor. Opera Omnia*, vol. XI (Madrid, Perlado, Páez y Compañía, Editores, 1914, pp. 91-143), La novela corta, II, 73, 26 de mayo de 1917, *Cuentos, estética y poemas*, nota y selección de Guillermo Jiménez (México, Cultura, 1919, pp. 11-44), *Corte de amor. Opera Omnia*, vol. XI (Madrid, Sociedad General Española de Librería, 1922, pp. 81-135), y *Flores de almendro* (Madrid, Librería Bergua, 1936, pp. 180-197).

2. En la primera versión del cuento —la que fue publicada en *Los Lunes de El Imparcial*—, más que por piedad por su marido, Eulalia rompe con Jacobo para guardar las apariencias ante sus hijas (en este texto, su marido no estaba enamorado de ella). Es decir, un código social predominó en esa versión del cuento. Véanse los capítulos III (8 de septiembre de 1902) y IV (15 de septiembre de 1902). En la primera y segunda edición de *Corte de amor* y en *Historias de amor*, es patente que Eulalia no puede abandonar a sus hijas, pues si lo hiciera las perdería (esto se deduce del ofrecimiento que le hace Jacobo al respecto: él las robará para que ella las tenga). Véanse *Corte de amor* (1908), p. 121, e *Historias de amor*, p. 244. Obsérvese que la versión actual del texto cuajó substancialmente en la primera edición de *Corte de amor* como parte de *Opera Omnia* (1914). En todas las versiones anteriores a ésta, Eulalia le confiesa a Jacobo que tuvo otro amante y él expresa, con mayor o menor intensidad, cierto desprecio por ella. Obsérvese, además, la gran semejanza entre la figura de la Madre Cruces en «Eulalia» y en *El Marqués de Bradomín* (1906). Existen también otros parecidos entre ambos textos que no requieren mención en esta oportunidad. Curiosamente, John Lyon, *The Theatre of Valle-Inclán* (Cambridge, Cambridge University Press, 1983, p. 34), no detectó el vínculo entre «Eulalia» y *El Marqués de Bradomín*, algo que fue hecho por Manuel Bermejo Marcos, *Valle-Inclán: introducción a su obra* (Salamanca, Anaya, 1971, p. 119).

3. De hecho, este pasaje resulta muy curioso cuanto más se lee:

Jacobo la miró con amargura:

—¡No quieras mostrarte generosa!

Ella repitió con duelo:

—¡No, no merezco ese sacrificio!...

Estaba pálida, temblaban sus manos y sollozaba con los ojos secos:

—Voy a causarte una gran pena... Pero siempre fui sincera contigo, y quiero serlo ahora en este momento lleno de angustia...

Jacobo murmuró, temblándole la voz:

—¿Qué vas a decirme?

Eulalia le miró fijamente, quieta, severa y muda. Jacobo volvió a repetir:

—¿Qué vas a decirme?

Ella sonrió tristemente, parpadeando como si despertase de un mal sueño:

—¡Que tienes razón!... ¡Que este amor nuestro es imposible ya!... [p. 74].

Predomina en este fragmento una grandilocuencia expresiva que puede ser concebida como reflejo de una cierta artificialidad en las emociones de los personajes. Dicho de otra forma, el diálogo resulta trillado e inauténtico: ambas cosas, indudablemente, le restan importancia a la problemática humana de los personajes. En este sentido, la historia de Eulalia y Jacobo es una mera excusa que facilita la presentación de asuntos de más envergadura (por ejemplo, el mundo idílico pastoril como algo verdaderamente auténtico dentro de las normas imperantes en este relato), materias que son dadas con mucha más veracidad.

4. Este tipo de discurso es el que Shlomith Rimmon-Kenan denominó «resumen no tan diegético» (*Narrative Fiction: Contemporary Poetics* [Nueva York, Methuen, 1983, p. 109]). Otras variedades de discurso en el texto lo son el directo en los diálogos (Rimmon-Kenan, p. 110), y el indirecto libre (Rimmon-Kenan, pp. 110-116). Este último es paradigmático de cómo opera la literatura, ya que en la vida real nunca se combinan las voces del hablante y del narrador. Un ejemplo de él lo es la contraposición de lo que el narrador nos dice que sentía Eulalia y lo que esta misma protagonista afirma al efecto. En este caso, coinciden las percepciones de ambas voces:

Eulalia, trémula y sonriente, le alargó una mano y saltó a bordo.

Sentíase mojada, y aquello le traía el recuerdo de infantiles alegrías, llenas de juegos y de risas. Suspirando por el tiempo pasado, sentóse a proa, enfrente del barquero:

—¡Oh!... ¡Qué paisaje tan encantador! [p. 55].

Las técnicas mencionadas con anterioridad son, en mi opinión, efectivas en la expresión de la problemática de «Eulalia» debido a su funcionalidad. Añádase que su uso, junto con pasajes que esencialmente pintan dónde ocurre el cuento, resulta apropiado también ya que todo tiende a poner énfasis sobre la atmósfera que predominó en el relato. Ello es así ya que el denominador común de estos textos recae en acentuar, explícita o implícitamente, lo descriptivo, algo que recalca la importancia del paisaje en el relato (sobre este asunto me expresaré con posterioridad).

5. En términos literarios, sirve de inspiración a este ambiente la literatura pastoril. Véase Juan Bautista Avalle-Arce, *La novela pastoril española* (Madrid, Revista de Occidente, 1959, p. 8), y Judith M. Kennedy, «Introduction», en *A Critical Edition of Young's Translation of George of Montemayor's «Diana» and Gil Polo's «Enamoured Diana»* (Oxford, Oxford University Press, 1968, pp. XXV-XXVI). Un ensayo panorámico y bastante útil, que ubica la literatura pastoril española en su contexto histórico-cultural, fue escrito por A.A. Parker, «Expansion of Scholarship in Spain», en *The Age of the Renaissance*, ed. Denys Hay (Nueva York, McGraw-Hill Book Company, 1967, pp. 235-248). Es de notar, en la primera versión de «Eulalia» (la que apareció en *Los Lunes de El Imparcial*), cómo la ruptura entre Eulalia y Jacobo se manifiesta en una querella amorosa al creerse él rechazado por ella. Esta situación, indudablemente, recuerda las quejas de amor de los enamorados en la novela pastoril del Siglo de Oro. Véase el capítulo III (8 de septiembre de 1902).

6. Ya a lo largo de su único libro teórico, Valle-Inclán ha insistido en la necesidad de enfrentarse a la realidad en términos cíclicos, remontándose al acto eterno de los orígenes de todas las cosas. Véase *La lámpara maravillosa* (Madrid, Espasa-Calpe, 1960[2]).

7. En este sentido, el paisaje es una forma de caracterizar a Eulalia y sus dilemas por medio de una analogía.

8. En otra ocasión —en *El teatro de Federico García Lorca y otros ensayos sobre literatura española e hispanoamericana* (Lincoln, Society of Spanish and Spanish-American Studies, 1980, pp. 156-157, nota 28)—, sustenté que Eulalia se había suicidado. Hoy, no me atrevería a sostenerlo de manera tan categórica,

pues el final del cuento ilustra ese tipo de narración que según S. Rimmon tiene un doble sentido, siendo muy posible que Eulalia se haya suicidado (antes ella había expresado interés por la muerte [pp. 62-63]) o haya caído al río a causa de su debilidad física después de separarse de Jacobo (p. 80). Si utilizamos las ideas de Rimmon, la muerte de Eulalia no es ambigua, ya que las dos posibles hipótesis no se excluyen, siendo documentables en el texto al ser factible que un ser carente de energía física se deje caer —o caiga— en un río y fenezca de esta manera. Véase Shlomith Rimmon, *The Concept of Ambiguity-the Example of James* (Chicago, The University of Chicago Press, 1977, p. 14).

Ambos, O.E. Jack Roberts, Jr., *Definition and Contrast of Love in the «Corte de amor» and the «Sonatas» of Ramón del Valle-Inclán*, tesis doctoral (Louisiana State University, 1967, pp. 63-68), y Eliane Lavaud, *Valle-Inclán: du journal au roman (1888-1915)* ([París], Klincksieck, 1979 [1980], p. 204), creen que Eulalia se suicidó. Algo semejante es afirmado por Catherine Nickel, «Recasting the Image of the Fallen Woman in Valle-Inclán's Eulalia», *Studies in Short Fiction*, 24 (1987), pp. 289-294. Este último estudio llegó a mis manos después de terminado el mío, y enfoca a «Eulalia» de forma bastante diferente.

9. Véanse José Antonio Pérez-Rioja, *Diccionario de símbolos y mitos* (Madrid, Tecnos, 1971[2], p. 387); Juan-Eduardo Cirlot, *Diccionario de símbolos* (Barcelona, Labor, 1981[4], p. 389); y Ad de Vries, *Dictionary of Symbols and Imagery* (Amsterdam y Londres, North-Holland Publishing Company, 1974, p. 387).

10. No asevero en esta ocasión que el cuento de Valle-Inclán se ajuste a patrones ideológicos del Siglo de Oro. Lo que sustento es que existen rasgos en «Eulalia» que recuerdan ciertas obras del Siglo de Oro debido a la marcada influencia que la literatura pastoril tiene en este cuento de Valle. Véase «The Uniqueness of the *Comedia*», *Hispanic Review*, 27 (1959), p. 307 (esta teoría la reiteró nuevamente Reichenberger en «The Uniqueness of the *Comedia*», *Hispanic Review*, 38 [1970], pp. 163-173).

11. En un sentido neoplatónico, Dios es el músico, y su música el universo mismo. R.O. Jones, *A Literary History of Spain. The Golden Age Prose and Poetry* (Londres, Ernest Benn, 1971, pp. 103-108), discute estas ideas en su estudio sobre Fray Luis de León. Véanse también sus ideas en «Introduction», *Poems of Góngora* (Cambridge, Cambridge University Press, 1966, pp. 30-32). Sobre el neoplatonismo como fuente del concepto de armonía cósmica, el lector es referido a Jones (pp. 29-49 y 57) y a

Otis H. Green, *Spain and the Western Tradition*, tomo I (Madison, The University of Wisconsin Press, 1963, pp. 5 [nota 7] y 77-91).

12. Como bien ha dicho Lily Litvak, «Valle-Inclán frecuentemente crea una atmósfera rural a través del uso de dialectos y de lenguaje campesino local —gallego en particular. El lenguaje es muy importante para Valle-Inclán, más por su poder evocativo y por la sonoridad de las palabras que por su exactitud conceptual [...]. Para él, las lenguas tienen un origen básicamente rural» (*A Dream of Arcadia. Anti-Industrialism in Spanish Literature, 1895-1905* [Austin, University of Texas Press, 1975, p. 130]).

Eva Llorens, por su parte, le atribuye un sentido diferente al mío a esta canción final. Véase *Valle-Inclán y la plástica* (Madrid, Ínsula, 1975, p. 55).

13. Al discutir todo esto, Lily Litvak está muy interesada en *Flor de Santidad*, otra obra de Valle-Inclán escrita a finales del siglo pasado y principios de éste. Léanse las pp. 3-10, 108-149 (especialmente, 128-133), 150-190 (especialmente, 167-176), y 238-247. A continuación, se ofrecen algunas de sus aseveraciones más pertinentes para la mejor comprensión de «Eulalia»:

> [...] había, a principios de siglo, un renaciente interés en lo bucólico, en la atmósfera pastoril del campo [p. 108].
>
> Los pastores evocados por Valle-Inclán son tipos idealizados. Ellos son su concepción idealizada de algo: miembros de una sociedad ideal primitiva [p. 128].
>
> La predisposición hacia lo natural, junto con la descripción detallada de paisajes, representa una nostalgia por una vida más completa, simple, alejada de la contaminación, las complicaciones, y el ruido de la sociedad industrializada [p. 190].
>
> Muchos escritores que todavía estaban inspirados por el Simbolismo continúan estableciendo la correspondencia entre la naturaleza y una realidad más profunda; otros, por su parte, tomaron el espectáculo de la naturaleza como punto de partida para una explicación del universo. Estas interpretaciones están a menudo entretejidas y entrelazadas [p. 152].
>
> Valle-Inclán transforma la naturaleza gallega con contornos idílicos y geórgicos [p. 167].

14. Indudablemente, la importancia de lo idílico según se evidencia en el paisaje gallego es tan fundamental en «Eulalia» como en *El embrujado* —otra obra de Valle que resulta ser algo posterior— a pesar de lo que sobre esta última creación haya expresado K.M. Sibbald en su crítica de mi ensayo sobre *El em-*

brujado. Véanse Luis González del Valle, «La unidad conceptual de *El embrujado*», en *Studies in Honor of José Rubia Barcia*, ed. Roberta Johnson y Paul C. Smith (Lincoln, Society of Spanish and Spanish-American Studies, 1982, pp. 71-82), y K.M. Sibbald, «Spanish Studies. Literature, 1898-1936», en *The Year's Work in Modern Language Studies*, 44 (1982), p. 406.

Sobre la importancia del mundo gallego en las obras de don Ramón (incluyendo su idealización de este paisaje), se han expresado: José Rubia Barcia, «Valle Inclán y la literatura gallega», *Revista Hispánica Moderna*, 21 (1955), p. 94 (este texto fue reproducido más tarde en *Mascarón de proa. Aportaciones al estudio de la vida y de la obra de Don Ramón del Valle-Inclán y Montenegro* [La Coruña, Ediciós do Castro, 1983, p. 105]), Pedro Laín Entralgo, *La generación del noventa y ocho* (Madrid, Espasa-Calpe, 1967[6], pp. 41-45), José Antonio Gómez Marín, *La idea de sociedad en Valle-Inclán* (Madrid, Taurus, 1967, p. 24), Domingo García-Sabell, «*La cara de Dios* o Valle-Inclán en persona», en *La cara de Dios* (Madrid, Taurus, 1972, p. 15), Llorens, pp. 69 y 71, y Antonio Risco, *El demiurgo y su mundo: hacia un nuevo enfoque de la obra de Valle-Inclán* (Madrid, Gredos, 1977, pp. 138-139). Por su parte, Emilio González López, *El arte dramático de Valle-Inclán* (Nueva York, Las Américas Publishing Company, 1967, p. 57), indicó de pasada que «Eulalia» tenía un fondo simbolista.

15. Vigésima edición, tomo II (Madrid, Espasa-Calpe, 1984, p. 1.244).

16. Este tipo de silencio (o calma ambiental) puede ser concebido como esa quietud de la que Valle se expresó en *La lámpara maravillosa* al referirse a lo que permanece inmutable a través del tiempo, aquello que une al ser con sus orígenes. Sobre este asunto, léanse las páginas que le dedico a *Augusta* en este libro.

17. Claro está, existe una tercera categoría con el «silencio mortal» a que se hace referencia casi a finales del cuento y que será discutida más adelante en este ensayo.

18. Si bien en varias ocasiones Eulalia es llamada «paloma» por la Madre Cruces, en una oportunidad la vieja dice que es una «paloma blanca» (p. 61). En la mitología griega, esta ave «es un símbolo del amor profano» si se la vincula con Afrodita, diosa del amor y de la fertilidad (véase Pérez-Rioja, pp. 334 y 45-46). En el caso de Eulalia, lo que importa no es que participe de un amor profano, pues el mundo rural está lleno de relaciones de esta naturaleza. Lo central es su adulterio y cómo ello hace que Eulalia esté en desarmonía dentro del ambiente idílico des-

crito en el relato. Aprovecho la ocasión para expresarle mi agradecimiento a la colega Catherine Nickel. Ella fue quien me puso en la pista de la importancia del silencio en este texto durante nuestras conversaciones. Cuanto asevero en la segunda sección de este ensayo, sin embargo, es, para bien o para mal, mío.

19. En otras ocasiones, el focalizador lo es Eulalia misma (por ejemplo, cuando recuerda su niñez en la página 55).

20. *Figures III* (París, Seuil, 1972, pp. 112-114). Rimmon-Kenan, por su parte, establece diferencias fundamentales entre «*amorce*» y «prolepsis» (p. 48).

21. Otros ejemplos: cuando Eulalia le dice a Jacobo que para que él la perdiese ella tendría que morir (p. 72), y el «silencio mortal» que predomina cuando Eulalia embarca (p. 81). La referencia al silencio aquí es significativa al operar la carencia de sonido de otras diversas formas en el texto: como silencio campesino y como silencio «disruptivo».

22. Sobre este concepto se expresó Ernst Robert Curtius, *European Literature and the Latin Middle Ages*, trad. Willard R. Trask (Nueva York, Harper & Row, Publishers, 1963, pp. 192, 195-200).

23. Otras dos manifestaciones de lo bucólico en la obra de Valle-Inclán aparecen en *El embrujado* y en *Voces de gesta*. A tal efecto, el lector es referido a los siguientes estudios de Luis González del Valle: «La unidad conceptual de *El embrujado*», en *Studies in Honor of José Rubia Barcia*, pp. 71-82, y *La tragedia en el teatro de Unamuno, Valle-Inclán y García Lorca* (Nueva York, Torres Library of Literary Studies, 1975, pp. 65-87).

24. La importancia del paisaje en «Eulalia» pasa desapercibida a Eduardo Tijeras, «El cuento en Valle-Inclán», *Cuadernos Hispanoamericanos*, 199-200 (1966), p. 402, Lavaud, p. 200, y Lourdes Ramos-Kuethe, «El concepto del libertinismo en la narrativa temprana de don Ramón del Valle-Inclán», *Hispanic Journal*, 4 (1983), pp. 55-56.

AUGUSTA Y LA ESTÉTICA DE LO IMPERECEDERO*

> Todo lo viejo en nuestra inconsciencia apunta a la llegada de algo.
> El arquetipo como imagen del instinto es el objetivo espiritual hacia el cual va toda la naturaleza humana; es el mar a donde se dirigen todos los ríos, el premio que el héroe consigue de la lucha con el dragón.
> Es una gran equivocación práctica tratar un arquetipo como si fuese un mero nombre, palabra o concepto. Es mucho más: es un trozo de vida, una imagen conectada al individuo vivo por medio del puente de la emoción.
>
> C.G. JUNG[1]

Incluida por primera vez en *Corte de amor* en 1903,[2] *Augusta* apareció originalmente bajo el título de *Epitalamio* en 1897.[3] Entre la versión actual de *Augusta* y la de *Epitalamio* existen algunas alteraciones de cierta importancia. Como es lógico por su fecha, el texto contemporáneo de *Augusta* resulta más pulido. En *Epitalamio* aparecen, sin embargo, datos que tienden a facilitar la comprensión de ciertos aspectos de la narración que la versión presente de *Augusta* no elabora, ya que son de importancia secundaria respecto a lo que ocurre (por ejemplo, cómo se conocieron Augusta y el príncipe). También se diferencian ambas versiones por ciertas alteraciones en el orden de párrafos, la modificación de frases descriptivas y de algunos nombres (por ejemplo, la vaca Foscarina, que aparece en *Augusta*, se llama Maruxa en *Epita-*

---

* Una versión algo diferente de este ensayo apareció en *El teatro de Federico García Lorca y otros ensayos sobre literatura española e hispanoamericana* (Lincoln, Society of Spanish and Spanish-American Studies, 1980, pp. 139-157).

lamio, Nelly se llama Beatriz, y el poema del príncipe en honor a Nelly —la «Égloga mundana»— se titulaba originalmente «Pastorela mundana»). Añádase a lo ya expresado que en *Epitalamio* abundan más las referencias clásicas y que éstas resultan a veces algo forzadas. En conclusión, las dos novelitas se asemejan lo suficiente como para que en este ensayo todo comentario evaluativo sobre una sea aplicado a la otra. Cuando ello esté justificado, sin embargo, haré mención a diferencias entre las dos obras que ayudan a la mejor comprensión de los objetivos que ellas comparten.

Ni *Epitalamio* ni *Augusta* han despertado mayor interés en la crítica: las dos han sido objeto de breves interpretaciones que no consideran adecuadamente sus elementos constituyentes. Es así que, por ejemplo, la reseña que Clarín escribió de *Epitalamio* en *Madrid Cómico*, si bien nos puede parecer divertida desde la perspectiva altamente conservadora y simplista de su autor (recuérdese que fue escrita en 1897), a la vez carece de precisión crítica.[4] Pero no hay que ir a Clarín para encontrar miopía interpretativa en lo concerniente a *Augusta*: recientemente otros especialistas, al expresarse sobre ella, no han identificado su verdadera importancia,[5] atributos que están muy relacionados con ciertas teorías que Valle-Inclán desarrolló en *La lámpara maravillosa* (1916), esa obra suya que posee capital importancia en la definición de la poética del gran escritor gallego.[6]

La lámpara maravillosa

Como bien ha afirmado Virginia Milner Garlitz, *La lámpara maravillosa* fue escrita «en un momento crítico en la vida profesional y personal de Valle-Inclán» (tesis doctoral, p. 324). En ese instante, don Ramón tuvo necesidad de reexaminar su obra y de definir lo que iba a escribir. En este libro, exalta «el arte como una vía de transcender la incomprensión del mundo materialista y racionalista, y también, de curar la ruptura de la unidad cósmica» (Garlitz, tesis doctoral, p. 324). Todo esto lo hace Valle-Inclán valiéndose de ciertas teorías ocultistas populares en su época y entre diversos escritores. «En *La lámpara maravillosa* [...] llegó a la conclusión que el arte basado en el amor o la sensibilidad elevada puede salvar al hombre» (Garlitz, *ibíd.*, íd.).

La importancia de *La lámpara maravillosa* es tal que Valle le asigna, muy significativamente, el primer volumen de su *Opera Omnia*. El libro está dividido en seis apartados. En «Gnosis» se discute la teoría del conocimiento (incluyendo la importancia que Valle-Inclán puso en la contemplación mística, tipo de lámpara maravillosa que da luz y conocimiento del todo) y la vinculación entre la sabiduría, el amor y la belleza. «El anillo de Giges» inicia la explicación de esa peregrinación que lleva al ser al conocimiento de lo que es en verdad el tiempo (de su unidad, al no haber en realidad ni ayer, ni hoy, ni mañana, ya que todo es, en última instancia, uno). Esta peregrinación es dada en términos aparentemente autobiográficos, valiéndose además de la leyenda clásica que le atribuye poderes extraordinarios al anillo del pastor Giges (anillo mágico que le permite ver lo invisible y que, implícitamente, nos indica que para poder lograr lo inalcanzable tenemos también que valernos de algo maravilloso). «El milagro musical» constituye un tipo de explicación de lo que son las palabras: de sus limitaciones y de cómo lo inefable sólo puede ser alcanzado por la evocación musical, que resulta de las palabras al ser el tono algo fundamental en la elevación del ser a la deidad. Con «Exégesis Trina», por su parte, don Ramón ofrece una interpretación tripartita y a la vez unitaria de lo que para él es el enigma de todo. «El quietismo estético» queda definido como ese medio por el cual se puede alcanzar la belleza, lo divino. Con él, se logra escapar de la cronología y la geometría (el tiempo y la forma dejan de constituir, por tanto, limitaciones que se le imponen al ser). Por último, «La piedra del sabio» consiste en identificar aquella verdad (el amor) que lleva a la eternidad (a la deidad). Esta verdad cobra cuerpo a través de la creación estética: en este sentido, el arte tiene la habilidad de referirse a algo sin nombrarlo y de expresar algo a partir de otra cosa, de transformarlo todo en la expresión de la totalidad en un tipo de peregrinaje de lo minúsculo a lo absoluto.

La lámpara maravillosa desarrolla diversas funciones que están vinculadas entre sí: es un tipo de glosa o explicación de textos obscuros, constituye una exploración por parte del hombre de aspectos de su dimensión espiritual (por ejemplo, el alma, Dios, etc.).[7] A pesar de todo esto, es ilusorio buscar en este libro precisión filosófica o un dominio de teorías estéticas, teológicas u ocultistas, ya que Valle fue un autodidacta, un creador que utiliza fuentes dispares con cierta libertad en la expresión de sus preocupaciones. Aspecto éste donde reside fundamentalmente el valor de *La lámpara maravillosa,* a pesar de su gran fragmentación ideológica, de la abundante reiteración, y del uso de textos aparentemente deficientes, que reflejan la débil base académica de Valle-Inclán.[8]

En lo concerniente a *Augusta,* el aspecto que más me interesa de *La lámpara maravillosa* es aquél que trata de las ideas de Valle-Inclán sobre el tiempo. Al respecto, don Ramón afirmó que el cosmos es siempre igual, ya que el ser comprende el quietismo y puede remontarse constantemente al acto de su origen. Dicho de otra forma, cada instante perdura sin las limitaciones cronológicas con que normalmente concebimos la realidad debido a nuestros deficientes sentidos:

> Para el extático no existe mudanza en las imágenes del mundo, porque en cualquiera de sus aspectos sabe amarlas con el mismo amor, remontando al acto eterno por el cual son creadas [p. 17].
>
> Para romper su cárcel de barro, colócate fuera de los sentidos, y haz por comprender el misterio de las horas, por persuadirte de que no fluyen y que siempre perdura el mismo momento [p. 35].
>
> Este momento efímero de nuestra vida contiene todo el pasado y todo el porvenir. Somos la eternidad, pero los sentidos nos dan una falsa ilusión de nosotros mismos y de las cosas del mundo [p. 36].

Y añade don Ramón que el arte facilita la percepción de lo eterno:

> El Arte es bello porque suma en las formas actuales evocaciones antiguas, y sacude la cadena de siglos, haciendo palpitar ritmos eternos, de amor y de armonía [p. 57].
>
> Para el extático no existe mudanza en las imágenes del mundo, porque en cualquiera de sus aspectos sabe amarlas con el mismo amor. El éxtasis es el goce contemplativo de todas las cosas en el acto de ser creadas: Uno Infinito Eterno. Y el Arte es nuncio de aquel divino conocimiento cuando alumbra un ideal de conciencia, una razón de quietud y un imán de centro, plenarios de vida, de verdad y de luz [p. 70].

Esencial en lo expresado por Valle-Inclán en *La lámpara maravillosa* es esa necesidad en él de escapar del tiempo cronológico y llegar a comprender un tiempo de mayor envergadura: el circular. En este sentido, el verdadero tiempo no es el de los sucesos que ocurren diariamente, sino el que relaciona estos hechos con momentos pretéritos aún vigentes para el individuo, instantes que por ser imperecederos forman parte del futuro mismo:

> Para los gnósticos, la belleza de las imágenes no está en ellas, sino en el acto creador, del cual no se desprenden jamás, y así todas las cosas son una misma para ser amadas, porque todas brotan de la eterna entraña en el eterno acto, quieto, absoluto y uno.
>
> Descubrir en el orden del mundo un sentido de belleza más allá de nuestros fines mortales y de la reproducción de las eternas formas es caminar por los senderos del quietismo y sumirse en la divina Cáligo. El hombre que penetra en el misterio siente en los hombros las alas del ángel y halla en las cosas una razón de conciencia fuera del orden de las horas, como explica el iluminado Taulero [p. 79].
>
> El arte primitivo de los griegos, evocador del sentido eterno de la vida, cifraba la suprema comprensión de la belleza en el conocimiento que se alcanza colocando las imágenes del mundo fuera del Tiempo. En aquel mítico

> amanecer del ciclo arcaico, las formas son logos de multiplicación, vasos fecundos de la imagen eterna. La idea del Demiurgo está en la estética como en la teología, y la tragedia, toda mito y símbolo, encarna en el furor erótico la eterna voluntad del mundo [p. 84].
>
> La expresión estética llena de luz como una estrella, centro de amor y de conocimiento, sólo puede nacer de la visión cíclica [p. 115].

Como se deduce de los pasajes que he citado de *La lámpara maravillosa*, Valle-Inclán cree en la existencia de un mundo arquetípico (o de entidades básicas) del cual son manifestaciones cuanto sucede y sucederá:[9]

> *Aprendamos a descubrir en cada forma y en cada vida aquel estigma sagrado que las define y las contiene* [p. 120].
>
> ¡Alma, si quieres sentirte creada y gozar la gracia edénica del primer instante, ama la Idea del Mundo en la Mente Divina y en el Verbo del Sol! [p. 135].
>
> Todo nuestro saber temporal es una yuxtaposición de instantes, una línea recta, un rayo de sol. Sin embargo, este momento tan efímero volvemos a vivirlo en la remota eternidad, y lo que ahora es como el punto que vuela, será un círculo inmutable [p. 144].
>
> Cada vida es un instante, el instante infinitamente pequeño que vuela infinitamente, y crea el círculo eterno, que los sentidos no conocen jamás [p. 145].

Parte integral de las creencias de Valle que he mencionado es su preocupación por el quietismo, avenida que facilita el alcance de los objetivos más elevados del hombre:

> Si purificásemos nuestras creaciones bellas y mortales de la vana solicitación de la hora que pasa, se revelarían como eternidades. Todas las imágenes del mundo son imperecederas y sólo es mudable nuestra ordenación de las unas con las otras. Con relación a lo inmutable, todo es inmutable, y el alma que sabe hacerse quieta se convierte en centro de tal suerte que, en la relación con ella, todo queda polarizado e inmóvil. El encanto del tiempo pasado está en la quietud con que se representa en el recuerdo [p. 102].

Sólo buscando la suprema inmovilidad de las cosas puede leerse en ellas el enigma bello de su eternidad [p. 105].

El quietismo estético le sirve entonces al creador para transcender las barreras cronológicas y geométricas imperantes en su deseo de alcanzar lo bello como manifestación de lo divino.[10]

El acercamiento mítico-arquetípico

Las alusiones al tiempo que Valle-Inclán hizo en *La lámpara maravillosa* son imprescindibles si se desea comprender la novelita *Augusta*, y se aproximan mucho —mera coincidencia teniendo en cuenta las fechas de estos escritos— a varias interpretaciones míticas y arquetípicas con bases teóricas en C.G. Jung.[11] Esta analogía facilita mi acercamiento crítico al permitirme utilizar interpretaciones que poseen mayor precisión que las de Valle-Inclán, quien, como buen creador literario, era más subjetivo y carecía además de bases académicas. Entre las percepciones del fenómeno mítico-arquetípico disponibles escojo las de Mircea Eliade, autoridad reconocida en este campo de investigación.[12] En su libro *The Myth of the Eternal Return*, Eliade sostiene que para comprender el verdadero sentido de los mitos es indispensable entender que para el hombre primitivo la realidad circundante imitaba un modelo celestial, y que los ritos servían para materializar esos modelos superiores que preocupaban al hombre arcaico.[13] En este sentido, los ritos se convierten en un medio de recreación de un momento original sumamente importante para la humanidad, pues repiten actividades en las que participaron dioses, héroes o antepasados (pp. 5-6). Y añade Eliade:

Para sumarizar, podríamos decir que el mundo arcaico no sabe nada de las actividades «profanas»: todo acto que tiene un sentido específico —la caza, la pesca, la agricultura; los juegos, los conflictos, la sexualidad—, en alguna

> forma participa en lo sagrado. Como veremos después con más claridad, las únicas actividades profanas son aquéllas que no poseen un sentido mítico; es decir, aquéllas que carecen de modelos ejemplares. Por tanto, podemos decir que toda actividad responsable que pretenda alcanzar un fin es, para el mundo arcaico, un rito [pp. 27-28].

La participación en lo sagrado a que se refiere Eliade es asociable con las teorías de Valle-Inclán en *La lámpara maravillosa*: «Aprendamos a descubrir en cada forma y en cada vida aquel estigma sagrado que las define y las contiene» (p. 120). La afinidad conceptual es aún mayor si recordamos la visión del tiempo en Valle-Inclán; añoranza de lo intemporal por medio de esas imágenes que libran al hombre de los límites físicos y cronológicos: «¡Felices ojos que ciegan después de haber visto, porque purifican su conocimiento de geometría y de cronología!» (p. 126). El nexo entre las percepciones de Valle-Inclán y Eliade cae de lleno en la predisposición que tiene el individuo para proyectarse a los orígenes y penetrar en un tiempo mítico que no sólo recrea el pasado ideal como algo pretérito, sino que le da vigencia actual —y futura— y, al hacerlo, destruye el tiempo presente, dejándonos ver que todo es una misma cosa, que el tiempo es, en última instancia, algo circular:

> No menos importante es la segunda confusión que se deriva de analizar los hechos y datos en las páginas anteriores —es decir, la abolición del tiempo a través de la imitación de arquetipos y la repetición de gestos paradigmáticos. Un sacrificio, por ejemplo, no reproduce exactamente el sacrificio inicial revelado por un dios *ab origine*, al comienzo del tiempo, sino que también ocurre en el mismo momento mítico primordial; en otras palabras, todo sacrificio repite el sacrificio inicial y coincide con él. Todos los sacrificios ocurren en el mismo instante mítico del comienzo; a través de la paradoja del rito, el tiempo profano y su duración quedan suspendidos. Lo mismo es verdad en lo concerniente a todas las repeticiones: por ejemplo, todas las imitaciones de arquetipos; a través de

> tales imitaciones el hombre se proyecta a la época mítica en la cual los arquetipos fueron por primera vez revelados. Por consiguiente, percibimos un segundo aspecto de la ontología primitiva: siempre y cuando un acto (o un objeto) adquiera cierta realidad por medio de la repetición de ciertos gestos paradigmáticos y adquiera la ya mencionada realidad solamente como resultado de dicha repetición, hay una abolición implícita del tiempo profano, de la duración, de la «historia»; y quien reproduce el gesto ejemplar se encuentra transportado a una época mítica en la cual su revelación ocurrió.
>
> La abolición del tiempo profano y la proyección del individuo a un tiempo mítico no ocurre, por supuesto, excepto en períodos esenciales —aquéllos en los que el individuo es verdaderamente auténtico: en los ritos o en los actos importantes (alimentación, generación, ceremonias, caza, pesca, guerra, trabajo). El resto de su vida lo pasa el ser en un tiempo profano carente de sentido: en un estado «transformativo» [p. 35].[14]

Entre los distintos ritos discutidos por Eliade, el que se ajusta de forma inmejorable a *Augusta* es el de la iniciación:

> El término iniciación en su sentido más general denota una serie de ritos y enseñanzas orales cuyo propósito es producir alteraciones decisivas en la condición religiosa y social de la persona que va a ser iniciada. En términos filosóficos, iniciación es equivalente a un cambio básico en la condición existencial; el novicio emerge de su prueba dotado de una existencia totalmente diferente a la que poseía antes de su iniciación; él se ha convertido en otro ser.[15]
>
> El novicio a quien la iniciación le presenta las tradiciones míticas de la tribu es introducido a la historia sagrada del mundo y de la humanidad.[16]
>
> El sentido [de la iniciación más importante] es siempre religioso, ya que el cambio de la condición existencial del novicio se produce por medio de una experiencia religiosa. El iniciado se convierte en otro hombre porque ha tenido una revelación decisiva del mundo y de la vida.[17]

Eliade identifica en sus escritos tres tipos de iniciaciones. Entre ellos, el que concierne a la colectividad, es el que resulta aplicable a *Augusta*. En esta clasificación se incluyen aquellos ritos obligatorios para todos los miembros de una sociedad, ritos que reflejan actividades tan fundamentales del ser en su desarrollo como su transición entre la niñez y el período adulto.[18] Y es que, como afirma Eliade, «la sexualidad también participa en lo sagrado»,[19] siendo esto último algo de gran importancia en relación con el rito de que se es testigo al leer *Augusta*.[20]

El cosmos en *Augusta*

Hasta la fecha los críticos han detectado poca profundidad en *Augusta*. O.E. Jack Roberts Jr., por ejemplo, descubre en la novelita varios lugares comunes de la obra temprana de Valle-Inclán: amor erótico, contraposición de lo sensual (y pagano) con lo cristiano, referencias renacentistas para recalcar el conocimiento que el hombre moderno posee en su vida, lo satánico, el egoísmo de Augusta (pp. 55-62).[21] Ninguno de ellos, en mi opinión, discierne sobre la funcionalidad que estos elementos poseen en *Augusta*, obra donde lo pagano, renacentista, sensual y religioso, apuntan hacia momentos pretéritos y futuros y, también, actitudes internas que forman parte del ser humano desde sus comienzos. A continuación, considero estos elementos con cierto detalle; más tarde los relacionaré con el rito de iniciación presente en *Augusta* y con el cual Valle-Inclán logra detener el tiempo en términos ritualísticos.

En el texto de *Augusta* abundan las referencias al mundo clásico greco-latino y al renacimiento italiano.[22] En su versión original la novelita se titulaba *Epitalamio*, obvia asociación con esa composición poética del género lírico que celebra una boda y que tiene sus bases en la antigüedad griega.[23] Aún más, el nombre «Augusta» posee obvios nexos con el Imperio Romano. En este contexto, Augusta se convierte en una figura que infunde respeto debido a su participación en un rito, algo que demostraré más adelante.[24] Es ella también llamada «bacante» (sacerdotisa del dios Baco) en su amor por el placer, emoción olímpica según es descrita en la novelita:

> Se negaba y resistía con ese instinto de las hembras que quieren ser brutalizadas cada vez que son poseídas. Era una bacante que adoraba el placer con la epopeya primitiva de la violación y de la fuerza [pp. 89-90].
>
> Era el amor de Augusta alegría erótica y victoriosa, sin caricias lánguidas, sin decadentismos anémicos, pálidas flores del bulevar. Ella sentía por aquel poeta galante y gran señor esa pasión que aroma la segunda juventud con fragancias de generosa y turgente madurez. Como el calor de un vino añejo, así corría por su sangre aquel amor de matrona lozana y ardiente, amor voluptuoso y robusto como los flancos de una Venus, amor pagano, limpio de rebeldías castas, impoluto de los escrúpulos cristianos que entristecen la sensualidad sin domeñarla. Amaba con la pasión olímpica y potente de las diosas desnudas, sin que el cilicio de la moral atarazase su carne blanca, de blanca realeza, que cumplía la divina ley del sexo, soberana y triunfante, como los leones y las panteras en los bosques de Tierra Caliente [pp. 85-86].

En estos fragmentos se mezcla, con cierta claridad, una actitud sensual con el mundo clásico e, implícitamente, se establece cómo tal actitud tiene antecedentes en los orígenes de la civilización occidental.[25]

El mundo renacentista italiano, cargado como está de influencias del período clásico-pagano, es utilizado para describir lo que ocurre en *Augusta*. En el Renacimiento, el hombre comienza a comprenderse y a valorarse al percibir sus poderes seculares (la coexistencia dentro de sí de supersticiones paganas, gran religiosidad, preocupación por lo sensual, desmedido egoísmo y perversidad, etc.):[26]

> Después aquellos amores llenaron con su perfume galante y sensual el sombrío palacio de una reina viuda. Fueron como las frescas y fragantes rosas pompadur, que crecían en el fondo de los jardines realengos, bajo las en-

> ramadas melancólicas. Augusta parecía hechizada por aquel príncipe poeta, que cincelaba sus versos con el mismo buril que cincelaba Benvenuto las ricas y floreadas copas de oro, donde el magnífico duque de Médicis bebía los vinos clásicos loados por el viejo Horacio.
>
> En los «Salmos paganos» queda el recuerdo ardiente de aquella locura. El príncipe Attilio Bonaparte admiraba la tradición erótica y galante del Renacimiento florentino, y quiso continuarla. Sus estrofas tienen el aroma voluptuoso de los orientales camerinos del Palacio Borgia, de los verdes y floridos laberintos del Jardín de Bóboli. Como un nuevo Aretino supo celebrar la pasión cínica y lujuriante con que Augusta del Fede encantaba sus amores. Los «Salmos paganos» parecen escritos sobre la espalda blanca y tornátil de una princesa apasionada y artista, envenenadora y cruel. Galante y gran señor, el poeta deshoja las rosas de Alejandría sobre la nieve de divinas desnudeces, y ebrio como un dios, y coronado de pámpanos, bebe en la copa blanca de las magnolias el vino alegre y dorado, que luego en repetidos besos vierte en la boca roja y húmeda de Venus Turbulenta [pp. 86-87].
>
> El Príncipe reía alegremente. Hallaba encantadora aquella travesura de Colombina ingenua y depravada y aquella sensualidad apasionada y noble de Dogaresa [p. 106].

También esencial para la visión del cosmos que se desprende de *Augusta*, es la yuxtaposición de elementos usualmente concebidos como dispares en la creación de atmósferas que captan la realidad extrema en que el autor implícito colocó a sus personajes. Al comenzar la novelita, se dice que el príncipe Attilio Bonaparte le ha dedicado a Augusta un libro de poemas titulado *Salmos paganos*, tomo que contiene «versos de amor y voluptuosidad, que primero habían sido salmos de besos en los labios de la gentil amiga» (p. 85). El sensualismo de los versos del príncipe es elevado a un nivel religioso al informarnos que lo pagano (atributo propio de los pueblos politeístas de la antigüedad y asociable a la sensualidad del hombre primitivo) son salmos (cantos sagrados de hebreos y cristianos que contienen alabanzas a Dios). Dicho de otra forma, la vinculación de ambos términos sirve para enlazar dos realidades dispares que se originan en los comienzos de la vida civilizada (el sensualismo de Augusta tiene sus raíces en el sensualismo de los comienzos y, por tanto, comparte lo divino, es decir, la base arquetípica del mundo). La vinculación de lo sensual con lo religioso alcanza su expresión máxima en el texto cuando la relación física entre Augusta y Attilio se manifiesta en términos etéreos, como relación mística que les lleva al éxtasis, estado del que Valle-Inclán se expresó repetidamente en *La lámpara maravillosa* al discutir lo que el ser experimenta al acercarse al Todopoderoso:

> Y los dos amantes, sonriendo, tornaron a estrecharse las manos y se dieron las miradas besándose, poseyéndose, con posesión impalpable, en forma mística, intensa y feliz como el arrobo [p. 101].

La iniciación de Nelly

Coexistiendo con el sensualismo seudo-religioso que caracteriza a la figura de Augusta y su relación con el príncipe Attilio, está Nelly, hija de Augusta con un esposo que ella engaña y que está a punto de retornar. De esta joven sabemos que es inocente y casta: su madre no desea que ella sepa de sus relaciones con el príncipe (p. 93).[27] Sin embargo, las descripciones de Nelly indican que dentro de ella existen atributos —en una condición potencial— que la convertirán en otra Augusta:[28] «Sus mejillas, antes tan pálidas, tenían ahora esmaltes de rosa. Se alegraba el misterio de sus ojos, y su sonrisa de Gioconda adquiría expresión tan sensual y tentadora que parecía reflejo de aquella otra sonrisa que jugaba en la boca de Augusta» (p. 102).[29] Es Nelly como el botón de una flor que comienza a abrirse: «Nelly miraba al Príncipe y sonreía. El enigma de su boca de Gioconda era alegre y perfumado de pasión como el capullo entreabierto de una rosa» (p. 107).[30]

La evolución que Nelly experimenta al dejar de ser una niña y convertirse en mujer adquiere en *Augusta* las características de un rito de iniciación. En un plano real, el desarrollo de Nelly responde a que su madre desea que ella se case con el príncipe Attilio para poder mantenerle de amante sin tener que romper con las normas sociales imperantes: nadie podrá acusar a Augusta de infidelidad al asociarse con el príncipe, pues él es el esposo de su hija. Siguiendo un acercamiento mítico, sin embargo, Nelly participa en una ceremonia de iniciación al ordeñar la vaca Foscarina, animal que tradicionalmente es concebido como símbolo de la fecundidad en la naturaleza:[31]

> —¿Príncipe, quiere usted que, como ayer, ordeñemos la vaca y que después bajemos a probar la miel de las colmenas? [...].
>
> —¡No digas que no, mamá! Ya verás cómo yo misma ordeño a la vaca. El Príncipe me prometió ayer que con ese asunto escribiría una «Égloga Mundana». ¿No dijo usted eso, Príncipe? [p. 102].
>
> Entró en el huerto una zagala pelirroja, conduciendo del ronzal a la Foscarina, la res destinada para celebrar la Égloga Mundana, aquel nuevo rito de un nuevo paganismo [...].[32]
>
> El Príncipe arrancó un airón de hiedra que se columpiaba sobre sus cabezas:
>
> —¡Salve, Nelly! [...]. Ya tenemos con qué coronar a la Foscarina.
>
> Al mismo tiempo unía los dos extremos de la rama, temblorosa en su alegre y sensual verdor. Augusta se la quitó de las manos:
>
> —Yo seré la vestal encargada de adornar el testuz sagrado.
>
> Miró al Príncipe, y sacudió la cabeza alborotándose los rizos y riendo:
>
> —Usted no dudará que sabré hacerlo.
>
> Por rescatarse de Nelly adoptaba un acento de alocado candor, que, velando la intención, realzaba aquella gracia cínica, delicioso perfume que Augusta sabía poner en todas sus palabras. Había hecho una corona con el ramo de

hiedra, y la colocó sobre las astas de la Foscarina [pp. 109-110].

Las referencias en estas citas a una «Égloga mundana»[33] y a ritos paganos, el saludo latino «salve», la coronación de la vaca de testuz «sagrado» con hiedra (cuyo color verde, fuerza vital y frutos embriagadores permitían que fuese asociada con Baco y la inmortalidad),[34] el hecho de que Augusta sea una «vestal» (sacerdotisa que mantiene el fuego sagrado ante el altar de la diosa Vesta), todo, en fin, contribuye a la atmósfera sacra que debe prevalecer en una ceremonia que revitaliza el pasado en el presente. En estas escenas queda Nelly bautizada en las normas imperantes de la naturaleza. De la inocencia juvenil sabemos que pasará a un período de sabiduría sensual con bases arquetípicas:

> —¿Quiere usted que bajemos al colmenar? [...]
> Nelly pronunció con una sombra de melancolía:
> —¡Yo quería ordeñar la vaca para que usted probase la leche como ayer!
> Augusta murmuró, reclinándose en el banco:
> —Pues ordéñala, hija mía, la probaremos todos.
> Nelly se arrodilló al pie de la vaca. Su mano pálida donde ponía reflejos sangrientos el rubí de una sortija, aprisionó temblorosa las calientes ubres: un chorro de leche salpicó al rostro de la niña, que levantó riendo la cabeza:
> —¡Míreme usted, Príncipe!
> Estaba muy bella con las blancas gotas resbalando sobre el rubor de las mejillas. El Príncipe se la mostró a la dama:
> —Augusta. ¡Es el bautizo pagano de la Naturaleza! [...][35]
> Como si un estremecimiento voluptuoso pasase sobre la faz del huerto, se besaron las hojas de los árboles con largo y perezoso murmullo. La vaca levantó el mitológico testuz coronado de hiedra, y miró de hito en hito al sol que se ocultaba. Herida por los destellos del ocaso, parecía de cobre bruñido. Recordaba esos ídolos que esculpió la antigüedad clásica, divinidades robustas, benignas y fecundas que cantaron los poetas [pp. 110-111].

La reacción de las plantas y la vaca —junto a la apariencia de esta última—, en este ejemplo, documenta la envergadura cósmica del bautizo de Nelly.

Inmediatamente después del bautismo de la joven —tal como si fuésemos testigos de actos que responden al principio de causa y efecto—, su madre informa a Nelly que el príncipe la ama (p. 13). Al hacerlo, alcanza Augusta sus objetivos y se convierte en una sacerdotisa del culto pagano:

> —¡Pobre ángel mío...! ¿Tú has pensado que las galanterías del Príncipe se dirigían a tu madre, verdad?
> —¡Mamá! ¡Mamá! ¡Soy muy mala! [...]
> —¡No, corazón!
> Augusta apoyaba contra su seno la cabeza de Nelly. Sobre aquella aurora de cabellos rubios, sus ojos negros de mujer ardiente se entregaban a los ojos del Príncipe. Augusta sonreía viendo logrados sus ensueños:
> —¡Pobre ángel! [...] ¡Quiera Dios, Príncipe, que sepa usted hacerla feliz! [p. 114].[36]

Augusta puede ser sacerdotisa del mundo natural, pues está en comunión con él. Al abrir las puertas de lo sensual ante Nelly, Augusta convierte a su hija en un doble de sí misma y hace que el tiempo cronológico se detenga, pues nada ha cambiado, todo es como siempre ha sido e, implícitamente, como será (énfasis mío):

> [Augusta] Se detuvo enjugándose dos lágrimas que abrillantaban el iris negro y apasionado de sus ojos. ¡Después de haber labrado la ventura de todos, sentíase profundamente conmovida! Y como Nelly tornaba la cabeza y se detenía esperándoles, suspiró, *mirándose en ella* con maternal arrobo [pp. 114-115].[37]

* * *

En una conferencia que dio en 1944, Eugenio Montes identificó una característica sumamente importante en el arte de Valle-Inclán:

> Los personajes de Valle-Inclán no son de este siglo, ni del otro, ni de ningún siglo concreto. Se encuentran en una vaga intemporabilidad de poesía y ensueño. Esos personajes son personas en el sentido dramático y quizá filosófico de la palabra; no individuos. Las personas para él representan estamentos, planos de realidad con diferentes niveles, modos de comunidad. Un cura es para él la Iglesia; un mayorazgo, la aristocracia; un campesino, el campo.[38]

Efectivamente, muchos de los personajes de don Ramón carecen de una dimensión psicológica, son manifestaciones de aspectos aislados de la mentalidad colectiva y se encuentran, implícitamente, fuera del tiempo. Y es que Valle-Inclán consideraba el mundo material como una ilusión que sólo podía ser superada en el mundo de las ideas, de las formas, arquetípicas. Una aplicación de esta interpretación la ofrece *Augusta*, donde don Ramón se concentra en aquellos aspectos globales del cuadro que pinta —rito de iniciación en la naturaleza sensual— desvirtuándolos así de su efímera condición y reafirmando la circularidad del tiempo, su inexistencia cronológica en lo que concierne a la verdadera esencia de las cosas, su dimensión eterna. Al efecto, son significativas las palabras que Valle-Inclán escribió sobre ciertas reacciones literarias que se mantienen vigentes por largo tiempo:

> La obra de arte que ha perdurado mil años, es la que tiene más probabilidades de perdurar otros mil. Lo que fue actual durante siglos, es lo que seguirá siéndolo en lo porvenir, con esa fuerza augusta, desdeñosa de las modas que sólo tienen la actualidad de un día.[39]

NOTAS

1. *Psychological Reflections. A New Anthology of His Writings. 1905-1961*, ed. Jolande Jacobi (Princeton, Princeton University Press, 1970, pp. 331, 342 y 343).
2. Madrid, Imprenta de Antonio Marzo, 1903, pp. 125-183.

Un fragmento de esta narración fue publicado, ese mismo año, bajo el título «Corte de amor», en *Los Lunes de El Imparcial*, 9 de marzo (1903), mientras que el texto apareció también dentro de *Historias perversas* (Barcelona, Maucci, 1907, pp. 173-200), *Corte de amor* (Madrid, Imprenta de Balgañón y Moreno, 1908, pp. 143-193), El cuento galante, I, 10, 12 de junio de 1913, *Corte de amor. Opera Omnia*, vol. XI (Madrid, Perlado, Páez y Compañía, Editores, 1914, pp. 147-195), *Corte de amor. Opera Omnia*, vol. XI (Madrid, Sociedad General Española de Librería, 1922, pp. 137-187), y *Flores de almendro* (Madrid, Librería Bergua, 1936, pp. 198-212). En este ensayo, las citas y referencias a *Augusta* provienen de *Corte de amor* (Madrid, Espasa-Calpe, 1979^{6}). Curiosamente, la versión de 1907 constituye un retorno a la original de *Epitalamio*. Obsérvese que existen variaciones entre las diversas impresiones de este texto, cambios que, en su totalidad, no requieren ser discutidos detalladamente para lograr mis objetivos, según explicaré más adelante.

3. Madrid, Imprenta de Antonio Marzo, 1897. Aquí se utiliza la transcripción de este texto que fue publicada en la colección Selecciones Austral (Madrid, Espasa-Calpe, 1978).

Se han expresado en forma general sobre los vínculos que existen entre *Epitalamio* y *Augusta* los críticos José Rubia Barcia (*A Biobibliography and Iconography of Valle-Inclán [1866-1936]* [Berkeley, University of California Press, 1960, p. 11]), Melchor Fernández Almagro (*Vida y literatura de Valle-Inclán* [Madrid, Taurus, 1966, p. 88]), Antonio Risco (*La estética de Valle-Inclán* [Madrid, Gredos, 1966, p. 45]), Francisco Yndurain (*Valle-Inclán. Tres estudios* [Santander, La Isla de los Ratones, 1969, p. 47, nota 17]), Manuel Bermejo Marcos (*Valle-Inclán: introducción a su obra* [Salamanca, Anaya, 1971, pp. 54 —nota 1—, 55, 58]), Robert Lima (*An Annotated Bibliography of Ramón del Valle-Inclán* [University Park, The Pennsylvania State University Libraries, 1972, pp. 27-29]), Verity Smith (*Ramón del Valle-Inclán* [Nueva York, Twayne Publishers, Inc., 1973, p. 163, nota 1]) y Antonio de Zubiaurre («Introducción», *Femeninas. Epitalamio* [Madrid, Espasa-Calpe, 1978, pp. 14, 32]). Por su parte, O.E. Jack Roberts Jr. aparentemente desconoce la relación entre los dos textos (véase su tesis doctoral fechada en 1967 en Louisiana State University, *Definition and Contrast of Love in the «Corte de Amor» and the «Sonatas» of Ramón del Valle-Inclán*, pp. 55-62). Tampoco se preocupa de los vínculos entre ambos textos Eduardo Tijeras, «El cuento en Valle-Inclán», *Cuadernos Hispanoamericanos*, 199-200 (1966), pp. 402-403.

4. Esta recensión es reproducida por José Esteban en *Valle-Inclán visto por...* (Madrid, Gráficas Espejo, 1973, pp. 13-16).

5. Véanse, entre otros, a Antonio Risco, *El demiurgo y su mundo: hacia un nuevo enfoque de la obra de Valle-Inclán* (Madrid, Gredos, 1977, p. 83, nota 22) (este libro es útil por otras razones) y Carlos Blanco Aguinaga, Julio Rodríguez Puértolas e Iris M. Zavala, *Historia social de la literatura española (en lengua castellana)*, tomo 2 (Madrid, Castalia, 1978, p. 228) (aquí se limitan a decir que *Epitalamio* es una obra de aprendizaje de Valle-Inclán). Otros que se han expresado sobre este texto son Juan Antonio Hormigón, *Ramón del Valle Inclán. La política, la cultura, el realismo y el pueblo* (Madrid, Alberto Corazón, 1972, p. 29), Eliane Lavaud, *Valle-Inclán: du journal au roman (1888-1915)* ([París], Klincksieck, 1979 [1980], pp. 242-245), y Dianella Gambini, «Lectura dannunziana de *Epitalamio* de Valle-Inclán», en *Leer a Valle-Inclán en 1986* (Dijon, Hispanística XX, Centre d'Études et de Recherches Hispaniques du XXème Siècle, Université de Dijon, 1986, pp. 15-36).

6. Utilizo la 2.ª edición de la versión publicada en Madrid por Espasa-Calpe en 1960. Obsérvese que fragmentos de *La lámpara maravillosa* aparecieron en *El Imparcial* a partir de 1912; su versión definitiva data de 1922. Entre otros, se han expresado sobre *La lámpara maravillosa* Juan Ramón Jiménez, «Ramón del Valle-Inclán (Castillo de quema)», en *Valle-Inclán visto por...*, ed. José Esteban (Madrid, Gráficas Espejo, 1973, p. 221 —publicado originalmente en *El Sol* en 1936—), Franco Meregalli, *Studi su Ramón del Valle-Inclán* (Venecia, Librería Universitaria, 1958, pp. 43-47), Guillermo Díaz-Plaja, *Las estéticas de Valle-Inclán* (Madrid, Gredos, 1956, pp. 98-121), Ignacio Soriano, «*La lámpara maravillosa*, clave de los esperpentos», *La Torre*, 62 (1968), pp. 144-150, Ciriaco Morón Arroyo, «*La lámpara maravillosa* y la ecuación estética», en *Ramón del Valle-Inclán. An Appraisal of His Life and Works*, ed. Anthony N. Zahareas, Rodolfo Cardona y Sumner Greenfield (Nueva York, Las Américas Publishing Co., 1968, pp. 450-459), Guillermo de Torre, *Vigencia de Rubén Darío y otras páginas* (Madrid, Guadarrama, 1969, pp. 137-138 —para quien este texto no da la clave lógica de la estética de Valle—), Verity Smith, pp. 38-47, Justo Saco Alarcón, *Técnicas narrativas en* Jardín Umbrío *de Valle-Inclán*, tesis doctoral (The University of Arizona, 1974, pp. 216-217), Carol S. Maier, *Valle-Inclán y* «La lámpara maravillosa»*: una poética iluminada*, tesis doctoral (Rutgers University, 1975), A. Risco, *El demiurgo...* (pp. 101-117), Virginia Milner Garlitz, *El centro del círculo: «La lámpara mara-*

villosa» *de Valle-Inclán*, extraordinaria tesis doctoral (The University of Chicago, 1978), William R. Risley, «Hacia el simbolismo en la prosa de Valle-Inclán», *Anales de la Narrativa Española Contemporánea*, 4 (1979), pp. 45-90, Carol S. Maier, «Symbolist Aesthetics in Spanish: The Concept of Language in Valle-Inclán's *La lámpara maravillosa*», en *Waiting for Pegasus*, ed. Roland Grass y William R. Risley (Macomb, An Essay in Literature Book, 1979, pp. 77-87), Humberto Antonio Maldonado Macías, *Valle-Inclán, gnóstico y vanguardista* (México, Universidad Nacional Autónoma de México, 1980), John Lyon, *The Theatre of Valle-Inclán* (Cambridge, Cambridge University Press, 1983, pp. 13-23), Carol S. Maier, «Untwisting the Castilian Tongue: Some Suggestions from Valle-Inclán's *La lámpara maravillosa*», *Hispanic Journal*, 6 (1985), pp. 59-67, Antonio Domínguez Rey, «*Selva panida*, visión estética del Modernismo», *Cuadernos Hispanoamericanos*, 438 (1986), pp. 7-18, Virginia M. Garlitz, «La evolución de *La lámpara maravillosa*», en *Leer a Valle-Inclán en 1986*, pp. 194-216, Carol S. Maier, «*La lámpara maravillosa* de Valle-Inclán y la invención continua como una constante estética», en *Actas del VIII Congreso de la Asociación Internacional de Hispanistas*, ed. A. David Kossoff, José Amor y Vázquez, Ruth H. Kossoff y Geoffrey W. Ribbans, vol. 2 (Madrid, Istmo, 1986, pp. 237-245), Laureano Bonet, «El Greco, Toledo y Valle-Inclán: unas páginas de *La lámpara maravillosa*», *Ínsula*, 476-477 (julio-agosto de 1986), pp. 3 y 22, Virginia M. Garlitz, «Fuentes del ocultismo modernista en *La lámpara maravillosa*», en *Genio y virtuosismo de Valle-Inclán*, ed. John P. Gabriele (Madrid, Orígenes, 1987, pp. 101-113), Mariteresa Cattaneo, «Desviación de un trazado autobiográfico: *La lámpara maravillosa*», en *Genio y virtuosismo...* (pp. 115-124), Carol Maier, «"Exégesis trina": enigma, engaño y el principio estético de *La lámpara maravillosa*», en *Genio y virtuosismo...* (pp. 125-138), Laureano Bonet, «El Greco como tópico literario en *La lámpara maravillosa*», en *Genio y virtuosismo...* (pp. 139-150), Virginia M. Garlitz, «El concepto de *karma* en dos magnos españoles: don Ramón del Valle-Inclán y don Mario Rosso de Luna», en *Estelas, laberintos, nuevas sendas. Unamuno. Valle-Inclán. García Lorca. La Guerra Civil*, ed. Ángel G. Loureiro (Barcelona, Anthropos, 1988, pp. 137-149), Carol Maier, «¿Palabras de armonía?: reflexiones sobre la lectura, los límites y la estética de Valle-Inclán», en *Estelas, laberintos...* (pp. 151-170), Carol S. Maier, «Literary Re-creation, the Creation of Readership, and Valle-Inclán's *La lámpara maravillosa*», *Hispania*, 71 (1988), pp. 217-227,

Giovanni Allegra, «Mystizismus, "Okkultismus" und romantisches Erbe in Valle-Incláns Ästhetik», en *Ramón del Valle-Inclán (1866-1936)* (Tubinga, Niemeyer, 1988, pp. 7-17), Virginia Milner Garlitz, «El ocultismo en *La lámpara maravillosa*», en *Valle-Inclán. Nueva valoración de su obra (Estudios críticos en el cincuentenario de su muerte)*, ed. Clara Luisa Barbeito (Barcelona, Promociones y Publicaciones Universitarias, 1988, pp. 111-123), y Carol Maier, «Acercando la conciencia a la muerte: hacia una definición ampliada de la estética de Valle-Inclán», en *Valle-Inclán. Nueva valoración de su obra*, pp. 125-136.

7. Recuérdese que el libro se subtitula «Ejercicios espirituales».

8. Lo que sustento queda documentado si se comparan las teorías esencialmente subjetivas de Valle (a pesar de las diversas fuentes que, por ejemplo, Garlitz le ha encontrado) con un libro esencialmente académico que discute asuntos algo semejantes (véase al respecto *The Gnostic Gospels* por Elaine Pagels [Nueva York, Random House, 1979, especialmente pp. 119-141]).

9. Don Ramón llega a mencionar, muy significativamente, «El alma colectiva de los pueblos» (p. 51). Nótese que a pesar de lo que opinó John Lyon sobre la versión original de este ensayo, incluida en *El teatro de Federico García Lorca...* («Review of Books», *Bulletin of Hispanic Studies*, 581 [1981], p. 349), es necesario que mantenga mi preámbulo sobre las teorías de Jung, los arquetipos y *La lámpara maravillosa*, ya que en *Augusta* hay que tener frescos estos conceptos para poder comprender mejor mi interpretación del relato, una que —para bien o para mal— fue enunciada por mí por primera vez.

10. Deseo aclarar que soy consciente que mi acercamiento a *La lámpara maravillosa* en este ensayo se limita a ciertos aspectos de este libro y no intenta ser exhaustivo en absoluto. No es ésta la ocasión apropiada para estudiar detalladamente los elementos fundamentales de tan compleja obra. A tal efecto, véase la bibliografía crítica incluida en la nota 6.

11. Inexplicablemente, para Ciriaco Morón Arroyo estas creencias de Valle carecen de bases prácticas en su obra excepto quizá en *Flor de santidad* (pp. 444 y 459).

12. Otras obras críticas sobre lo mítico-arquetípico y sus vínculos con la literatura que resultan útiles son los libros escritos por Maude Bodkin, *Archetypal Patterns in Poetry* (Londres, Oxford University Press, 1934), Philip Wheelwright, *Metaphor & Reality* (Bloomington, Indiana University Press, 1962), Northrop Frye, *Fables of Identity, Studies in Poetic Mythology* (Nueva York,

Harcourt, Brace & World, Inc., 1963), Marcelino Peñuelas, *Mito, literatura y realidad* (Madrid, Gredos, 1965), James L. Calderwood y Harold E. Tolliver (eds.), *Perspectives on Poetry* (Nueva York, Oxford University Press, 1968), G.S. Kirk, *Myth. Its Meaning and Functions in Ancient and Other Cultures* (Berkeley, University of California Press, 1970), E.J. Giqueaux, «El mito y la cultura», *Megafón*, 6 (1977), pp. 5-29, y Juan Villegas, *La estructura mítica del héroe en la novela del siglo XX* (Barcelona, Planeta, 1978). También prácticos son los comentarios de René Wellek, *Concepts of Criticism* (New Haven, Yale University Press, 1963), y P.M. Wetherill, *The Literary Text: An Examination of Critical Methods* (Berkeley, University of California Press, 1974) en lo que concierne a la aplicación del método crítico-arquetípico a la literatura. El uno considera las aplicaciones extremas de este acercamiento peligrosas, pues destruyen las fronteras entre el arte, la religión, etc., y convierten a la crítica en una simple y aburrida exploración de patrones básicos (pp. 360-361); el otro, por su parte, recomienda que el método mítico-arquetípico sea concebido simplemente como una avenida interpretativa que no invalida el acercamiento textual (pp. 221-223).

13. Traducción de William R. Trask (Princeton, Princeton University Press, 1954). También necesario para entender las creencias de Eliade en un contexto más amplio es *Myths, Rites, Symbols: A Mircea Eliade Reader*, ed. W. Beane y William Doty, tomo I (Nueva York, Harper & Row, 1975).

14. Después de escrita la primera versión de este ensayo, llegó a mis manos el valioso estudio de Adrián G. Montoro que se acerca a *Flor de santidad* a la luz de M. Eliade y *La lámpara maravillosa* («*Flor de santidad*: arquetipos y repetición», *MLN*, 93 [1978], pp. 252-266). Mucho de lo discutido por el profesor Montoro es aplicable a *Augusta* (ello siendo importante si se recuerda que esta última obra —o *Epitalamio* en 1897— precede cronológicamente al fragmento más temprano de que disponemos de *Flor de santidad*, fechado a su vez en 1899). Véase «Adega (Historia milenaria)», *La Revista Nueva*, 6-9 (1899), pp. 255-259, 305-310, 343-347 y 425-428. Léase también Arnold M. Penuel, «Archetypal Patterns in Valle-Inclán's *Divinas palabras*», *Revista de Estudios Hispánicos*, 8 (1974), pp. 83-93, estudio que trata un asunto parecido con metodología diferente a la mía.

15. *Myths, Rites, Symbols...*, *op. cit.*, p. 164.

16. *Ibíd.*, p. 166.

17. *Ibíd.*, p. 167.

18. *Ibíd.*, p. 168.

19. *Ibíd.*, p. 169.

20. El propio Valle-Inclán, en *La lámpara maravillosa*, se expresó sobre la importancia de lo sexual: «El erotismo anima como un numen las normas de aquel momento estético donde la voz del sexo es la voz del futuro [...]. En el erotismo del arte griego se descubre el sentido hermético de las Ideas Platónicas: Es la afirmación eterna del futuro por el amor que perpetúa la forma» (p. 85).

21. Varios de ellos son identificados con menos detalles por Melchor Fernández Almagro (pp. 52-53) y Antonio Risco (*El demiurgo y...*, p. 70). El primero se expresaba sobre *Epitalamio*.

22. En ocasiones, estas asociaciones provienen de un narrador extradiegético que también opera en estos casos como focalizador; otras veces, son los personajes mismos los que focalizan a través del narrador. Sobre los narradores extradiegéticos y la focalización variable (incluyendo la externa y la interna) se expresa Shlomith Rimmon-Kenan, *Narrative Fiction: Contemporary Poetics* (Nueva York, Methuen, 1983, pp. 94-95 y 71-77).

23. Véanse los comentarios de Roger A. Hornsby en «Epithalamium», *Princeton Encyclopedia of Poetry and Poetics*, ed. Alex Preminger (Princeton, Princeton University Press, 1965, pp. 249-250).

24. Sobre el giro «augusta» el lector es referido al *Diccionario de la lengua española* de la Real Academia Española, tomo I (Madrid, Espasa-Calpe, 1984[20], p. 152). El uso de este nombre constituye un tipo de caracterización que Rimmon-Kenan denomina específicamente «reforzamiento por analogía» (pp. 67-70).

25. Es significativo en la última cita, además, cómo el sexo es concebido cual algo «divino», siendo la Divinidad algo que tanto preocupa a Valle en *La lámpara maravillosa*. También resulta importante la vinculación entre «la divina ley del sexo» con leones y panteras, animales primitivos que cuando libres reflejan su naturaleza original. La referencia a estas bestias recuerda, a su vez, la preocupación de otro personaje de Valle-Inclán, Rosita, por animales salvajes (véase mi ensayo sobre esa novelita en este volumen). Asimismo, se alude aquí a «los bosques de Tierra Caliente», clara referencia al mundo sensual de la *Sonata de estío*.

26. Sobre estos aspectos del Renacimiento se han expresado Jacob Burckhardt, *The Civilization of the Renaissance in Italy* (Nueva York, The Modern Library, 1954, publicado originalmente en 1860) y George Clarke Sellery, *The Renaissance Period, Its*

Nature and Origins (Madison, The University of Wisconsin Press, 1950). Sobre el uso que Valle-Inclán le dio al Renacimiento véanse los comentarios de Sumner M. Greenfield, «Bradomín and the Ironies of Evil: A Reconsideration of *Sonata de Primavera*», *Studies in Twentieth Century Literature*, 2 (1977), pp. 24-25.

27. De hecho, Augusta quiere que su hija piense que cuanto ocurre entre ella y Attilio es un tipo de comedia, una representación que carece de la realidad que se puede esperar de las relaciones de la joven y su futuro esposo (pp. 97-98; significativamente, esta escena resulta algo diferente en *Epitalamio*, donde se detecta un tipo de anticipo a la triste situación en que al parecer llegará a estar Nelly [pp. 187-188]). Y es que Nelly es a la vez un obstáculo para su madre (al interrumpir sus relaciones con Attilio) y es el medio por el cual logrará convivir con su amante, siendo esto último algo que provoca cierta lástima en Augusta por su hija («¡Pobre hija mía!», p. 103) al comprender que, como resultado del matrimonio de Nelly y el príncipe, la joven dejará de ser lo que ha sido hasta entonces (o sea, perderá su ingenuidad y, a la vez, será engañada por su madre).

28. El parecido entre Nelly y Augusta es identificado por Lourdes Ramos-Kuethe desde un ángulo diferente al mío. «El concepto del libertinismo en la narrativa temprana de Ramón del Valle-Inclán», *Hispanic Journal*, 4 (1983), p. 58. Hasta cierto punto, existen semejanzas entre Nelly y Rosarito: las dos comparten una predisposición hacia el amor.

29. Esta semejanza es expresada también de otras formas:

> Y murmuró quedo, muy quedo, rozando la oreja nacarada y monísima de la dama:
> —Pero temo que tú, tan celosa, te arrepientas luego y sufras horriblemente.
> Augusta quedóse un momento contemplando a su amante con expresión de alegre asombro.
> —¡Estás loco! ¿Por qué había yo de arrepentirme ni de sufrir? Al casarte con ella me parece que te casas conmigo [...] [pp. 105-106].
> —No, si la novia me gusta.
> —¡Embustero! Quieres darme celos. ¡Quien te gusto soy yo!
> —Pues por lo mismo que me gustas tú. ¡Es una derivación! [...] [pp. 106-107].

Obsérvese además cuán importante es que la sonrisa de Nelly sea vinculada con la de Gioconda. Lo es porque la sonrisa en el cuadro de Leonardo da Vinci ha sido considerada como un indicio de algo misterioso en esta dama. En el caso de Nelly, su sonrisa en las páginas 93-94 y 102 refleja el enigma que se deriva de su indudable castidad y de la aparente atracción amorosa que el príncipe Attilio ejerce sobre ella: es decir, en Nelly conviven características esencialmente opuestas que hacen de su figura un misterio que recuerda al que tradicionalmente se le atribuye a la Gioconda (ya en la p. 93 se establece un vínculo directo entre sus ojos misteriosos y su sonrisa). Véase José Antonio Pérez-Rioja, *Diccionario de símbolos y mitos* (Madrid, Tecnos, 1971[2], pp. 225-226). El nexo entre las dos figuras femeninas, agréguese, es en sí un tipo de caracterización (de reforzamiento por analogía).

30. A finales del relato, Nelly se convierte en una «aurora de cabellos rubios» (p. 114): es, en términos poéticos, cual esa claridad que precede la salida del sol —del día—, símbolo vivo de una nueva existencia que se caracteriza por poseer pupilas de «alegre llamear» (p. 115). En este contexto, la inocente joven está a punto de convertirse en una mujer ardiente en términos sexuales (ella será cual su madre fue y es; las dos, siendo como son prácticamente una, le roban al tiempo sus atributos: no se puede, por tanto, diferenciar entre ayer, hoy y mañana).

31. Entre otros, léanse los comentarios de Pérez-Rioja, p. 412, y Juan-Eduardo Cirlot, *Diccionario de símbolos* (Barcelona, Labor, 1981[4], p. 455).

32. La palabra «celebrar» posee una dimensión ritualística debido a su asociación usual con la misa. En *Epitalamio*, este pasaje menciona a Eva y, al hacerlo, establece un contacto más directo con ese momento inicial al que se refirió Eliade en sus teorías y Valle-Inclán en *La lámpara maravillosa*:

> Una zagala pelirroja entró en el huerto conduciendo del ronzal a la Maruxa, la res destinada para celebrar la «Pastorela mundana»; aquel nuevo rito de ese nuevo paganismo, donde las diosas son Evas pervertidas, y donde los sacerdotes son poetas que se embriagan con ajenjo libado en elegante vaso griego [p. 199].

33. El contraste existente entre las palabras «Égloga» (composición poética del género bucólico que realza los encantos de la vida campestre) y «mundana» (que concierne a lo perteneciente al mundo y a la realidad física) opera en forma algo similar a la de los *Salmos paganos*. Se nos lleva con este título del pasado idílico de la edad dorada y armónica pastoril a un período carente de estos atributos. Ambos momentos, sin embargo, se

fusionan en *Augusta*, pues lo mundano se eleva al ser asociado con el momento original de todas las cosas. Sobre las características de la literatura pastoril, el lector es referido a los escritos de Juan Bautista Avalle-Arce, *La novela pastoril española* (Madrid, Revista de Occidente, 1959, p. 8), y Judith M. Kennedy, «Introduction», en *A Critical Edition of Young's Translation of George of Montemayor's «Diana» and Gil Polo's «Enamoured Diana»* (Oxford, Oxford University Press, 1968, pp. XXV-XXVI). Nótese que en *Eulalia*, Valle-Inclán también se vale de lo pastoril (al respecto véase mi ensayo en este tomo).

34. Pérez-Rioja, *op. cit.*, p. 241.

35. En *Epitalamio* el texto resulta aún más evidente: «¡He ahí el bautizo de la *santa* y pagana Naturaleza! [...]» (p. 201, énfasis mío).

36. Ya antes, Augusta le había dicho al Príncipe que ella estaba dispuesta a oficiar la boda de Nelly con él de llegar a ser esto indispensable para sus planes:

> —Este verano se arregla todo... Os casáis en mi oratorio. Si es preciso yo misma os echo las bendiciones, canto la misa y digo la plática [p. 106].

37. En *Epitalamio* este párrafo es seguido por una oración que no se encuentra en *Augusta* y que reafirma, en forma obvia, cómo madre e hija se asemejan: «¡Hija de mi alma, tú también eres muy feliz!» (p. 205). La inalterabilidad última que prevalece en el texto opera también en un sitio como la solana de la casa de campo de Augusta (p. 95). Dicho de otra forma, el fenómeno responde a patrones comunes en el mundo del relato.

38. Fue dada en la Escuela de Comercio y la cita Ángel Valbuena Prat en su *Historia de la literatura española*, tomo 3 (Barcelona, Gustavo Gili, 1960^6, pp. 524-525).

39. «Opiniones», en *Julio Romero de Torres* (Madrid, Tipografía Artística, s.a., p. 12).

LA ESTÉTICA DEL LUGAR COMÚN: LO ESTEREOTÍPICO EN «LA CONDESA DE CELA»

«La Condesa de Cela» es un relato cuya historia, a primera vista, carece de mayor complicación. Consiste el cuento, en su nivel más obvio, en la ruptura de una relación adúltera y seudoclandestina entre una mujer madura y casada, la Condesa, y un joven habanero llamado Aquiles. Una reexaminación del texto, sin embargo, si bien no refuta lo ya dicho, permite que se detecte en el relato una preocupación consciente por parte del narrador en ofrecer un cuadro de otros asuntos que para esta entidad resultan típicos de una realidad más amplia que la circunscrita por los dos protagonistas como entes individuales.

I

Como es de suponer, las figuras de la Condesa y Aquiles poseen ciertas características específicas. Ella es una mujer coqueta (p. 121)[1], de carácter plácido, toma las cosas con cierta calma (p. 124), es un ser que aborrece la tristeza, que evita tomar el amor en serio, que se siente atraída por lo galante y que demuestra ser egoísta y egocéntrica (p. 128). La Condesa se describe a sí misma como una persona débil —falta de voluntad— que cede ante las exigencias de su familia (p. 126). Su sensibilidad es «reposada, razonable y burguesa» (p. 139), según la juzga el narrador. De ella sabemos que ha sostenido relaciones amorosas a las que no ha otorgado «gran importancia» (pp. 123-124 y 128).

Por su parte, Aquiles es un malacabeza, un tipo de Tenorio con «facciones sensuales» y hermosos rasgos indios (pp. 119-120). Este joven, por sus características físicas y por sus acciones, resulta orgulloso, ardiente, apasionado (pp. 124-125), y posee un «tizne satánico» en lo concerniente a sus relaciones amorosas con la Condesa (p. 129). Constituye él, en sus peculiaridades, un punto vulnerable para su amante, quedando ello reflejado en cómo la Condesa, ante la fogosidad del joven, le permite retener varias cartas que él rescata del fuego donde ella quería destruirlas (pp. 135-136). Al llamarse el habanero Aquiles, queda su figura vinculada con el semidiós griego de este nombre en un tipo de analogía que establece vínculos semánticos entre ambos personajes.[2]

Ni él ni ella, sin embargo, son seres verdaderamente individuales ni auténticos. Los dos adoptan poses que les convierten en ejemplos de individuos genéricos cuyo común denominador es la artificialidad que les caracteriza y que les resta humanidad. Esta artificialidad se convierte, implícitamente, en un tipo de censura del hombre como resultado de la forma en que son enfocados los personajes por el narrador.

II

«La Condesa de Cela» comienza con el texto de un breve mensaje —«Espérame esta tarde», p. 119—, que se puede suponer propele al lector a leer el cuento tanto por lo que sustenta dicho mensaje, como por la manera en que reacciona al efecto Aquiles:

> ¿Por qué le escribiría ella tan lacónicamente? Hacía algunos días que Aquiles tenía el presentimiento de una gran desgracia: Creía haber notado cierta frialdad, cierto retraimiento. Quizá todo ello fuesen figuraciones suyas, pero él no podía vivir tranquilo [p. 119].

Como resultado de la misiva, se plantean incógnitas: ¿quién la escribió?, ¿cuál es su importancia?, ¿qué vínculos existen entre Aquiles y una figura femenina todavía desconocida por el lector y de la que sólo se tienen ciertos indicios que se derivan del «fragante, blasonado plieguecillo»? Los dos adjetivos y el diminutivo pueden ser relacionados con tres atributos —olor, nobleza y delicadeza—, cuya naturaleza incorpórea y algo abstracta contribuye al efecto de especulación que prevalece a comienzos del relato. Son estos tres giros indicio de la importancia que el narrador tendrá en «La Condesa de Cela», en la matización de cuanto ocurre en el mundo del cuento.

La duda inicial con que comienza la narración desaparece cuando se sabe, casi inmediatamente, que la Condesa se propone romper sus lazos amorosos con Aquiles. Sin embargo, a pesar de la carencia de suspenso, el narrador no deja de ser fundamental. A través del cuento, esa entidad funciona como un narrador extradiegético y heterodiegético a la vez que puntualiza —sin ser partícipe de cuanto ocurre— sobre la verdadera substancia de lo que pasa y se convierte en un focalizador externo de la narración. Como tal, el narrador-focalizador demuestra omnisciencia, y nos da las características de los protagonistas de forma tal que lo que dice se convierte en una definición directa de ellos, percepción que depende poco de la participación activa del lector implícito en la elaboración de conclusiones.[3]

Por todo el texto, junto a las percepciones que los personajes tienen de lo que ocurre coexisten las impresiones del narrador. Dicho de otra forma, en «La Condesa de Cela», existe una múltiple focalización: a través del narrador no sólo figuran Aquiles y la Condesa como focalizadores; además, el narrador mismo es, en ocasiones, el centro de conciencia que orienta al lector implícito en su comprensión de lo focalizado, de aquello que es objeto de evaluación y consideración por parte del narrador y que, sin lugar a dudas, le interesa a este lector.

La múltiple focalización que existe en «La Condesa de Cela» es muy significativa: a veces no es nada fácil determinar con certeza la perspectiva prevalente, y ello, por necesidad, tiende a infundirle verosimilitud a lo narrado al mezclarse focalizadores internos (la Condesa y Aquiles) con uno externo (el narrador). En este sentido, un lector real (Rimmon-Kenan, pp. 86-89) que no se moleste en releer el texto puede pensar que lo que escucha proviene de los protagonistas y que, por tanto, refleja sus creencias sobre lo que les ocurre, cuando, en realidad, el narrador es la verdadera fuente de lo que se escucha, coincidan o no sus creencias con las de los personajes. Baste un ejemplo para ilustrar lo ya afirmado. A principios del capítulo III, la Condesa parece que medita sobre por qué debe romper con Aquiles, cuando es en verdad el narrador quien lo hace al mezclar ideas que suponemos son típicas de ella con sus propias percepciones. Indicio de lo que acabo de afirmar lo da, por sólo mencionar un caso, cierto comentario del narrador: «*Sin* que ella se dé cuenta», ciertos recuerdos de su vida matrimonial la empujan a dejar al joven habanero (p. 127, énfasis mío). Por supuesto, la Condesa no puede ser el focalizador de asuntos que ignora.

La presencia del narrador-focalizador se detecta cuando se vinculan las características de la Condesa y Aquiles con las de grupos más amplios a los cuales ellos pertenecen. De ese modo se nos dice que la inclinación de la Condesa por un clérigo responde a «ese amor curioso y ávido que inspiran a ciertas mujeres las jóvenes cabezas tonsuradas» (p. 124). Abundan por todo el texto los comentarios de un narrador-focalizador que tiende a considerar a la Condesa como representante de su sexo:

> [...] cuando un nuevo amante caía en la fosa, no se vio libre de ese sentimiento femenino que trueca la caricia en

> arañazo. ¡Esa crueldad de que aun las mujeres más piadosas suelen dar muestra en los rompimientos amorosos! [p. 129].
>
> No estaba la Condesa locamente enamorada de Aquiles Calderón, pero queríale a su modo, con esa atractiva simpatía del temperamento que tantas mujeres experimentan por los hombres fuertes, los buenos mozos que no empalagan, del añejo decir femenino [p. 139].

Algo semejante a lo descrito sobre la caracterización de la Condesa por parte del narrador-focalizador, sucede, aunque con menos frecuencia, con la figura de Aquiles. Su temperamento es índice de su masculinidad:

> Aquiles Calderón [...] sentía por la Condesa esa pasión vehemente, con resabios grandes de animalidad, que experimentan los hombres fuertes, las naturalezas primitivas, cuando llevan el hierro del amor clavado en la carne [...] [p. 130].
>
> Aquiles sentía esa cólera brutal que en algunos hombres se despierta ante las desnudeces femeninas [p. 146].

Que los dos amantes sean representantes de su sexo es de suma importancia: al ser estereotipos de lo femenino y de lo masculino, sus restantes características adquieren una dimensión genérica.

En «La Condesa de Cela» predomina una concepción de la realidad —una estética del lugar común— en menosprecio de la individualización de los personajes a través de la presentación de profundos rasgos psicológicos.[4] Esto es fundamental si se recuerda que por todo el relato las posiciones adoptadas por los protagonistas responden a poses que ilustran lo que debería ser todo y no lo que es en verdad. Hablando del teatro de Valle-Inclán, Sumner M. Greenfield afirma que «el profundo sentido de lo teatral que marca toda la literatura de Valle-Inclán ya es muy evidente en sus primeras obras dramáticas, aunque la técnica en esta primera etapa parece a veces trillada y poco sutil».[5] Y añade este crítico que «la teatralidad [...] en parte proviene de un estilo muy decimonono que expresa las emociones mediante gestos exagerados y acciones melodramáticas [...]. El sentimentalismo domina y no hay ironía» (pp. 49-50).

En el caso de «La Condesa de Cela», lo teatral figura en las acciones de los amantes: cada cual hace lo que se espera de él sin mayor convicción y con gran preocupación porque el gesto se ajuste a lo que normalmente se considera apropiado en situaciones semejantes. Es por eso por lo que Aquiles aparenta dormir cuando la Condesa llega a su habitación, para no tener que demostrar abiertamente la aprensión que experimenta ante su próxima entrevista con ella ni su interés por la dama (p. 120). Veamos otros ejemplos:

> Entonces la gentil visitante sentósele con estudiada monería en las rodillas [...] [p. 121].
>
> Aquiles acercóse con aquella dejadez de perdido, que él exageraba un poco [...] [p. 121].
>
> Aquiles, haciéndose el sentimental, empieza a reprocharle sus largas ausencias [...]. Aquiles habla y se queja con simulada frialdad, con ese acento extraño de los enamorados que sienten muy honda la pasión y procuran ocultarla como vergonzosa lacería [...] [pp. 124-125].
>
> Durante algún tiempo tomó ella en serio su papel. A pesar de ser casada, creía haber recibido de Dios la dulce misión de consolar al estudiante habanero [p. 124].
>
> Con dos lágrimas detenidas en el borde de los párpados, y bello y majestuoso el gesto, que la habitual ligereza de la dama hacía un poco teatral, se volvió al estudiante:
>
> —Sea... ¡Yo no tengo valor para negártelas! ¡Guarda, Aquiles, esas cartas, y con ellas el recuerdo de esta pobre mujer que te ha querido tanto! [p. 141].

En estos fragmentos textuales son reveladoras las palabras «estudiada», «exageraba», «haciéndose», «simulada», «papel», «gesto» y «teatral». Todas ellas ponen en entredicho la autenticidad de lo que pretenden aparentar los personajes.[6] En la última cita, el efecto ya descrito cobra aún más fuerza como resultado de la contraposición de lo allí dicho con la aseveración del narrador-focalizador sobre la verdadera naturaleza de esas cartas que tanta congoja han provocado en la Condesa y Aquiles:

> Olvidaba cómo las había escrito en las tardes lluviosas de un invierno *inacabable*, pereciendo de *tedio*, mordiendo el mango de una pluma, y preguntándose a cada instante qué le diría. Cartas de una *fraseología trivial y gárrula*, donde todo era *oropel*, como el heráldico timbre de los pliegueeillos *embusteros, henchidos de zalamerías livianas, sin nada verdaderamente tierno, vívido, de alma a alma* [p. 140, énfasis mío].

No sorprende, pues, que textos exentos de sentimientos profundos provoquen reacciones ulteriores también carentes de estas emociones, ya que ambas cosas responden más bien a cómo todo debería ser según la sensibilidad enfermiza de dos seres que representan a grupos más amplios según dichos grupos quedan identificados en el relato. En otras palabras, al adoptar frases falsas no sólo critica, implícitamente, el narrador-focalizador a los protagonistas; además, expresa de esta forma su displicencia por la humanidad en su carencia de fidedignos sentimientos, de genuino calor humano. Que esto lo haga la voz más autorizada en el texto es de capital importancia para los objetivos idelógicos de la narración, y, aún más, teniendo en cuenta cómo concluye el cuento cuando la Condesa despide a Aquiles después de que él ha acusado a su madre de haber tenido relaciones amorosas ilícitas:

> —¡Julia! ¡Julita! También tus hijos dirán mañana que tú has sido una santa. Reconozco que tu madre supo elegir mejor que tú sus amantes. ¿Sabes cómo la llamaban hace veinte años? ¡La Canóniga, hija! ¡La Canóniga! [p. 147].

En esta ocasión, la Condesa dice romper con él para acto seguido dirigirle una mirada cargada de amor:

> —¡Ahora, todo, todo ha concluido entre nosotros! Ha hecho usted de mí una mujer honrada. ¡Lo seré! ¡Lo seré!

> ¡Pobres hijas mías si mañana las avergüenzan diciéndoles de su madre lo que usted acaba de decirme de la mía! [...]
>
> El acento de aquella mujer era a la vez tan triste y tan sincero, que Aquiles Calderón no dudó que la perdía. ¡Y, *sin embargo*, la mirada que ella le dirigió desde la puerta al alejarse para siempre, no fue de odio, sino de amor...! [p. 147, énfasis mío].

¿Cómo compaginar entonces el aparente horror de ella ante las palabras de Aquiles con su mirada de amor? La respuesta, sin lugar a dudas, está en esas normas que prevalecen en el cuento: si bien la Condesa se avergüenza ante la difamación de su madre,[7] nada —ni aun la acusación de Aquiles— puede afectar profundamente a un ser tan superficial e inauténtico como ella.[8] Al concluir el relato, la Condesa no deja de «amar» a Aquiles: le quiere como lo ha hecho con otros hombres, «[...] a su modo, con esa atractiva simpatía del temperamento que tantas mujeres experimentan por los hombres fuertes, los buenos mozos [...]» (p. 139). Ella «no le abandonaba ni hastiada ni arrepentida. Pero la Condesa deseaba vivir en paz con su madre [...]» (p. 139). En conclusión, la obra termina sin violentar lo que la ha caracterizado: no hay discrepancia entre la conciencia que la rige en su totalidad —el autor implícito—, el narrador, ni la actitud última de la protagonista.[9]

* * *

La estética del lugar común continúa en función de la postrimería de «La Condesa de Cela», a través del predominio de lo estereotípico en la creación de un mundo ficticio donde cada ser humano, en términos genéricos, es índice de la bancarrota espiritual y real del hombre. Nada o casi nada en el mundo descrito en «La Condesa de Cela» se ajusta a la realidad de las cosas, mientras que todo o casi todo responde a papeles artificiales asignados al individuo y a la colectividad por medio de eficaces estrategias narrativas.[10]

NOTAS

1. Citas y referencias a «La Condesa de Cela» provienen de *Corte de amor* (Madrid, Espasa-Calpe, 1979[6]). La primera versión de este cuento es casi igual a la definitiva en *Corte de amor* (las diferencias son menores: algunas palabras, el hecho de que originalmente no fue dividido en capítulos el texto, etc.). Véase *Femeninas* (Pontevedra, Imprenta y Comercio de A. Landín, 1895). Este libro fue reproducido más tarde en Selecciones Austral (Madrid, Espasa-Calpe, 1978). Consúltense además: *Por Esos Mundos*, 126 (1905), pp. 26-30 —bajo el título de «Final de amores»—, *Historias perversas* (Barcelona, Maucci, 1907, pp. 17-41), *Historias de amor* (París, Garnier [1909], pp. 59-91), *Cofre de sándalo* (Madrid, Librería General de Victoriano Suárez, 1909, pp. 171-222), La novela corta, III, 133 (20 de julio de 1918), *Corte de amor. Opera Omnia*, vol. XI (Madrid, Sociedad General Española de Librería, 1922, pp. 189-244), *Flores de almendro* (Madrid, Librería Bergua, 1936, pp. 146-162).

2. Sobre la importancia del uso de nombres análogos en el proceso de caracterización de personajes se ha expresado Shlomith Rimmon-Kenan, *Narrative Fiction: Contemporary Poetics* (Nueva York, Methuen, 1983, pp. 68-69). Por su parte, José Antonio Pérez-Rioja discute brevemente la figura mitológica de Aquiles (véase *Diccionario de símbolos y mitos* [Madrid, Tecnos, 1971[2], pp. 72-73]).

3. Obsérvese que para Rimmon-Kenan, a veces resulta difícil diferenciar entre la focalización externa e interna (p. 84), algo importante en este cuento.

4. Ya al discutir *Augusta* he detectado esto (véase mi estudio de esta narración en este tomo). Con anterioridad, en 1944, Eugenio Montes sustentó algo semejante en una conferencia sobre el arte de Valle: «Las personas para él representan estamentos plenos de realidad con diferentes niveles [...]. Un cura es para él la Iglesia; un mayorazgo, la aristocracia; un campesino, el campo» (texto citado por Ángel Valbuena Prat en su *Historia de la literatura española*, tomo 3 [Barcelona, Gustavo Gili, 1960[6], pp. 524-525]).

5. *Valle-Inclán: anatomía de un teatro problemático* (Madrid, Fundamentos, 1972, p. 49).

6. Ni aun los personajes mismos aceptan como veraces sus posturas. Al efecto, véase la página 143:

> Entonces la Condesa se levantó, y sonriendo a través de sus lágrimas con sonrisa de enamorada, arrastróle por una mano hasta la alcoba. Él intentó resistir, pero no pudo. Quisiera vengarse despreciándola, ahora que tan humilde se le ofrecía; pero era demasiado joven para no sentir la tentación de la carne, y poco cristiano su espíritu para triunfar en tales combates. Hubo de seguirla, bien que aparentando una frialdad desdeñosa, en que la Condesa creía muy poco.

7. Por su madre, la Condesa siente «[...] igual veneración que de niña: Afección cristiana, tierna, sumisa, y hasta un poco supersticiosa. Para ella, todos los amantes habían merecido puesto inferior al cariño tradicional, y un tanto ficticio, que se supone nacido de ocultos lazos de la sangre» (p. 140). Obsérvese que en este pasaje, el narrador-focalizador considera «un tanto ficticio» —carente de realidad— el tipo de amor filial que siente la Condesa, ser que para él ha retenido una imagen idílica de su madre al no haber experimentado verdadera pasión por ningún hombre (p. 140). Es significativo además que cuando Aquiles comienza a revelarle a la Condesa que su madre no es tan perfecta como ella cree, la protagonista no intenta obtener datos más específicos al respecto (se limita a decirle: «¡Aquiles! ¡Aquiles! ¡No seas canallita! [...] ¡Para que tú puedas hablar de mi madre necesitas volver a nacer! ¡Si hay santas, ella es una! [...]» (p. 146). Esta falta de curiosidad en ella y el uso del diminutivo al calificar a Aquiles de «canallita» quizá sean indicios de que la Condesa ya tenía cierta idea de la verdadera historia de su madre. O sea, al idealizar a su progenitora, la noble dama, nuevamente, se crea la realidad que cree más oportuna.

8. No se puede olvidar cómo la Condesa «conforme iba haciéndose vieja, aborrecía esas escenas tanto como las había amado en otro tiempo. Tenía raro placer en conservar la amistad de sus amantes antiguos y guardarles un lugar en el corazón. No lo hacía por miedo ni por coquetería, sino por gustar el calor singular de esas afecciones de seducción extraña, cuyo origen vedado la encantaba [...]» (p. 128).

9. De ser verdaderamente profundo lo que siente la Condesa por su madre —de no estar motivada por deficiencias personales suyas—, la Condesa no escudaría sus deseos de romper con Aquiles diciendo que lo hace por obedecer y darle alegría a su madre (p. 129; nótese cómo, en el párrafo anterior, se interpreta la actitud de la Condesa como un acto de crueldad que la hermana con otras mujeres). En la página 127, queda aclarado

cómo son muchos los factores que impulsan a la Condesa: entre ellos, le atrae «reunirse con el marido». Hasta cierto punto, su madre le sirve a la Condesa para justificar sus actos. Un ejemplo lo ofrece la quema de las cartas: al hacerlo, la protagonista se siente culpable y se excusa al pensar «¿Cómo volver con ellas a su casa, al lado de su madre, que esperaba ansiosa el término de entrevista tal? Parecíale que aquellos plieguecillos perfumados como el cuerpo de una mujer galante, mancharían la pureza de la achacosa viejecita, cual si fuese una virgen de quince años» (p. 134). Indudablemente, es absurdo que la madre de la Condesa sea vista, simultáneamente, cual madre-achacosa-viejecita y como pura virgen de quince años. De este absurdo, deriva el lector implícito un sentido del vacío que caracteriza, en términos reales, los sentimientos de la Condesa.

10. En la *Sonata de primavera*, por ejemplo, el Marqués de Bradomín adopta poses propias de un ser en su posición social y con su supuesto temperamento, poses que en este caso responden, en mucho, a la influencia que la pintura ejerce sobre esa novela. Léanse los comentarios de Alonso Zamora Vicente, *Las Sonatas de Valle-Inclán* (Madrid, Gredos, 1966[2], especialmente las pp. 92-106). Por su parte, Greenfield (p. 50) también ha hecho referencia a la «[...] insaciable preocupación por lo visual» de Valle-Inclán, «[...] la que rápidamente llega a ser su retórica plástica [...] a fuerza de las muchas posturas y poses que los personajes afectan».

Varios críticos no identifican la problemática de este cuento como yo. Véanse O.E. Jack Roberts Jr., *Definition and Contrast of Love in the «Corte de amor» and the «Sonatas» of Ramón del Valle-Inclán*, tesis doctoral (Louisiana State University, 1967, pp. 33-34), Elaine Lavaud, *Valle-Inclán: du Journal au roman (1888-1915)* ([París], Klincksieck, 1979 [1980], pp. 200-201), y Lourdes Ramos-Kuethe, «El concepto del libertinismo en la narrativa temprana de don Ramón del Valle-Inclán», *Hispanic Journal*, 4 (1983), pp. 56-58.

LA PARODIA DEL HONOR CASTIZO EN «LA GENERALA»: UN CASO DE PROLEPSIS IDEOLÓGICA*

> «Cada texto es algo que fue primeramente redactado, más tarde transmitido, después recibido, entonces editado e interpretado, más adelante reconsiderado. Sin embargo, el momento en que la composición —la pluma sobre el papel— ocurre, cada uno de estos procesos está hasta cierto punto involucrado: y es que no existe un texto absolutamente prístino, cada acto de composición concierne a otros textos y, por consiguiente, cada escritura se transmite a sí misma, recibe otros escritos, es una interpretación de otros escritos, reconstituye (reemplazándolos) otros escritos».
>
> EDWARD W. SAID[1]

> «Estudio siempre en ellos y procuro imitarlos, pero hasta ahora jamás se me ocurrió tenerlos por inviolables e infalibles [...]. Esa adulación por todo lo consagrado, esa admiración por todo lo que tiene polvo de vejez, son siempre una muestra de servidumbre intelectual, desgraciadamente muy extendida en esta tierra».
>
> RAMÓN DEL VALLE-INCLÁN[2]

> «Valle-Inclán decía que tomar un episodio de la Biblia y darle un aire nuevo, para él era un ideal».
>
> PÍO BAROJA[3]

> «La conciencia estética del pasado está siempre en lo futuro [...]».
>
> RAMÓN DEL VALLE-INCLÁN[4]

«La Generala» es un importante eslabón en la narrativa de Valle-Inclán al constituir, simultáneamente, un anticipo de las preocupaciones ideológicas que caracterizarán con posterioridad otros textos del gran gallego y al ofrecernos un ejemplo bastante claro de intertextualidad.[5]

---

* Una versión más breve de este ensayo fue publicada en *Anales de la Literatura Española Contemporánea*, 11 (1986), pp. 279-293.

Este relato es la historia de un viejo general que se casa con una mujer joven para ser más tarde objeto aparente de un engaño en el que son partícipes ella y un mozo que es asistente y ahijado del general. Concebido de esta forma, el cuento es un ejemplo más de situaciones literarias con múltiples antecedentes en la literatura española al documentarse en el relato, por ejemplo, la insensatez de ciertos varones que se casan ya viejos con doncellas menores que ellos, el engaño —supuesto o real— de seres queridos, y la reacción del marido «cornudo» al sospechar que su esposa le es infiel. Sin embargo, si bien en «La Generala» se detectan aspectos de las circunstancias literarias ya mencionadas, este cuento se acerca a la materia en forma algo diferente y, al hacerlo, se consigue la revitalización de ciertos lugares comunes a través de su consciente censura.

I

Siguiendo en líneas generales las creencias de diversos críticos, Jonathan Culler, en su *The Pursuit of Signs*, discute cómo todo texto es comprensible en relación con otros textos de los que se vale consciente o inconscientemente al citarlos, negarlos, extenderlos y transformarlos.[6] La deuda a que hace referencia Culler surge no tanto de la aparente vinculación de un texto con otro o varios otros anteriores, como de aquélla que emana del hecho de que todos los textos, en general, son copartícipes de las convenciones imperantes en la cultura de donde surgen (pp. 3, 101-103). Y añade este crítico que «el estudio de la intertextualidad no es, por consiguiente, la investigación de fuentes e influencias según esta labor era concebida tradicionalmente; sus objetivos son más amplios al incluir prácticas discursivas anónimas, códigos cuyos orígenes están perdidos y que hacen posible que otros textos tengan sentido» (p. 103).

Fundamentales en todo estudio de lo intertextual son las afirmaciones de Julia Kristeva. Para ella, «el texto literario se inserta en el conjunto de los textos: una escritura-réplica (función o negación) de otro (de los otros) texto(s). Por su manera de escribir leyendo el corpus literario anterior o sincrónico el autor vive en la historia, y la sociedad se escribe en el texto» (p. 235). De capital importancia en lo dicho por Kristeva es el hecho de que todo texto es un tipo de «réplica» a lo anterior, es un acto de «reminiscencia» y de «transformación» simultáneamente: «El libro remite a otros libros y mediante los modos de intimación [...] da a esos libros una manera de ser, elaborando así su propia significación» (pp. 236-237).

Recientemente, y desde un ángulo narratológico, Shlomith Rimmon-Kenan se ha detenido a discutir lo intertextual.[7] Según ella, para entender un texto se necesita integrar sus elementos constituyentes, y esto implica la implementación de diversos «modelos de coherencia» que le son familiares al lector. Un ejemplo de estos modelos lo ofrece un género literario: a través de él, cualquier lector que lo conozca puede concluir si ciertas cosas que percibe en un texto dado son o no apropiadas, y ello, sin lugar a dudas, facilita la comprensión que tiene el lector de lo que lee. El término «modelo de coherencia» fue acuñado por Jonathan Culler en su libro *La poética estructuralista*.[8] En él denomina la asimilación de un texto a modelos previamente detectados con el giro «naturalización»: «naturalizar un texto es ponerlo en relación con un tipo de discurso o modelo que ya sea, en algún sentido, natural y legible» (p. 198). El concepto de «naturalización» opera, según Culler, en varios niveles. Entre ellos, el que ahora nos interesa es el quinto, ya que explora el concepto de parodia literaria. A tal efecto, Culler asevera lo siguiente:

> Cuando un texto cita o parodia las convenciones de un género, lo interpretamos pasando a otro nivel de interpretación en que ambos términos de la oposición pueden juntarse gracias al propio tema de la literatura. Pero el texto que parodia una obra particular requiere un modo de lectura algo diferente. Si bien hay que tener presentes al mismo tiempo dos órdenes —el orden del original y el

punto de vista que socava el original—, eso no conduce generalmente a la síntesis ni a la naturalización en otro nivel sino a una exploración de la diferencia y la semejanza [p. 217].

[...] la parodia ha de captar parte del espíritu del original así como limitar sus recursos formales y producir mediante una ligera variación —habitualmente de elementos léxicos— una distancia entre la *vraisemblance* del original y la suya propia [p. 217].

II

«La Generala» es, en términos intertextuales, una parodia de una tradición literaria, de un paradigma que en España ha tenido diversas manifestaciones.[9] Como toda parodia, consiste en una forma autoconsciente de arte; paradójicamente, es un homenaje y un ataque al mismo tiempo. No es esta obra, sin embargo, una transformación crítica de un texto específico, pues en «La Generala» no es a un autor dado a quien se ataca. Sí se ataca, sin embargo, esa vaciedad vulgar tan típica para Valle-Inclán en la sociedad española de finales del siglo XIX y principios del XX. Dicho de otra forma, en el relato, el lector implícito comprende en qué consiste la «arbitrariedad, ampulosa y vana retórica»[10] al contrastar lo que sucede en «La Generala» con esa tradición literaria anterior que tomaba asuntos semejantes con seriedad desmedida, a pesar de la artificialidad que caracterizaba a lo que ocurría en esos otros textos. La parodia en «La Generala» no recae solamente sobre la situación dramático-cómica que a finales del relato surge cuando el general Miguel Rojas cree que es engañado por su mujer —Currita— y el teniente Sandoval, su ahijado. Además, la parodia opera si se considera cuánto se ajustan los elementos constituyentes de este texto a obras semejantes que le han precedido y cómo de esta divergencia emana una visión algo ridícula de lo narrado.

El cuento comienza con una descripción esencialmente positiva del físico y temperamento del general Rojas

(p. 151) que se ajusta a aquélla que reciben otros personajes que desempeñan papeles como el suyo en otras obras de temática semejante (por ejemplo, don Diego en *El sí de las niñas* y don Julián en *El gran galeoto*):

> La gravedad de su mirar, el reposo de sus movimientos, la nieve de sus canas, en suma, toda su persona, estaba dotada de un carácter marcial y aristocrático que se imponía en forma de amistad franca y noble. Su cabeza de santo guerrero parecía desprendida de algún antiguo retablo [p. 151].

Sin embargo, el parecido a que he aludido se esfuma cuando más tarde el narrador se burla del general Rojas al igualarle a otros militares españoles por los que siente poco aprecio: «Pero ya se sabe que los militares españoles son los más valientes para todo aquello que no sea función de guerra» (p. 153). Este comentario del narrador desacredita su interpretación inicial del personaje a la vez que se convierte en un indicio de algo muy importante: no todo es como parece ser a primera vista.

Si el general Rojas no es lo que aparenta, tampoco lo son el teniente Sandoval y Currita. El papel del joven militar se asemeja muy superficialmente al de un mancebo agraciado y virtuoso que se convierte en rival amoroso de su protector. En «La Generala», el teniente Sandoval, sin embargo, es «bonito, de miembros delicados, y no muy cumplido de estatura. Pareciera un niño, a no desmentir la presunción el bozo que se picaba de bigote, y el pliegue, a veces enérgico y a veces severo, de su rubio entrecejo de damisela» (p. 154). Este «sonrosado» (p. 161) y «lindo galán» (p. 154) tiene poca gallardía por su afeminado físico, y si bien Currita ha manifestado interés por él, dicha inclinación responde más a su problemática que a una verdadera atracción amorosa, algo que sería normal en textos donde un marido viejo es engañado por su joven esposa con otro hombre.[11] El teniente Sandoval tampoco está motivado por una auténtica pasión. Su actitud hacia Currita responde a lugares comunes, a lo que él cree debe ser su papel como hombre vigoroso y al acecho de una mujer casada con un viejo. Es esta percepción suya la que hace comprensible que para enamorar a Currita opte por una ostentación masculina:

> Creía que para enamorar a una dama encopetada, lo primero que se necesitaba era un alarde varonil en forma de mostacho de mosquetero, o barba de capuchino, y de todo ello el ayudante estaba muy necesitado. Tantas fueron sus cavilaciones, que cayó en la flaqueza de oscurecerse, con tintes y menjurjes, el vello casi incoloro del incipiente bozo. Miróse en el espejo roto que tenía en el cuarto del hospedaje, hizo ademán de retorcerse los garabatos invisibles de un mostacho, y salió anhelando ser héroe en batallas de amor [pp. 159-160].

Por su parte, Currita tampoco es lo que debiera ser si se recuerdan otros textos que conciernen a relaciones adúlteras. Al principio del cuento, es descrita como un ser vital. Ella es alegre, nerviosa, enérgica, deseosa de libertad (pp. 151-152). No se ajusta su figura, por tanto, a la de la enamorada tradicional: «Era desarreglada y genial como un bohemio; tenía supersticiones de gitana, e ideas de vieja *miss* sobre la emancipación femenina» (p. 153). Al casarse con el general Rojas, sin embargo, sufre un cambio de carácter que para cuantos estaban al tanto de cómo era —incluyendo al narrador— constituye un enigma sólo explicable con un milagro (pp. 153-154). Este enigma, podemos especular, es indicio de cuán arbitraria e injusta fue la sociedad española al forzar a las mujeres casadas a vivir prácticamente encerradas y a actuar con aparente dignidad y obediencia a ciertos códigos sociales poco profundos y bastante artificiales.[12] A través de «La Generala» podemos apreciar que el carácter de Currita es lo opuesto a lo que se espera de ella como mujer casada, y, como resultado, ella se ve obligada a encontrar una válvula de escape en sus insinuaciones —en su juego— con el teniente Sandoval.[13]

La seriedad que caracteriza a Currita después de su boda no se manifiesta, como ya he indicado, en su trato con el teniente Sandoval: a él se le insinúa en un tipo de «flirteo» a través de miradas (p. 157), con roces de rodillas (p. 161), etc. A pesar de ello, no se puede suponer que Currita esté enamorada del teniente, pues de estarlo no se burlaría de él como lo hace después que el supuesto galán se le acerca descaradamente:

> Ellos se miraron en silencio. De pronto, Currita, con la impresionabilidad infantil de tantas mujeres, lanzó una carcajada:
>
> —¡Cómo le han crecido a usted los bigotes! ¡Pero si se los ha teñido!
>
> Sandoval, un poco avergonzado, reía también.
>
> —¡Me dará usted la receta para cuando tenga canas! [p. 163].
>
> —Venga usted aquí caballerito.
>
> Era muy divertida aquella comedia en la cual él hacía de rapaz y ella de abuela regañona. Currita se levantó las mangas para no mojarse, y empezó a lavar los labios al presumido ayudante, quien no pudo menos de besar las manos blancas que tan lindamente le refregaban la jeta:
>
> —¡Formalidad, niño!
>
> Y le dio en la mejilla un golpecito que quedó dudoso entre bofetada y caricia. Se enjugó Sandoval atropelladamente, y asiendo otra vez las manos de la Generala, cubriólas de besos. Ella gritaba:
>
> —¡Déjeme usted! ¡Nunca lo creería! [p. 164].

En la segunda cita queda establecido que Currita y Sandoval actúan cual personajes de una comedia que resulta algo vulgar e indigna, y que degenera al creer el teniente que podía tomarse libertades con ella: atribuciones lógicas a la luz de la forma poco recatada en que la Generala ha actuado (las palabras «refregaban» y «jeta» son indicio de ese juego semántico que separa el texto de Valle-Inclán de otros anteriores).

Ni Currita ni Sandoval, repitámoslo, son verdaderos amantes. Ellos representan papeles con antecedentes literarios en otras relaciones amorosas. Esta interpretación del texto queda corroborada si se recuerda que la fuerza catalítica que impulsa a los dos jóvenes a hacer más tangibles sus insinuaciones es la novela francesa que Sandoval y Currita leen juntos —*Lo que no muere*—, obra de Barbey d'Aurevilly (según queda indicado en la versión del cuento publicada en *Femeninas*, p. 16) que les conmueve a los dos e impele al teniente a ser atrevido con ella (pp. 157, 161-164). Es decir, la literatura —una obra literaria—, según reza en «La Generala», da a Currita y a Sandoval una pauta a seguir en sus relaciones. En ese sentido, un texto deriva su existencia —es comprensible— en términos de otro.[14]

En «La Generala», sin embargo, cuanto ocurre, si bien responde a normas que, en términos generales, resultan preexistentes, no se manifiesta como en esos otros casos.[15] He aquí la parodia que este relato de Valle-Inclán hace de una tradición literaria, burla que se deduce si se contrasta cómo deben ser y cómo son en realidad las cosas al faltarle a Currita —por sólo dar como ejemplo la novela mencionada en «La Generala»— la seriedad que caracteriza a la condesa Iseult en *Lo que no muere* (véase la breve cita atribuida a esta novela en la p. 162). Es en este contexto, por consiguiente, donde los gritos del general Rojas a finales del cuento resultan ridículos, pues el supuesto adulterio de Currita y Sandoval ha sido desvirtuado de esa seriedad pomposa que predominó en toda una tradición literaria:

> Sus ojos se encontraron, sus labios se buscaron golosos y se unieron con un beso:
>
> —¡Mi vida!
>
> —¡Payaso!
>
> Los tres entorchados ya no le inspiraban más respeto que unos galones de cabo. Desde fuera dieron dos golpecitos discretos en la puerta. Sandoval, mordiendo la orejita menuda y sonrosada de la Generala, murmuró:
>
> —No contestes, alma mía...
>
> Los golpes se repitieron más fuerte:
>
> —¡Curra! ¡Curra! ¿Qué es esto? ¡Abre!
>
> A la Generala tocóle suspirar:
>
> —¡Dios Santo...! ¡Mi marido!
>
> Los golpes eran ya furiosos.
>
> —¡Curra! ¡Sandoval! [...] ¡Abran o tiro la puerta abajo! [p. 164].

Tanto cuando Currita exclama «¡Dios Santo...! ¡Mi marido!», como cuando el General escandaliza, el lector detecta claramente la artificialidad de la escena e, implícitamente, empieza a comprender el posible vacío que desde una perspectiva moderna se percibe en gran número de obras —y aun de actitudes cotidianas— que, con anterioridad, han exagerado el papel que al honor castizo le ha sido asignado por la sociedad española. Cuanto sustento cobra aún más fuerza si se recuerda que, antes de pronunciar su exclamación, el narrador dice que «a la Generala tocóle suspirar»: o lo que es lo mismo, le ha tocado desenvolverse como debe hacerlo toda esposa cuando es descubierta por su marido y de acuerdo con las normas establecidas en muchos otros textos literarios.

III

El narrador en «La Generala» desempeña un papel notoriamente importante. Es, simultáneamente, extradiegético y heterodiegético, al encontrarse en un nivel superior a la historia que narra y al no participar en ella. Este narrador se dirige implícitamente a un narratario (Rimmon-Kenan, pp. 88-89), sobreentendiéndose que es testigo directo o indirecto de lo que sucede en el relato. Cuanto ofrece este narrador está focalizado desde su perspectiva o a través de la de otros (por ejemplo, Currita y Sandoval).[16] Dicho de otra forma, el narrador demuestra cierta omnisciencia al saber cómo otros visualizan la realidad en diversos lugares y momentos, a la vez que se atribuye a sí mismo ciertas limitaciones al plantear el aparente enigma en el cambio de carácter que experimenta Currita después de casarse (p. 153). Es también el narrador quien en sus percepciones identifica ese conflicto que para él existió como resultado de la «disparatada» boda del general Rojas con Currita (p. 151): o sea, la adúltera vinculación entre Sandoval y ella.

Por todo el texto, sin embargo, el narrador se desenvuelve ambivalentemente: lo que a primera vista aparenta sustentar se convierte en algo bastante diferente. Así, al referirse a la futura vinculación ilícita entre Currita y Sandoval, se expresa de la siguiente manera: «La cosa pasó de un modo algo raro, con rareza pueril y vulgar, donde todas las cosas parecen acordadas como en una comedia moderna» (p. 154). El sentido último de estas palabras, que en una primera lectura impulsan al lector a leer y a tratar de saber qué sucede en el relato,[17] retrospectivamente, resulta algo diferente al poner énfasis en cómo lo que ocurre en «La Generala» es un tipo de «comedia moderna» al responder cuanto sucede en el texto a patrones preconcebidos —típicos de una comedia moderna— que se desenvuelven con cierta rareza al no ajustarse a lo que usualmente se esperaría en situaciones semejantes. Es decir, el narrador sirve para plantear ciertas cosas que él mismo modifica perceptiblemente (como cuando describe de dos formas diferentes al general), poniéndose énfasis así en cuán evasiva es la realidad si se pretende comprenderla plenamente. Además, queda establecido cuán inseguras son las percepciones iniciales del lector sobre lo que ocurre en este cuento al no ajustarse la historia totalmente a una tradición literaria y al constituir de hecho una censura —una ridiculización— de lo que impera usualmente o se espera que suceda en textos de esta naturaleza. Es por ello de suma importancia que el narrador focalice la realidad con cierta falta de coherencia, ya que su envergadura aumenta cuando sus percepciones quedan contrastadas con las de otros focalizadores y con los hechos mismos: es entonces cuando hay que concluir que el narrador es indigno de confianza y que no se puede aceptar todo lo que dice esta entidad al no compaginar sus percepciones con aquéllas que se derivan del autor implícito, tipo de conciencia que rige la obra, entidad silente que se deduce cuando se consideran todos los elementos de un texto.[18]

* * *

En «La Generala» Valle-Inclán adelanta su objeción al código del honor según él creía era concebido en la sociedad española, actitud suya que manifiesta también en obras posteriores.[19] La animosidad que don Ramón expresa por el honor responde, en otros textos del escritor gallego, a su preocupación por la importancia que lo externo adquiere para muchos en contraste con la innoble realidad subyacente.[20] En «La Generala», por su parte, ocurre lo mismo a la vez que el énfasis recae en la artificialidad que impera en el relato debido al espíritu lúdico que reina en él y que tiende a desvirtuar de solemnidad a aquellos textos de los que proviene y con los que se vincula en términos intertextuales.[21] Es pues «La Generala» un verdadero caso de prolepsis ideológica al estar comentando este texto y otros de Valle-Inclán la distancia que existe entre lo que aparenta ser la gente y lo que es en verdad.[22]

NOTAS

1. *Beginnings. Intention and Method* (Nueva York, Basic Books, Inc., Publishers, 1975, p. 218).

2. «Breve noticia acerca de mi estética cuando escribí este libro», en *Corte de amor* (Madrid, Imprenta de Balgañón y Moreno, 1908, pp. 16-17).

3. *El escritor según él y según los críticos. Memorias* (Madrid, Minotauro, 1955, p. 1.217).

4. *La lámpara maravillosa* (Madrid, Espasa-Calpe, 1960^2, p. 59).

5. En vida de Valle-Inclán aparecieron diversas versiones del cuento. Véanse *El Universal*, 26 de junio (1892), p. 2 —bajo el título «El canario» (las diferencias entre esta versión y la que aquí se utiliza son mínimas [por ejemplo, la de *El Universal* tiene una sección final donde se nos informa cómo el teniente fue trasladado y cómo el General Rojas es llamado «El del Canario», alusión que hace referencia a la excusa que le dio Currita cuando no abrió la puerta])—, *Femeninas* (Pontevedra, Imprenta y Comercio de A. Landín, 1895, pp. 161-181) —reimpreso en *Fe-*

meninas. Epitalamio (Madrid, Espasa-Calpe, 1978)—, *Colección de frases y refranes en acción*, texto ordenado por Juan Cuesta y Díaz (Madrid, Librería de Bailly-Baillière e Hijos, 1904, pp. 3-20) —se tituló «Antes que te cases...», y es una adaptación del relato al refrán «Antes que te cases, mira lo que haces», algo que pone énfasis en la desastrosa boda entre un corregidor (don Alonso de Solís) y una joven (doña Paquita); esta versión sigue con algunos cambios el argumento de «La Generala» (concluye, sin embargo, con la Comendadora siendo castigada por su marido cuando éste la deja en un convento después de haberla acusado a ella y a su ahijado de «traidores»). A pesar de sus fechas, el más temprano de los cuentos (el de 1892) se parece mucho más a «La Generala» que el de 1904 al resultar este último bastante rudimentario—, *Historias perversas* (Barcelona, Maucci, 1907, pp. 133-144), *Cofre de sándalo* (Madrid, Librería General de Victoriano Suárez, 1909, pp. 143-169), La novela corta, III, 156 (9 de diciembre de 1918), *Corte de amor. Opera Omnia*, vol. XI (Madrid, Sociedad General Española de Librería, 1922, pp. 245-273), *Jardín Umbrío*, ed. Paul Patrick Rogers (Nueva York, Henry Holt and Company, 1928, pp. 2-93), y *Flores de almendro* (Madrid, Librería Bergua, 1936, pp. 213-220). En general, la impresión de 1895 es casi igual a la definitiva de 1922. En la impresión de 1895, sin embargo, se pone mayor atención en la edad del General al decirse que «ya debía pasar *mucho* de los sesenta» (p. 161; énfasis mío) a la vez que se critica más a Currita cuando el narrador menciona cómo algunos reaccionaban ante su carácter («Los amigos decían algo más duro y la habían puesto "mona inquieta"», pp. 162-163). Por último, ciertos comentarios que fueron eliminados en la versión de 1909 del cuento ofrecían un cuadro más extremo de los dos personajes, mientras que la versión de *Femeninas* carece de una referencia directa al «flirteo» de Currita (p. 16), siendo esto algo que se introduce en la de *Cofre de sándalo* (p. 153). En este ensayo, específicamente, utilizo la versión de «La Generala» que aparece en *Corte de amor* (Madrid, Espasa-Calpe, 1979[6], texto basado en el de *Opera Omnia* (1922).

Léase también el *Refranero Español*, ed. José Bergua (Madrid, Clásicos Bergua, 1981[9], p. 137).

6. *The Pursuit of Signs. Semiotics, Literature, Deconstruction* (Ithaca, Cornell University Press, 1981, especialmente las pp. 100-111). Cuatro críticos fundamentales que también se han expresado, de una forma u otra, sobre la intertextualidad son Julia Kristeva, *Semiótica 1*, trad. José Martín Arancibia (Madrid, Fundamentos, 1969), Roland Barthes, *S/Z*, trad. Richard Miller

(Nueva York, Hill and Wang, 1974), Harold Bloom, *The Anxiety of Influence* (Oxford, Oxford University Press, 1973) y *A Map of Misreading* (Nueva York, Oxford University Press, 1975), y Gérard Genette, *Palimpsestes* (París, Seuil, 1982). Sobre lo intertextual en un contexto hispánico véanse los libros de Michael Ugarte, *Trilogy of Treason. An Intertextual Study of Juan Goytisolo* (Columbia, University of Missouri Press, 1982) y Gonzalo Navajas, *Mímesis y cultura en la ficción. Teoría de la novela* (Londres, Tamesis Books Limited, 1985, pp. 73-82), los artículos de Gustavo Pérez Firmat, «Apuntes para un modelo de la intertextualidad en literatura», *Romanic Review*, 69 (1978), pp. 1-14 (desarrolla aquí una tipología de textos intertextuales), y Mirella Servodidio, «Speculations on Intertextualities: Baroja and Valle-Inclán», *Hispania*, 66 (1983), pp. 11-16 (ambos ensayos se enfrentan a lo intertextual en forma algo diferente a como lo hago yo en este estudio). Por su parte, Phyllis Zatlin Boring, «More on Parody in Valle-Inclán», *Romance Notes*, 15 (1973), pp. 246-247, se acerca a la materia sin la profundidad crítica de los especialistas mencionados con anterioridad. El lector es referido también al interesante ensayo de Charles F. Altman sobre la intratextualidad y la intertextualidad y la importancia de ambos conceptos en el proceso de comprensión de un texto literario («Intratextual Rewriting: Textuality as Language Formation», en *The Sign in Music and Literature*, ed. Wendy Steiner [Austin, University of Texas Press, 1981, pp. 39-51]). Finalmente, léase el valioso artículo de Laurent Jenny, «The Strategy of Form», en *French Literary Theory Today*, ed. T. Todorov (Cambridge, Cambridge University Press, 1982). En este último, su autor enuncia dos preguntas que considera fundamentales en cualquier estudio de lo intertextual: «¿cómo asimila un texto expresiones con existencia previa?» y «¿qué relación tienen las expresiones asimiladas a su forma original?» (p. 50).

7. *Narrative Fiction: Contemporary Poetics* (Nueva York, Methuen, 1983, pp. 122-125).

8. *La poética estructuralista. El estructuralismo, la lingüística y el estudio de la literatura*, trad. Carlos Manzano (Barcelona, Anagrama, 1978, pp. 1-22). Este libro apareció originalmente en 1975.

9. Recuérdense las obras de teatro *El sí de las niñas* de Leandro Fernández de Moratín, *El gran galeoto* de José Echegaray, *Fedra* de Miguel de Unamuno, y *Señora ama* y *La malquerida* de Jacinto Benavente, por sólo mencionar unos ejemplos de diversa índole.

10. Con estas palabras, Valle-Inclán se refiere al reinado de Echegaray. Véase Juan López Núñez, «Máscara y rostro de Valle-Inclán», *Por Esos Mundos*, 1 de enero (1915); texto reproducido por Dru Dougherty en *Un Valle-Inclán olvidado: entrevistas y conferencias* (Madrid, Fundamentos, 1983, p. 61). Sobre la displicencia que Valle sentía por el teatro de Echegaray y otros dramaturgos de su época ya se expresó Vicente Cabrera, «Valle-Inclán y la escuela de Echegaray: un caso de parodia literaria», *Revista de Estudios Hispánicos*, 7 (1973), pp. 193-213.

11. Por su parte, O.E. Jack Roberts Jr., *Definitions and Contrast of Love in the «Corte de amor» and the «Sonatas» of Ramón del Valle-Inclán*, tesis doctoral (Louisiana State University, 1967, pp. 53-55), cree que Currita está verdaderamente atraída por Sandoval y que no juega con él.

12. Testimonios y estudios de la época documentan esta aseveración. Léanse Emilia Pardo Bazán, «La mujer española», *La España Moderna*, 17 (mayo 1890), pp. 101-113, 18 (junio 1890), pp. 5-15, 19 (julio 1890), pp. 121-131, y 20 (agosto 1890), pp. 143-154 (los cuatro textos fueron escritos en 1889), Adolfo Posada, «Los problemas del feminismo», *La España Moderna*, 95 (1896), pp. 11-45, Adolfo Posada, «Progresos del feminismo», *La España Moderna*, 99 (1897), pp. 91-137, Rubén Darío, «La mujer española», en *España Contemporánea*, vol. 19 (Madrid, Mundo Latino, s.a. [texto fechado originalmente en marzo de 1900], pp. 321-328), Severo Catalina, *La mujer. Apuntes para un libro* (Madrid, Imp. de Julián Peña, 1870[4], pp. 107-138 y 261-277), y Federico Torralba, *La mujer, estudios histórico-filosóficos* (Madrid, Imprenta de P. Gracia y Orga, 1870). En este último libro resultan reveladores los títulos de algunos capítulos. En el siguiente trozo se da una visión estereotípica del hombre y la mujer dentro del matrimonio:

> El hombre y la mujer constituyen como dos cuerpos diferentes que alimenta un mismo espíritu.
>
> Son como el hielo y el agua: vida propia, misma esencia, diversas formas tan sólo.
>
> Él aporta el valor para vencer los obstáculos que intercepten sus imperiosas necesidades, ella trae las gracias y el encanto para apartar de su mente las ideas de la aflicción.
>
> Él tiene la obligación de agitarse en los negocios exteriores y vivir en comunicación constante con el mundo, ella está formada a los quehaceres domésticos y a vivir sin cesar del mundo retirada.
>
> Él está destinado a las grandes fatigas del trabajo y busca en la sociedad el sustento de los dos, ella no puede menos de velar sin

> reposo en el hogar y cuidarse de endulzar las penas que desgarren sus entrañas.
>
> Él es, en fin, la cabeza que piensa, la idea que se levanta poderosa para enaltecer a la mujer; ella es, por último, el corazón que siente, el sentimiento que brota más que gigante para bendecir al hombre, amarle y no olvidarlo jamás [pp. 123-124].

Finalmente, es útil en esta oportunidad mencionar dos libros adicionales: Vital Aza, *Feminismo y sexo* (Madrid, Javier Morata, 1928), nos da una visión más reciente —aunque todavía estereotípica— de cómo reaccionaba el español ante la mujer española (especialmente en las pp. 19-49), y Hans Hinterhäuser, *Fin de Siglo. Figuras y mitos*, trad. Teresa Martínez (Madrid, Taurus, 1980, pp. 91-121), nos ofrece una visión sintética del ideal femenino en las postrimerías del siglo XIX.

Ya Eliane Lavaud, *Valle-Inclán: du journal au roman (1888-1915)* ([París], Klincksieck, 1979 [1980], pp. 221-222) ha interpretado «La Generala» como una crítica a la deplorable situación de las mujeres. El lector es referido también a la lectura social que de este texto hizo Lourdes Ramos-Kuethe, «El concepto del libertinismo en la narrativa temprana de don Ramón del Valle-Inclán», *Hispanic Journal*, 4 (1983), p. 5. Más recientemente, ya concluido mi ensayo, apareció el artículo de Catherine Nickel, «Valle-Inclán's "La Generala": Woman as Birdbrain», *Hispania*, 71 (1988), pp. 228-234, donde se discuten estereotipos sobre la mujer en el siglo XIX y cómo don Ramón los desvirtúa en este cuento.

13. Nótese cómo el relato concluye con un canario en su jaula, en su cárcel. La situación de este pájaro es parecida a la de Currita a finales del cuento ya que ella, debido a su temperamento y carácter, también seguirá prisionera en su matrimonio (con anterioridad, Currita fue descrita como un «periquito» [p. 152], un ser que poseía «un cerebro de colibrí» [p. 153], otros tipos de aves). En términos simbólicos, el pájaro «evoca imágenes liberadoras del pensamiento, así como aspiraciones amorosas todavía irrealizables», tan utópicas e imposibles como las inclinaciones vitales que caracterizan a la joven. Véase José Antonio Pérez Rioja, *Diccionario de símbolos y mitos* (Madrid, Tecnos, 1971[2], p. 332), y Juan-Eduardo Cirlot, *Diccionario de símbolos* (Barcelona, Labor, 1981[4], pp. 350-352).

14. Significativamente, ya Armand B. Chartier, en su discusión de *Lo que no muere*, ha expresado ciertas dudas sobre esta novela, algo lógico en vista del excesivo dramatismo que la ca-

racteriza. Véase *Barbey d'Aurevilly* (Boston, Twayne Publishers, 1977, pp. 133-136).

15. En un estudio muy inteligente, Carol S. Maier, «Literary Re-Creation, the Creation of Readership, and Valle-Inclán's *La lámpara maravillosa*», *Hispania*, 71 (1988), pp. 217-227, afirma que un principio fundamental en el arte de don Ramón —según se deriva de *La lámpara maravillosa*— concierne «[...] reescribir como una parte integral de la creación literaria» (p. 217). Y añade esta misma crítica que «el acto de escribir casi completamente en términos de otros escritores que escriben sobre escribir» (p. 219) es fundamental para Valle. Es decir, la intertextualidad es de capital importancia en su estética, es algo buscado conscientemente por él.

16. Ejemplos de Sandoval como focalizador aparecen en las páginas 158 y 159; con respecto a Currita véase la página 155.

17. En este sentido, este pasaje es un tipo de prolepsis al contener información que está precedida por sucesos que el lector todavía desconoce: sirve, por supuesto, para interesar al lector en el texto, algo fundamental, pues los textos son escritos para ser leídos. Véase Rimmon-Kenan, pp. 46-51 y 122-123.

18. Rimmon-Kenan, pp. 100-103. Nickel llega a una conclusión semejante a la mía (p. 230).

19. Por ejemplo, en *Los cuernos de don Friolera*, *Las galas del difunto* y *La hija del Capitán*. Como bien ha afirmado Gwynne Edwards, *Dramatists in Perspective: Spanish Theatre in the Twentieth Century* (Nueva York, St. Martin's Press, 1985, p. 69), en *Los cuernos de don Friolera* se quita la dignidad que caracterizaba a esos otros textos dramáticos del Siglo de Oro que le sirven de modelo.

20. Véanse las ideas de Javier Herrero, «La sátira del honor en los esperpentos», en *Ramón del Valle-Inclán. An Appraisal of His Life and Works*, ed. Anthony N. Zahareas, Rodolfo Cardona y Sumner Greenfield (Nueva York, Las Américas Publishing Co., 1968, p. 674), Joaquín Casalduero, «Sentido y forma de *Martes de carnaval*», *An Appraisal...*, pp. 686-694, y Allen W. Phillips, «El esperpento de *Los cuernos de don Friolera*», *Humanitas*, 5 (1964), pp. 317-318. De la parodia de la figura del cornudo en *Divinas Palabras* se expresó acertadamente Sumner M. Greenfield, *Valle-Inclán: anatomía de un teatro problemático* (Madrid, Fundamentos, 1972, pp. 158-164).

21. Esta intertextualidad es lo que, en términos más tradicionales, denominó Joseph H. Silverman («Valle-Inclán y Ciro Bayo: sobre una fuente desconocida de *Tirano Banderas*», *Nueva*

Revista de Filología Hispánica, 14 [1960], p. 80) como el «espíritu completamente renacentista» de don Ramón ya que la literatura fue para él «una de sus fuentes de inspiración más ricas y variadas». Por su parte, Alfonso Reyes enfoca la materia diciendo que el uso de diversas fuentes en Valle-Inclán «equivale [...] a tomar un rincón del cuadro de las *Meninas*, de Velázquez, e incrustarlo en una tela mucho mayor, añadiéndole retazos por todos lados. En los cuadros de los pintores que representan, por ejemplo, un taller [...] ¿no vemos a veces, reproducido sobre un caballete del fondo, en miniatura, algún cuadro célebre de pincel ajeno?», «Las fuentes de Valle-Inclán», en *Valle-Inclán visto por...*, ed. José Esteban (Madrid, Gráficas Espejo, 1973, p. 91) (este ensayo tiene como fecha la primavera de 1922). Finalmente, Julio Casares (*Crítica Profana* [Madrid, Espasa-Calpe, 1965^{3}, pp. 28-48]) critica duramente a Valle por su uso de otras obras y por sus supuestas deficiencias estilísticas.

22. Al efecto, J. Herrero (p. 673) detecta que de esta dicotomía surge lo grotesco y lo absurdo en muchas obras de Valle-Inclán. Otra interpretación del relato la dan Eva Llorens, *Valle-Inclán y la plástica* (Madrid, Ínsula, 1975, p. 159), y Lavaud, p. 200 (esta última establece también como fuente de la primera versión del cuento un texto de Ildefonso Antonio Bermejo, «Políticos de antaño. El cadete y el canario», *El Heraldo de Madrid*, 7 de junio [1891]). Véanse las pp. 128, 180-181 y 245-247 del libro de Lavaud y su ensayo «Valle-Inclán y sus fuentes. El caso de una novela corta publicada en México», *PILAS*, 13-14 (1973-74), pp. 178-190.

II

JARDÍN UMBRÍO

VISIÓN PANORÁMICA DE *JARDÍN UMBRÍO*

Durante la vida de Valle-Inclán aparecieron tres versiones de *Jardín Umbrío,*[1] siendo la última —la de 1920— prácticamente igual a la que hoy en día se utiliza.[2] Además de su título, la colección tiene un subtítulo: *Historias de santos, de almas en pena, de duendes y ladrones*. Con él se identifican los asuntos de que tratará el libro.[3] Si bien a continuación —en secciones aparte—, se discutirán los relatos incluidos en *Jardín Umbrío,* es necesario en esta ocasión identificar un texto que le precede y la «Oración» con que concluye.[4]

En el texto inicial, un narrador extradiegético y homodiegético explica la supuesta fuente de cuanto va a narrar. Este narrador extradiegético opera en su yo de adulto y hace referencia a su ayer cuando escuchó los relatos de la vieja Micaela la Galana. Al hacerlo, añade también sus percepciones pretéritas. Este joven narrador será potencialmente un narrador intradiegético cuando en los relatos subsiguientes supuestamente cuente las historias de la vieja en el nivel hipodiegético. De hecho, el narrador intradiegético en primera persona —el joven— ya está en funciones cuando dice que narra lo que ella le contaba «mientras sus dedos arrugados daban vueltas al huso»

(p. 9). Ya aquí, él cuenta algo desde el nivel diegético (o sea, lo que ocurrió en el plano hipodiegético). Algo semejante sucede con Micaela cuando relata sus historias en un nivel hipodiegético (lo narrado, claro está, ocurre en un nivel hipohipodiegético).[5]

Además de identificar en esta sección preliminar la temática de las historias que escuchó de niño, el narrador extradiegético detecta en ellas «un misterio candoroso y trágico» (p. 9): los relatos reflejan, entonces, enigmas, ingenuidad y hechos terribles (quizá sangrientos), sucesos que atemorizaron al narrador y motivaron que los recordase. Desde la perspectiva actual del narrador extradiegético, sin embargo, estas historias «tienen el largo murmullo de las hojas secas. ¡El murmullo de un viejo jardín abandonado! Jardín Umbrío» (p. 9). Es decir, las historias no son ya percibidas como en otras épocas, a pesar de que perduran aspectos de estos momentos pretéritos en la sensibilidad del narrador extradiegético. Estos aspectos, nos dice el narrador, corresponden a una circunstancia ya abandonada en su existencia, a un jardín («símbolo de la conciencia, frente a lo selvático, lo natural, lo inconsciente»)[6] umbrío (algo con sombra). En otras palabras, para el narrador extradiegético queda matizado el énfasis en la conciencia que se deriva de la asociación entre el vergel y la incomprensión que caracteriza a un ambiente de sombras: de esta forma, el narrador extradiegético intenta captar su situación conflictiva al disponer de relatos que, si bien cree comprender, puede que se le escapen en términos conceptuales debido a la naturaleza de sus elementos constituyentes. La imprecisión que caracteriza al título de esta colección es vinculable, además, a ciertas tendencias identificables con el Simbolismo. En este movimiento se puso énfasis en el valor de lo incorpóreo y de la imaginación, en el poeta como vidente de realidades transcendentes. Las palabras no sólo designaban para el poeta simbolista, sino que sugerían también. Valle-Inclán, por supuesto, estuvo muy identificado con el Simbolismo y otras corrientes literarias de finales del siglo XIX.[7]

Por último, concluye la colección con una «Oración»,

tipo de afirmación del narrador sobre cómo fueron reunidos sus textos y de su deseo de captar «el perfume ideal» (p. 150) de ese ser a quien se refiere, esa amiga suya que reunió sus escritos. La combinación del sustantivo «perfume» (con la dimensión incorpórea de esta sustancia) y del adjetivo «ideal» (con su obvia vinculación con la perfección propia del mundo de los conceptos, algo igualmente etéreo) sirve para recalcar la atmósfera sutil que predomina en la colección.[8]

Ambos textos, el preliminar y el que sirve para concluir la colección, enmarcan eficazmente los diecisiete textos que están incluidos en *Jardín Umbrío* e infunden verosimilitud a estos relatos al vincularse el narrador a ellos de forma plausible. Y es que en estos dos textos y en los relatos mismos se percibe una predisposición por «efectos orales» que dan autenticidad a cuanto se lee al crearse la impresión de que se escuchan voces reales que cuentan sucesos que en verdad ocurrieron. Estos «efectos orales» son cultivados en forma deliberada y no ejemplifican «residuos orales» en la literatura al consistir, más que nada, en elementos de conversación en el estilo literario.[9] Sin embargo, la impresión de realidad que he mencionado es de tal naturaleza que no debe ser aceptada totalmente ya que no todos los relatos se ajustan claramente a la exégesis que de su origen ofrece el narrador en la sección preliminar de la colección (por ejemplo, hay cuentos donde el narrador mismo, en primera persona, es quien se convierte en la fuente de lo que acontece, sin que estos hechos puedan serle atribuidos a Micaela).[10]

NOTAS

1. *Jardín Umbrío* (Madrid, Viuda de Rodríguez Serra-Imp. Marzo, Biblioteca Mignon XXXIII, 1903); *Jardín Umbrío. Opera Omnia*, vol. XII (Madrid, Perlado, Páez y Compañía-Imprenta de José Izquierdo, 1914); y *Jardín Umbrío. Opera Omnia*, vol. XII (Madrid, Sociedad General de Librería Española, 1920). Hay

una cuarta bastante incompleta que fue utilizada en los Estados Unidos como libro de texto. Véase *Jardín Umbrío*, ed. Paul Patrick Rogers (Nueva York, Henry Holt and Company, [1928]). Sobre las diversas versiones de los relatos incluidos en *Jardín Umbrío*, consúltese el utilísimo libro de Eliane Lavaud, *Valle-Inclán: du journal au roman (1888-1915)* ([París], Klincksieck, 1979 [1980], pp. 251-271) (referencia específica a los cambios existentes entre las impresiones de un mismo texto sólo será hecha por mí cuando, en una forma u otra, facilite nuestra comprensión de la versión moderna que nos concierne). Esta crítica también se detiene a considerar las atmósferas prevalentes en las narraciones junto con ciertos recursos técnicos que cree detectar en ellas y sus posibles fuentes (pp. 273-326). En general, las percepciones de Lavaud son muy diferentes a las mías (ella nos dice muy poco de estos textos en términos narratológicos —como ejemplos de ficción narrativa— y se concentra en sus antecedentes históricos, sin darse cuenta que el uso de otros escritos, leyendas, historia, geografía, etc. ilustra más que nada cómo opera lo intertextual en *Jardín Umbrío*). Dicho de otra forma, a Lavaud le preocupa demasiado vincular estos relatos con una realidad gallega concreta —histórica y física— y ello provoca que diga poco sobre estos textos como obras de arte.

2. Citas y referencias a *Jardín Umbrío* provienen de la 5.ª ed. (Madrid, Espasa-Calpe, 1979).

3. Este subtítulo no apareció en la primera versión del libro, texto que incluía solamente cinco relatos. Entre ellos, únicamente el primero, «¡Malpocado!», no se encuentra en la versión moderna de *Jardín Umbrío* ni en la segunda (1914) ni en la tercera (1920). En la segunda faltaban «Beatriz» y «Mi hermana Antonia», narraciones que fueron añadidas a partir de la versión de 1920. En vista de lo ya dicho, es imposible aceptar que la versión definitiva de la colección sea la de 1914, algo que es sustentado por Ernest C. Rehder, «Concentric Patterns in Valle-Inclán's *Jardín Umbrío*», *Romance Notes*, 18 (1977), p. 62 (este crítico llega a incluir «Beatriz» en la impresión de 1914). A la luz de lo que se expresa en este subtítulo y de los textos mismos que contiene la colección, no sorprende que *Jardín Umbrío* haya sido interpretado como un libro donde predominan las supersticiones gallegas. Véase César Barja, *Libros y autores contemporáneos* (Nueva York, Las Américas Publishing Company, 1964, pp. 365-367), Rita Posse, «Notas sobre el folklore gallego en Valle-Inclán», *Cuadernos Hispanoamericanos*, 199-200 (1966), p. 494, Gaspar Gómez de la Serna, «Valle-Inclán más acá del

medio siglo», en *Obras Escogidas de Ramón del Valle-Inclán* (Madrid, Aguilar, 1967, p. 18), y Antonio de Zubiaurre, «Introducción», en *Femeninas. Epitalamio* de Ramón del Valle-Inclán (Madrid, Espasa-Calpe, 1978, p. 27).

4. El texto preliminar ya aparece, con algunos cambios, en la versión de 1903 y bajo el título de «Jardín Umbrío» (es igual al de la de 1914; esta última ya sin título). También es incluido, con pequeñas alteraciones, en *Jardín Novelesco* (Madrid, Tipografía de la Revista de Archivos, Bibliotecas y Museos, 1905, y Barcelona, Maucci, 1908). En la impresión de 1905 lleva el título «Jardín Novelesco». Por su parte, la «Oración» fue añadida en la impresión de 1914 de *Jardín Umbrío* (ya había aparecido en las de *Jardín Novelesco*).

5. Nótese cómo yo no identifico a este narrador con Valle-Inclán, ya que al hacerlo ignoraría las diferencias que pueden ser detectadas entre el autor real de un texto, su autor implícito y su narrador. Sobre todo esto, se expresa Shlomith Rimmon-Kenan, *Narrative Fiction: Contemporary Poetics* (Nueva York, Methuen, 1983, pp. 86-89), a la vez que refleja ciertas tendencias modernas en términos narratológicos. La distinción entre autor real y narrador en *Jardín Umbrío* no ha sido realizada por Carlos Luis del Valle-Inclán («Prefacio», *Corte de amor* [Buenos Aires, Espasa-Calpe Argentina, 1942, pp. 10-12]), Eduardo Tijeras («El cuento en Valle-Inclán», *Cuadernos Hispanoamericanos*, 199-200 [1966], p. 404), Salvador Lorenzana («Galicia en la obra de Valle-Inclán», *Ínsula*, 236-237 [1966], p. 17), Lavaud (p. 312) ni Robert Lima, *Valle-Inclán. The Theatre of His Life* (Columbia, University of Missouri Press, 1988, p. 9), algo especialmente comprensible en el primero en vista de la temprana fecha de su prólogo. Para ellos, lo incluido en la sección preliminar es esencialmente autobiográfico (Lavaud llega a admitir, sin embargo, que quizá el prólogo sea un recurso literario, aunque opta, en última instancia, por una interpretación literal de este texto a pesar de que reconoce que hay una inconsistencia entre Micaela como narradora y los narradores que se pueden identificar en los relatos mismos [pp. 316-319]). Por su parte, José Manuel González Herrán, «Los "cuentos oscuros" de Valle-Inclán», *Outeiro*, 20, marzo (1986), denomina «artificio retórico» a los textos que preceden y siguen a *Jardín Umbrío* (p. 30).

6. José Antonio Pérez-Rioja, *Diccionario de símbolos y mitos* (Madrid, Tecnos, 1971[2], p. 253).

7. Sobre el Simbolismo se han expresado, por sólo mencionar dos buenos ejemplos, Anna Balakian, *El movimiento simbo-*

lista, trad. José-Miguel Velloso (Madrid, Guadarrama, 1969 [originalmente en 1967]) y René Wellek, «What is Symbolism?», en *The Symbolist Movement in the Literature of European Languages*, ed. Anna Balakian (Budapest, Akadémiai Kiadó, 1982, pp. 17-28).

Sorprendentemente, Juan R. Jiménez no consideró adecuado al contenido de la colección el título *Jardín Umbrío*. «*Jardín Umbrío*, por Don Ramón del Valle-Inclán», *Helios*, VIII (1903), p. 118. Una interpretación diferente del título la da Lavaud (pp. 307-308). Véase también Giovanni Allegra, *El reino interior. Premisas y semblanzas del Modernismo en España*, trad. Vicente Martín Pintado (Madrid, Encuentro, 1986, p. 268).

Indudablemente, la referencia a Micaela como fuente de los relatos da verosimilitud a la colección, al suponer que aquéllos provienen de historias orales donde se reflejan ciertas creencias populares. Al respecto, léanse los comentarios de Lily Litvak, *A Dream of Arcadia. Anti-Industrialism in Spanish Literature, 1895-1905* (Austin, University of Texas Press, 1975, p. 132) y Lavaud, p. 326.

8. Curiosamente, Lavaud se plantea la autenticidad de la «Oración» final y concluye que no es veraz lo que se dice aquí sobre esa «amiga» que «reunió» los cuentos (p. 255). Esta discusión es otro indicio de la lectura literal que prevalece en Lavaud, lo que dificulta que pueda profundizar en sus percepciones críticas. Al efecto, véase su ensayo «Un motivo folklórico en la narrativa corta de Valle-Inclán: el molino», en *Valle-Inclán (1866-1936). Creación y lenguaje*, ed. J.M. García de la Torre (Amsterdam, Rodopi/Diálogos Hispánicos de Amsterdam, 7, 1988, pp. 39-40), donde vuelve a considerar que la voz de Valle es quien narra el texto preliminar de *Jardín Umbrío* (lo autobiográfico queda todavía más explícito cuando se dice que el autor real que fue don Ramón aparece también en *La lámpara maravillosa*).

9. Walter J. Ong ha discutido los conceptos de oralidad a que he aludido en su libro *Rhetoric, Romance, and Technology* (Ithaca, Cornell University Press, 1971, especialmente en las pp. 23-27). Por su parte, Lavaud ya alude cómo en esta introducción los relatos quedan presentados por Valle como con un origen popular y tradicional («Un motivo folklórico...», p. 39).

10. En términos generales, se han expresado sobre *Jardín Umbrío* varios críticos. Entre otras cosas, han mencionado que tiene una influencia simbolista; que se le puede estudiar a la luz de *La lámpara maravillosa* y de las fases mítica, irónica y degradadora, que, en otro contexto, discutió Guillermo Díaz-Plaja en

Las estéticas de Valle-Inclán (Madrid, Gredos, 1965); que la colección constituye un tipo de anticipo del Valle-Inclán posterior; que tiene cierta tendencia a la circularidad, y que existe cierta simetría en la colocación de las diversas narraciones que aparecen en este libro. Véanse Justo Saco Alarcón, *Técnicas narrativas en «Jardín Umbrío»*, tesis doctoral (The University of Arizona, 1974), pp. 2-9, 252, 255-256; Rehder, pp. 62-65; y William R. Risley, «Hacia el simbolismo en la prosa de Valle-Inclán», *Anales de la Narrativa Española Contemporánea*, 4 (1979), pp. 69-70. De ser ello apropiado, las ideas de estos críticos serán discutidas cuando resulte oportuno en la examinación individual de cada relato. Una excepción la haré a continuación con la tesis de Alarcón debido a su naturaleza monográfica y a su extensión.

Si bien Alarcón discute aspectos específicos de los relatos en *Jardín Umbrío* de forma a veces apropiada, muy a menudo no puede identificar correctamente los elementos fundamentales de estos textos, ya que carece de una base narratológica. Es decir, es común que Alarcón se equivoque o que no discuta aspectos muy importantes de las narraciones que estudia. Ejemplifica lo dicho el enfoque de Alarcón de la sección preliminar y de la «Oración» final de *Jardín Umbrío* (pp. 250-252). En ambos textos, este crítico demuestra su interés por la «voluntad organizadora» de Valle-Inclán, lo que recuerda el ya desacreditado concepto de «falacia de intención» (véanse Robert W. Stallman, «Intentions», en *Princeton Encyclopedia of Poetry and Poetics*, ed. Alex Preminger [Princeton, Princeton University Press, 1965, pp. 398-400]; W.K. Wimsatt, «The Intentional Fallacy», en *The Verbal Icon. Studies in the Meaning of Poetry* [Lexington, The University Press of Kentucky, 1954, pp. 3-18]; y René Wellek y Austin Warren, *Theory of Literature* [Nueva York, Harcourt, Brace & World, 1956[3], pp. 41-43 y 128-129]). Añádase que Alarcón no se molesta en comparar las diversas versiones de los textos que estudia (ni siquiera utiliza el libro de William L. Fichter, *Publicaciones periodísticas de Don Ramón del Valle-Inclán anteriores a 1895* [México, El Colegio de México, 1952]) y que, como es lógico por la fecha de su tesis, no puede distinguir con precisión entre los diversos niveles narrativos y los conceptos de autor real, narrador y focalizador. En ocasiones, sin embargo, Alarcón asevera cosas válidas sobre este libro (por ejemplo, que no hay presentación psicológica de los personajes [p. 73], que se observa una tendencia en ciertos relatos a posponer información hasta su fin [pp. 128-152], etc.).

Por último, terminado este manuscrito, llegó a mis manos el estudio de Antonio Risco, «El elemento fantástico en la obra de Valle-Inclán», en *Valle-Inclán (1866-1936). Creación y lenguaje*, pp. 49-63. En él se hace breve referencia a varios cuentos de don Ramón en la exploración de lo fantástico en ellos. Las ideas del profesor Risco no requieren ser asimiladas a las mías.

«ROSARITO» Y LA HERMENÉUTICA NARRATIVA

«Rosarito» es uno de los relatos breves de Valle-Inclán que hasta la fecha ha provocado cierta atención crítica.[1] La historia narrada transcurre durante unas horas y en una noche. En este período llega al pazo de la Condesa de Cela don Miguel de Montenegro, viejo pariente de la dama y hombre de vida poco encomiable en términos éticos según se deduce de lo que los restantes personajes dicen de él. Por don Miguel demuestra cierta atracción amorosa la nieta de la Condesa, Rosarito, joven que escuchó de su tía Amada de Camarasa maravillosas historias sobre él. Esta tía, por otra parte, vivió en pleno apogeo del Romanticismo y ello, indudablemente, coloreó cuanto dijo sobre don Miguel, caballero que conoció siendo ella todavía una niña y que «se paseaba con el poeta Espronceda» (p. 108).[2] Pero no es Rosarito el único personaje que demuestra estar atraído por otro en el relato: don Miguel hace lo mismo por la joven al insinuársele con cierta moderación.[3] Más tarde, según avanza la noche, le llega a Montenegro el momento de retirarse a su habitación, por lo que la Condesa le pide a Rosarito que guíe a don Miguel a ese lugar. Es allí donde la anciana encuentra a su nieta muerta con el alfiler de oro que sujetaba su trenza «bárbaramente clavado en su pecho» (p. 123). Esto ocurre después de que la condesa, desde la sala del pazo y mientras dormita sentada, cree escuchar dos gritos que la obligan a investigar lo que sucede.

Si bien el argumento que he dado se ajusta en líneas generales a lo que ocurre en el cuento, hay mucha más materia de estudio en este texto; asuntos que todo lector se tiene que plantear teniendo en cuenta cómo se narra lo que ha ocurrido y el desenlace violento del relato. Nuestro conocimiento de la relación entre Rosarito y don Miguel nace de lo que dicen ambos, de lo poco que sabemos de la muerte de ella, y, por encima de todo, de lo que les atribuye a cada uno el narrador extradiegético del cuento. Poder comprender a los dos protagonistas es, pues, de capital importancia si se pretende alcanzar un conocimiento más profundo de este texto.

I

Para la Condesa de Cela, don Miguel es un «hereje» (p. 105) que conspira, es un loco —como otros Montenegros— que ha hecho barbaridades (p. 105), es un ser que ha renegado de los suyos (p. 111), es un pecador empedernido (p. 119).[4] Una interpretación semejante a la de la dama la ofrece el capellán del Pazo, don Benicio, cuando afirma que «¡Es un hombre terrible, un libertino, un masón!» (p. 106). Todas estas descripciones constituyen una definición directa del personaje al ofrecernos sus atributos según los interpretan otros caracteres. Debe notarse, además, que dentro de dichas descripciones predominan los atributos negativos de don Miguel, rasgos que cobran aún más vigencia cuando nos los explica el narrador extradiegético y heterodiegético que inicia la narración, pero que no es partícipe de la realidad narrada. Este narrador de «Rosarito», como muchos otros narradores de este tipo, demuestra a veces omnisciencia al estar familiarizado con muchos de los pensamientos y sentimientos más profundos de los personajes y al poseer conocimiento de asuntos que ocurrieron en diversos momentos cronológicos. Este narrador, debido a sus características, resulta ser, generalmente, fidedigno: el lector puede sentir confianza por lo que él sustenta intuitivamente al constituir una visión autorizada de lo que es verdadero en la historia, ya que sus aseveraciones se asemejan mucho a las creencias del «autor implícito».

En el caso de don Miguel, el narrador informa que ejercía sobre quienes le rodeaban «el poder sugestivo de lo tenebroso» (p. 109) y que su sonrisa, miradas y frases eran «siniestras» cuando al parecer sabía lo que Rosarito sentía por él (p. 111) y cuando se expresa como un seductor romántico (p. 117). En estos comentarios, queda establecido un paralelo implícito —quizá un presentimiento inconsciente— entre don Miguel y el Príncipe de las Tinieblas, vínculo que cobrará más fuerza a través de otros comentarios del narrador que le definen cual «libertino» (p. 110), con «sombría figura» (p. 116), cuya frente «parecía encerrar todas las exageraciones y todas las demencias, lo mismo las del amor que las del odio, las celestes que las diabólicas [...]» (pp. 117-118).[5] Todos estos comentarios del narrador evidencian adecuadamente las percepciones del autor implícito del texto, esa conciencia que rige la obra en su totalidad y cuyo conocimiento por parte del lector se deriva de todos los elementos constituyentes de aquél (es decir, las percepciones de los otros personajes, los hechos mismos, etc.). Este acoplamiento entre lo sustentado por el autor implícito y el narrador es un indicio más de cuán fidedigna es esta última entidad y, en el caso específico de don Miguel, facilita una mejor comprensión de su verdadera naturaleza (la de una figura diabólica al acecho de una nueva víctima).

Antes de continuar estudiando a Montenegro, es indispensable que se aclare algo de mucha importancia en la presentación de este personaje. Para mí existen dos Montenegros en el cuento: 1) el histórico, sobre quien se expresan otros personajes y el narrador, y 2) el ser sobrenatural, que asume la identidad del primero para alcanzar sus objetivos diabólicos con Rosarito.[6] La presencia de estos dos entes que comparten un mismo nombre es tal que no es detectada por los personajes del relato, al estar éstos convencidos de que quien visita el pazo es el pariente don Miguel (figura histórica dentro del mundo de ficción que se crea en «Rosarito»). Tampoco, ni el narrador ni el lector implícito, distinguen entre ambos seres, ya que, como he afirmado con anterioridad, las características del Montenegro real resultan esencialmente negativas en términos éticos, lo que le asemeja —como es el caso de todos los grandes pecadores— al diablo (claro está, el lector implícito hace esta diferenciación al final y retrospectivamente). Esta distinción que hago entre los dos Montenegros (el real y el diabólico) es, en mi opinión, muy importante; del primero no es lógico que se espere una violación de Rosarito pues, en última instancia, «era uno de esos locos de buena vena, con maneras de gran señor, ingenio de coplero y alientos de pirata. Bullía de continuo en él una desesperación sin causa ni objeto, tan pronto arrebatada como burlona, ruidosa como sombría» (p. 108). Con todos sus defectos, este don Miguel «real» dice creer en «la doctrina del filósofo de Judea» (p. 107), a la vez que se siente «orgulloso de su abolengo» (p. 107), rasgo éste que hace poco probable que fuese a casa de un familiar a violar a una joven, ya que un acto de esta naturaleza iría en contra de su buen nombre y menospreciaría la condición de aquéllos con los que él se igualaba.

Lo que acontece en «Rosarito» es que el diablo asume la identidad del Montenegro real sin que nadie en el texto se aperciba de ello debido, fundamentalmente, a las muchas anécdotas que se contaban del Montenegro de «carne y hueso».[7] Esta interpretación me parece lógica a la luz del inesperado y violento fin del relato (asunto que discutiré más adelante), aunque reconozco que no todo lector de «Rosarito» llegará, necesariamente, a conclusiones semejantes a las mías, ya que, como bien dijo Stanley E. Fish, los intérpretes de un texto tienen la libertad de asignar diferentes sentidos a sus diversos elementos y, al hacerlo, pueden llegar a juicios nada parecidos.[8]

Hagamos un paréntesis para expresarnos sobre el diablo. Generalmente, ha sido concebido como la maldad, la mentira, la oscuridad y el odio extremos. Su fuerza de seducción es extraordinaria aparentando ser lo que no es. Constantemente, intenta que el hombre se levante contra el orden del mundo, contra la deidad. Le impulsan la lujuria y la soberbia. Es, en sus atributos, como una inversión completa de su naturaleza original (pasa a convertirse de Ángel de Luz en Ángel de Tinieblas); en él opera la mano «siniestra», algo que contrasta con la diestra del Todopoderoso. Al tratar de corromper al ser humano, el diablo busca insultar a Dios, ya que el hombre fue creado a imagen y semejanza del Sumo Hacedor. A tal efecto, el diablo merodea siempre alrededor del hombre buscando su destrucción por medio de su posesión espiritual, lo que sucede si el ser humano puede ser seducido (la posesión total del individuo sólo ocurre cuando éste consiente en ello). En este sentido, Satanás procura que los hombres cometan acciones malvadas para así apoderarse de sus almas. El diablo puede, además, entrar en el cuerpo de una persona viviente y tomar diversas apariencias (hasta la de una araña). Es común que Lucifer favorezca el amor carnal, el amor culpable, y que busque en el hombre esos puntos débiles mediante los que conseguir sus objetivos. Todo lo relacionado con Dios le está vedado, no pudiendo apreciar por tanto su presencia en los seres humanos y en las cosas.[9]

En la figura de don Miguel, nuevamente, se pueden detectar ciertas características vinculables al diablo, atributos que no poseía esa entidad histórica a quien suplanta. Así, admite ante la Condesa que no sabía que el Conde de Cela —su marido— había muerto. Esta ignorancia suya es extremadamente lógica si se recuerda que cuando la dama dice que su esposo ha muerto lo hace mirando al cielo (p. 111), lugar que le está vedado al diablo. Otros ejemplos de sus lazos con Lucifer se detectan cuando demuestra poco miedo por tener que enfrentarse al Todopoderoso algún día por sus pecados («Cuenta has de dar a Dios de tu vida [...] don Miguel se inclinó con sarcasmo: —Te juro, prima, que, como tenga tiempo, he de arrepentirme», p. 111), y cuando afirma que si bien no cree en Dios al menos ama a los ángeles (p. 112). En la primera afirmación, es el narrador quien, muy significativamente, define la actitud de Montenegro (es decir, su sarcasmo); en el segundo, el viejo no hace otra cosa que afirmar que se ama a sí mismo, al ser el diablo un ángel caído en desgracia ante el Señor.[10] Por último, la dimensión diabólica de don Miguel queda reforzada con el final del cuento: la muerte violenta de Rosarito en la habitación de Montenegro. Y es que en el contexto del cuento es ilógico pensar que, por muy libertino que fuese, don Miguel iba a intentar seducir a una joven de su familia, que conoció de niña hace más de diez años, en la casa donde se le ha dado albergue y pocas horas después de haber llegado a ese sitio.[11] Don Miguel es una encarnación del diablo que ha identificado en Rosarito a su próxima víctima. De no ser así, ¿cómo explicarse que reconociese a la joven después de no haberla visto desde que era niña, hace tanto tiempo?: «¿Tú no me reconoces, verdad, hija mía? Pero yo sí, te reconocería en cualquier parte... ¡Te pareces tanto a una tía tuya, hermana de tu abuelo, a la cual ya no has podido conocer! [...] ¿Tú te llamas Rosarito, verdad?» (p. 110). En el trozo citado, la referencia a una tía desconocida por la joven tiende a eliminar posibles sospechas, a pesar de que es inverosímil que el viejo, a la vez que establece el parecido físico entre la joven y su tía abuela, recuerde el nombre de esa niña que conoció hace mucho tiempo (que Rosarito le recuerde a él es lógico, pues sus hazañas eran famosas y despertaron su imaginación infantil). A lo ya dicho, hay que agregar las proféticas palabras de don Miguel al referirse a Rosarito: «¡Demasiado linda para que pueda ser feliz!» (p. 110).

Añádase que Rosarito fue asesinada en un lugar que con anterioridad perteneció a un santo —Fray Diego de Cádiz—, según la Condesa, y donde la abuela de Rosarito ve una mancha negra que provoca pavor en ella (p. 122). Que la muerte de Rosarito ocurra allí es de suma importancia, ya que, con este acto, el diablo, encarnado en don Miguel, profana un recinto esencialmente sagrado al haber vivido en él un santo: lo hace a través del crimen horrendo de un ser inocente que, hasta entonces, encarnaba la belleza casta, joven mártir que muere en un «lecho de palo santo que parece tener algo de litúrgico» (p. 122). Es como si en esta habitación —en el altar que en sí es el lecho del santo—, hubiese ocurrido un rito de profanación en obediencia a una liturgia del mal.

En la interpretación que he realizado de «Rosarito», el homicidio de la joven responde a que don Miguel —o, mejor dicho, el diablo— no ha logrado seducirla como se proponía. De haberse consumado el acto carnal, Rosarito no tendría puesto su corpiño —estaría desnuda—,[12] el diablo no habría tenido que matarla, y no sería descrita su rubia cabellera como «magdalénica,» atributo que la vincula con Santa María Magdalena, ejemplo por excelencia de la pecadora penitente que fue absuelta por su fe en Cristo y que durante el Renacimiento fue pintada con su flotante cabellera.[13] Al matar a Rosarito, don Miguel se está vengando de ella por haber fracasado.[14] Pensar otra cosa es absurdo si recordamos que los amantes no asesinan a las mujeres que han poseído tras haber alcanzado sus objetivos amorosos con ellas, y si tomamos en cuenta el papel tan importante que tiene lo sobrenatural en la sección VIII.[15]

II

Si la figura de don Miguel es asociable con la del diablo, la de Rosarito lo es con la pureza, la blancura (p. 102). De ella dice el narrador que «recordaba esas ingenuas madonas» (p. 103), y que en ella había algo tan misterioso como el jardín oscuro que rodea su pazo (p. 102). Este misterio no es otro que lo que siente ella por la figura legendaria de don Miguel de Montenegro, ser que conoció en una visita a la cárcel de Santiago hace más de diez años (p. 104) y de quien narraban anécdotas su abuelo y la tía Amada. El secreto sentir de Rosarito por don Miguel queda condensado cuando el narrador la describe después de la conversación que sobre el caballero sostuvieron el capellán, su abuela y ella: «En su boca de niña temblaba la sonrisa pálida de los corazones tristes, y en el fondo misterioso de sus pupilas brillaba una lágrima rota» (p. 106). En este fragmento se comprende que Rosarito está triste en términos amorosos y es por lo que hay «una lágrima rota» en sus ojos. Lo que he sustentado se corrobora cuando el narrador especula si Montenegro, en su papel de seductor, sabía o no «lo que pasaba en aquella alma tan pura» (p. 110).[16]

A través del cuento, Rosarito demuestra que «Don Miguel la infundía miedo, pero un miedo sugestivo y fascinador. Quisiera no haberle conocido, y el pensar en que pudiera irse la entristecía» (p. 114). Sobre ella ejerce él la influencia de un seductor romántico [p. 117] que con sus preocupaciones mundanas le restará espiritualidad a la figura de la joven, al despertar en ella deseos aparentemente físicos:

> Ella, tan inocente, sentía el fuego del rubor en toda su carne. El viejo libertino la miraba intensamente, cual si sólo buscase el turbarla más. La presión de aquellos ojos verdes era a un tiempo sombría y fascinadora, inquietante y audaz. Dijérase que infiltraban el amor como un veneno, que violaban las almas y que robaban los besos a las bocas más puras [p. 117].
>
> Sentíase presa de confusión extraña, pronta a llorar, no sabía si de ansiedad, si de pena, si de ternura; conmovida hasta lo más hondo de su ser, por conmoción oscura, hasta entonces ni gustada ni presentida. El fuego del rubor quemábale las mejillas; el corazón quería saltársele del pecho; un nudo de divina angustia oprimía su garganta; escalofríos misteriosos recorrían su carne. Temblorosa, con el temblor que la proximidad del hombre infunde en las vírgenes, quiso huir de aquellos ojos dominadores que la miraban siempre, pero el sortilegio resistió. El inmigrado la detuvo con un extraño gesto, tiránico y amante, y ella llorosa, vencida, cubrióse el rostro con las manos de novicia, pálidas, místicas, ardientes [p. 118].

Lo que don Miguel le ofrece a Rosarito es, según el narrador, uno de esos venenos que se introducen en el amor y que violan a las almas castas,[17] algo que irá en menoscabo de la verdadera esencia de un ser que hasta con su nombre de pila recuerda la devoción que debe tenerse por las virtudes con que se asocia a la Virgen María.[18] Y es que Rosarito durante el cuento, y en contraste con lo que creo sucede al final, no puede resistírsele a Montenegro, ser que ejerce sobre ella el efecto de un sortilegio o hechizo. Ese poder de don Miguel sobre ella es aún más significativo si no se olvida que la joven posee características de novicia (pp. 117 y 118). En este sentido, ella está pasando por un momento de prueba en el que se decidirá si es lo suficientemente pura como para vincularse con Dios. Es por ello por lo que en este período el diablo —en la figura de Montenegro— ha venido a tentarla, cumpliendo así con su función primordial: intentar robarle al Señor a quien bien podría ser una de sus más fieles seguidoras, dados sus atributos y de que se la visualiza cual una novicia, como alguien que medita «con las manos en cruz» (p. 114). Este gesto, indudablemente, vincula a Rosarito con el amor de Dios hacia el hombre, relación que el diablo desea truncar debido a su actitud antagónica con la deidad.[19]

III

En términos narratológicos, ya he indicado que el narrador de «Rosarito» es extradiegético y heterodiegético al iniciar simultáneamente la narración y no participar en la realidad narrada. Asimismo, he añadido que ciertas aseveraciones suyas son fidedignas, dada la analogía de sus percepciones con aquéllas atribuibles al autor implícito.

Una dimensión muy importante del narrador que no se ha discutido en «Rosarito» atañe a la focalización que predomina en la narración. En general, se puede afirmar que el narrador opera muy frecuentemente como focalizador, lo que le da gran autoridad a su voz, al ser su perspectiva no sólo la dominante sino también aquélla que no parece contradecir los restantes elementos del texto. En

«Rosarito», la focalización del narrador es externa, ya que todo lo que observa —lo que interpreta— es visto desde afuera. Agréguese que no es sólo el narrador quien focaliza, pues en última instancia este cuento se caracteriza por una focalización variable, al podérsele atribuir esta función —aunque con menos frecuencia— también a Rosarito. La focalización de ella es, sin embargo, interna (es decir, alguien desde dentro de lo narrado es quien focaliza). Un ejemplo del narrador como focalizador lo encontramos cuando, al describir a Rosarito, explica qué es lo que justifica dentro de ella su concepción del personaje: «En su boca de niña temblaba la sonrisa pálida de los corazones tristes [...]» (p. 106). Por su parte, existen otros pasajes en los cuales Rosarito focaliza, y donde ella es, sin lugar a dudas, la fuente de cuanto se lee: «Rosarito apenas percibía un vago murmullo. Suspirando apoyó la cabeza en la pared y entornó los párpados [...]» (p. 120).

Que la focalización sea variable en «Rosarito» es de capital importancia al infundir mayor verosimilitud a lo narrado. Y es por esto por lo que las percepciones del narrador sobre cuanto ocurre se asemejan a las de la protagonista: ninguno de los dos tiene —o demuestra tener— verdadera conciencia, a través del relato, de la identidad de Montenegro, a pesar de que ambos detectan en su figura aspectos de una realidad que les preocupa y que, en el caso del narrador, le lleva a dar toques siniestros a don Miguel, a la vez que en Rosarito surge cierto temor por lo que el viejo caballero despierta en ella. Debido en parte a esta coincidencia entre los dos focalizadores, a veces no se puede determinar ciertamente quién es el que se expresa por medio de la narración: «Rosarito se estrechaba a su abuela cual si buscase amparo en un peligro. Don Miguel la infundía miedo pero un miedo sugestivo y fascinador» (p. 114). Al principio de lo citado, parece que alguien desde fuera lo observa todo para, acto seguido, pasar lo narrado a ser visualizado desde dentro.

La impresión de verosimilitud a que he hecho referencia adquiere todavía más fuerza si recordamos que mucho de lo dicho por el narrador proviene de lo que otros han sustentado y de historias que al vincularse con los sucesos del cuento dan, implícitamente, la impresión de ser auténticas, al hacer referencia a una realidad más amplia sobre la que se apoya la del mundo presentado directamente en «Rosarito» (por ejemplo, cuando se narran aspectos de los amores de la tía Amada para añadir que «[...] ésta es otra historia que nada tiene que ver con la de Don Miguel de Montenegro», p. 109). De esta realidad más amplia aparenta el narrador tener un conocimiento limitado que tal vez se asemeja a aquél de otros personajes y que, por tanto, tiende a poner énfasis en que el narrador y cuantos le rodean no poseen conciencia plena del sentido último de lo que sucede ni de la verdadera naturaleza de los personajes del mundo en que se desenvuelve Rosarito esa noche en que Montenegro llega al pazo de su abuela.[20] De esta forma, por consiguiente, el narrador puede decir, simultáneamente, mucho y poco sobre algo, sin que nuestra confianza en él mengüe: sus aseveraciones pueden ser al unísono reveladoras (debido a su posición privilegiada de narrador) e inseguras (ya que lo que él sabe proviene, aparentemente, de una realidad específica de la que el narrador sólo conoce ciertas cosas debido a su aparentemente limitada omnisciencia). Es así, entonces, que cuando don Miguel entra en el pazo de la Condesa de Cela se le dice al lector implícito que «su voz, al sonar en medio del silencio de la anchurosa y oscura sala del Pazo, parecía más poderosa y más hueca. La Condesa, sin manifestar extrañeza, repuso [...]» (p. 109). En este pasaje, el narrador resulta ser, a la vez, profético e insubstancial. Profético cuando detecta —quizá irreflexivamente— en la voz de Montenegro el poder de Satanás y cuando comprende cuán hueco está el cuerpo de don Miguel al no ser el caballero quien visita a su prima;[21] insubstancial, cuando las palabras sobre el viejo noble carecen de un sentido más profundo y, por tanto, no llegan a ser indicio de cómo se despiertan dudas en la Condesa. La ambivalencia que he identificado acompaña al lector implícito en toda la narración: sólo al final del cuento, retrospectivamente, y a la luz del asesinato de

Rosarito, tendrá este lector que reconocer la importancia de las breves indicaciones —probablemente inconscientes— que da el narrador sobre el verdadero sentido de lo que ocurre. Al hacerlo, indudablemente, tendrá que otorgar a estas referencias mayor importancia que la que hasta entonces han recibido debido a la tendencia del narrador a hacer que coincidan aparentemente estos comentarios con lo sustentado por los personajes y al valerse de historias que preceden cronológicamente a la de Rosarito (por ejemplo, las de la tía Amada y don Miguel).[22]

* * *

Debido a la forma en que se expresa el narrador y a lo que ocurre en «Rosarito», podemos suponer que el lector implícito de este cuento considera el mundo en que se desenvuelve la acción como habitado por seres reales, ambiente ante el cual este mismo lector implícito duda entre explicaciones naturales y sobrenaturales de los hechos descritos. Este momento o período de duda a que he aludido es algo que para Tzvetan Todorov caracteriza a lo fantástico en la literatura y desaparece, en mi opinión, a la luz del final del relato. Es en este instante cuando el lector implícito decide que lo que le ha sucedido a Rosarito y la identidad de Montenegro responden a una concepción misteriosa o sobrenatural del cosmos, que se ajusta muy bien a las percepciones que sobre esta materia sustentó Todorov en su libro sobre lo fantástico y que, por supuesto, es esencialmente plausible dentro del mundo milagrero de esa Galicia rural en que se localiza la acción de «Rosarito».[23] Comprendo muy bien, sin embargo, que la «plausibilidad» a que aludo responde, en última instancia, a cómo tiendo a interpretar ciertos textos de Valle-Inclán y a su visión de la patria chica. En ningún momento pretendo negar validez a otras explicaciones de «Rosarito» al reconocer que fundamento mis creencias sobre este relato en percepciones mías que resultan bastante subjetivas. Otros críticos, por supuesto, tienen pleno derecho a iniciar sus análisis usando premisas diferentes.[24]

NOTAS

1. Véanse, por ejemplo, Gerald Gillespie y A.N. Zahareas, «Rosarito and the Novella Tradition», *Ramón del Valle-Inclán. An Appraisal of His Life and Works*, ed. Anthony N. Zahareas, Rodolfo Cardona y Sumner Greenfield (Nueva York, Las Américas Publishing Co., 1968, pp. 281-287), Ildefonso Manuel Gil, «Innocent Victims in the Works of Valle-Inclán», en *Valle-Inclán Centennial Studies*, ed. Ricardo Gullón, trad. Douglass Rogers (Austin, Department of Spanish and Portuguese, The University of Texas, 1968, pp. 53-55), Verity Smith, *Ramón del Valle-Inclán* (Nueva York, Twayne Publishers, 1973, pp. 105-106), William R. Risley, «Hacia el simbolismo en la prosa de Valle-Inclán», *Anales de la Narrativa Española Contemporánea,* 4 (1979), pp. 55-60, Peggy Lynne Tucker, *Time and History in Valle-Inclán's Historical Novels and «Tirano Banderas»* (Madrid, Albatros/Hispanófila, 1980, pp. 148-151), C. Paolini, «Valle-Inclán's Modernistic Women: The Devout Virgin and the Devout Adulteress», *Hispanófila,* 88 (septiembre de 1986), pp. 30-31, y Maryellen Bieder, «La narración como arte visual: focalización en "Rosarito"», en *Genio y virtuosismo de Valle-Inclán,* ed. John P. Gabriele (Madrid, Orígenes, 1987, pp. 89-100). El estudio de la profesora Bieder es muy valioso (llegó a mis manos mucho después de escrito el mío). Todos ellos, en general, interpretan de formas diferentes a la mía este texto.

2. El temperamento romántico de esta dama resulta obvio si se recuerda que fue «una señorita cincuentona que leía novelas con el ardor de una colegiala, y todavía cantaba en los estrados aristocráticos de Compostela melancólicas tonadas del año treinta» (p. 108). Citas y referencias a «Rosarito» provienen de *Jardín Umbrío* (Madrid, Espasa-Calpe, 1979[5]).

Los cambios entre la primera versión de «Rosarito» (la que aparece en *Femeninas,* 1895) y la edición que se utiliza en este estudio son menores y de tipo estilístico. Véanse: *Femeninas* (Pontevedra, Imprenta y Comercio de A. Landín, 1895, pp. 185-226) —en 1978, Espasa-Calpe publicó una transcripción de este texto en su colección Selecciones Austral; *La Ilustración Española y Americana,* año XLVII, núms. XL y XLI, 30 de octubre y 8 de noviembre (1903), pp. 263 y 275-279; *Jardín Novelesco* (Madrid, Tipografía de la Revista de Archivos, Bibliotecas y Museos, 1905, pp. 111-170) —bajo el título de «Don Juan Manuel»; *Historias perversas* (Barcelona, Maucci, 1907, pp. 147-170); *Historias de amor* (París, Garnier Hermanos, Libreros-Editores, 1909, pp. 167-202); *Jardín Umbrío. Opera Omnia*, vol. XII (Madrid, Perlado, Páez y Compañía, Editores, 1914, pp. 95-133); La novela corta, III, 108, 26 de enero (1918); *Cuentos, estética y poemas*, nota y selección de Guillermo Jiménez (México, Cultura, 1919, pp. 45-77); *Jardín Umbrío. Opera Omnia*, vol. XII (Madrid, Sociedad General de Librería Española, 1920, pp. 171-206); y *Flores de almendro* (Madrid, Librería Bergua, 1936, pp. 87-103).

3. Un ejemplo ocurre cuando le dice a Rosarito: «Si viniesen a prenderme, ¿tú qué harías? ¿Te atreverías a ocultarme en tu alcoba?» (p. 117).

4. Risley (p. 55) le ha atribuido el siguiente sentido al apellido Montenegro: la palabra «monte» hace referencia a lo fiero en el personaje, mientras que la palabra «negro» se concentra en lo tenebroso en él.

5. Montenegro es un ser donjuanesco, característica que ya han mencionado otros críticos. Léanse los comentarios de Eva Llorens, *Valle-Inclán y la plástica* (Madrid, Ínsula, 1975, p. 89), Antonio de Zubiaurre, «Introducción», en *Femeninas. Epitalamio* por Ramón del Valle-Inclán (Madrid, Espasa-Calpe, 1978, pp. 22-23), Tucker, p. 150, y José Alberich, «Sobre la configuración literaria de don Juan Manuel Montenegro», *Boletín de la Biblioteca de Menéndez Pelayo*, 59 (1983), p. 296 (este último establece un vínculo entre Montenegro como seductor y como figura diabólica). Sobre don Juan como figura diabólica, por su parte, se ha expresado Carlos Feal, *En nombre de Don Juan (Estructura de un mito literario)* (Amsterdam-Filadelfia, John Benjamins Publishing Company/Purdue University Monographs in Romance Languages, 1984, pp. 9 y 35-48). Otras figuras satánicas en las obras de Valle-Inclán, por sólo citar dos ejemplos, han sido estudiadas por Rosco N. Tolman, *Dominant Themes in the «Sonatas» of Valle-Inclán* (Madrid, Playor, 1973, pp. 101-124), y Gustavo Umpierre, «Occultism and Allegory in Valle-Inclán's *La marquesa Rosalinda*», *Symposium*, 28 (1974), pp. 259-273: Bradomín y Arlequín, respectivamente. Por su parte, Víctor Said Armesto, «Un libro modernista (*Femeninas* de Valle-Inclán)», *Museo de Pontevedra*, 19 (1965), p. 114, sustentó que Rosarito se suicidó al haber sido poseída por Satán, por Montenegro (este ensayo apareció por primera vez en 1897). La presencia de lo oculto en «Rosarito» no sorprende si se recuerda cuán populares fueron estas creencias en otros autores de finales del siglo XIX (por ejemplo, Rubén Darío, Leopoldo Lugones y Horacio Quiroga). Al respecto, léanse los comentarios de Emma Susana Speratti-

Piñero, *El ocultismo en Valle-Inclán* (Londres, Tamesis Books Limited, 1974, pp. 3-5).

6. Por su parte, Justo Saco Alarcón, *Técnicas narrativas en «Jardín Umbrío» de Valle-Inclán*, tesis doctoral (The University of Arizona, 1974, p. 79), y Eliane Lavaud, *Valle-Inclán: du journal au roman (1888-1915)* ([París], Klincksieck, 1979 [1980], pp. 206 y 528-530), conciben a Montenegro solamente como un ser real.

7. En las dos primeras secciones se percibe que lo que está sucediendo puede ser algo sobrenatural. Esta impresión se deduce de cómo la joven mira hacia el jardín misterioso (p. 102), de su exclamación: «¡Jesús...! ¡Qué miedo! [...]» (p. 103), y de su afirmación al párroco: «¿Diga, Don Benicio, será algún aviso del otro mundo? [...]» (p. 103). Sin embargo, ni ella ni nadie en el cuento está capacitado todavía para poner en entredicho la identidad de quien entra en el pazo.

8. S.E. Fish sustenta:

> Es verdad, según cree Roskill, que la lectura que uno hace de una línea de *Samson Agonistes* (o cualquier otra obra) está constreñida por el contexto de las líneas que la preceden y siguen. Lo que Roskill no ve es que el contexto existe como resultado de un acto interpretativo previo que a su vez puede ser puesto en tela de juicio. Es decir, cualquiera a quien se le diga que la confección de una línea es algo que está determinado por las características de un pasaje anterior puede estar en desacuerdo con lo que son esas características y, por tanto, puede expandir el ámbito de la discusión interpretativa [...]. Esta situación no tiene fin pero ello no quiere decir que todo pueda ser discutido siempre, aunque todo es en principio discutible en términos interpretativos, a pesar de que para poder progresar hay que aceptar que ciertas cosas no van a ser puestas en duda [p. 749].
>
> Lo que yo voy a añadir, y lo que Reichert parece que no puede ver, es que los hechos en un texto no se identifican a sí mismos. Él critica a Roskill por no comprender que la coherencia no es una función del texto sino de «principios que traemos al texto»; sin embargo, él mismo no comprende que el texto [...] queda producido por esos mismos principios. Claro está que Reichert hace constantemente aquello que le critica a Roskill, al atribuirle al texto cualidades y características que no son producto de las estrategias interpretativas [...]. Aquello que es perceptible, en pocas palabras, nunca puede ser el medio de confirmar o constreñir las interpretaciones ya que es el resultado de una interpretación. La misma lógica hace desaparecer la distinción hecha por Reichert entre evidencia extratextual y textual; el caso no es que tal distinción nunca esté operando (casi siempre lo está) sino que lo que cuenta como evidencia interna y externa variará según los princi-

pios interpretativos que uno favorezca. Lo que es y lo que no es extratextual es algo que está sujeto a un constante debate y cuando el debate ha sido concluido (temporalmente), ello no se debe a que la situación haya quedado resuelta por los hechos sino a que una serie de principios interpretativos han ganado el derecho a decidir lo que los hechos son [p. 750]. «Critical Response. IV. One more time», *Critical Inquiry*, 6 (1980).

9. Sobre el diablo, léanse los comentarios de Vicente Risco (*Satanás. Historia del diablo* [Vigo, Edicións Xerais de Galicia, 1985]), autoridad reconocida en la etnografía gallega, Rafael Medrano (*Diccionario de las Ciencias Ocultas* [Barcelona, De Vecchi, 1985]), Ruth Nanda Anshen (*Anatomy of Evil* [Nueva York, Moyer Bell Limited, 1972]), y los tres libros de Jeffrey Burton Russell (*Satan: The Early Christian Tradition* [Ithaca, Cornell University Press, 1981], *Lucifer: The Devil in the Middle Ages* [Ithaca, Cornell University Press, 1984], *Mephistopheles: The Devil in the Modern World* [Ithaca, Cornell University Press, 1986]). Sobre el ocultismo y lo gallego en Valle-Inclán, véanse Rita Posse Pena, «Lo que nos dice Ramón del Valle-Inclán sobre hechizos», *Cuadernos de Estudios Gallegos*, 22 (1967), p. 68, y Speratti-Piñero, pp. 7-11. Finalmente, no se olvide cómo, en *Romance de lobos*, un personaje, Fuso Negro, asevera que el diablo puede asumir la identidad de cualquier persona (Madrid, Espasa-Calpe, 1980[7], pp. 122-123).

10. Este ejemplo podría ser interpretado a la vez como otro galanteo de don Miguel con Rosarito, al ser ella un tipo de ángel debido a su belleza física y espiritual.

11. Risley, por su parte, cree que existió una unión sexual entre Rosarito y Montenegro. Para este crítico, la mancha negra que aparece al final de la obra está vinculada a la mancha del honor que sufre la familia de la Condesa de Cela (pp. 57 y 58).

12. Nada en la descripción última del cuento pone énfasis en la desnudez de Rosarito. El corpiño es un jubón sin mangas, del cual se despojan normalmente las mujeres antes de hacer el amor (recuérdese el famoso romance de Federico García Lorca titulado «La casada infiel» en su referencia a los corpiños. *Obras Completas*, vol. 1 [Madrid, Aguilar, 1973, p. 407]).

13. Véase George Ferguson, *Signs and Symbols in Christian Art* (Nueva York, Oxford University Press, 1966, pp. 134-135), e Isaac Asimov, *Guía de la Biblia, Nuevo Testamento*, trad. Benito Gómez Ibáñez (Barcelona, Laia, 1985, pp. 211-214).

14. Se puede especular que los dos gritos que escuchó la an-

ciana (p. 121) corresponden a dos momentos del texto: al descubrimiento por parte de Rosarito de la verdadera identidad de don Miguel y al instante en que este último le clava vengativamente el alfilerón de oro en el pecho.

15. Don Miguel no es un violador que después de cometer un crimen opta por matar a quien puede acusarle. Él, indudablemente, será culpado por todos por el crimen de Rosarito (o sea, nada tiene que tratar de ocultar y, como prófugo, poco nuevo tiene que temer de la Justicia [la Condesa ya ha dicho que «¡Es el caso que no debes tener la cabeza muy segura sobre los hombros!», p. 113]). Por su parte, Risley (p. 59) califica de ambiguo el desenlace de este texto, a la vez que ofrece tres posibles conclusiones, sin que ninguna de ellas se ajuste plenamente a mis creencias al respecto. En «Rosarito» no hay ambigüedad, según este término es definido por Shlomith Rimmon, ya que en este texto no se identifican diversos grupos de datos que lleven a conclusiones excluyentes entre sí; lo que se detecta en «Rosarito» es una situación única que se presta a diversas interpretaciones. Es decir, mi exégesis me parece plausible, sin que le niegue al texto su posible múltiple significación debido a la subjetividad de sus lectores. Véase *The Concept of Ambiguity-The Example of James* (Chicago, The University of Chicago Press, 1977, pp. 9-13). Por último, véase también la interpretación de Gillespie y Zahareas (pp. 285-286).

16. En esta misma escena el narrador dice que sus ojos «se posaron con gallardía donjuanesca sobre aquella cabeza melancólicamente inclinada que [...] tenía cierta castidad prerrafaélica» (p. 111). Lo típico de don Juan en la figura de Montenegro continúa cuando dice que de tener tiempo se arrepentirá de sus pecados (p. 111), algo que recuerda al «¿tan largo me lo fiáis?» en *El burlador de Sevilla* de Tirso de Molina (Madrid, Espasa-Calpe, 1970[9]).

17. Es el narrador también quien considera su cabeza «como lirio de oro» (p. 117). En términos simbólicos, el lirio representa la pureza, siendo ésta una propiedad prevalente en Rosarito. Véanse José Antonio Pérez-Rioja, *Diccionario de símbolos y mitos* (Madrid, Tecnos, 1971[2], pp. 272-273), y J.C. Cooper, *An Illustrated Encyclopaedia of Traditional Symbols* (Londres, Thames and Hudson, 1978, pp. 97-98).

18. El nombre de Rosarito se deriva de la palabra «rosario», objeto que se utiliza en meditaciones y oraciones referidas a la vida de Cristo y la Virgen (Ferguson, p. 168). La Virgen María, por su parte, es la personificación de la pureza. Véase Marina

Warner, *Alone of All Her Sex. The Myth and Cult of the Virgin Mary* (Nueva York, Alfred A. Knopf, 1976). Por su parte, Risley le atribuye otro sentido a su nombre (p. 55).

19. Sobre la cruz se ha expresado Pérez-Rioja, pp. 147-148. Obsérvese cómo, hasta cierto punto, Rosarito recuerda a la princesa del poema de Rubén Darío titulado «Sonatina». En la composición del poeta nicaragüense, la princesa necesita de un príncipe ideal que la salve, con su amor perfecto, de una muerte de tristeza. Por su parte, el caso de Rosarito es el de una joven que ha quedado atraída por ese don Miguel Montenegro que conoció de niña, figura que ha idealizado. En ambos casos, predomina la sensibilidad modernista ante amores que convierten a la princesa y a Rosarito en figuras enigmáticas. Véanse Rubén Darío, *Poesías Completas* (Madrid, Aguilar, 1967, pp. 556-557), Allen W. Phillips, «Rubén Darío y Valle-Inclán: historia de una amistad literaria,» *Revista Hispánica Moderna*, 33 (1967), pp. 1-29, y José Manuel García de la Torre, «El lenguaje del hijo pródigo», en *Valle-Inclán (1866-1936). Creación y lenguaje* (Amsterdam, Rodopi/Diálogos Hispánicos de Amsterdam, 7, 1988, pp. 28-31).

20. Por ejemplo, al hablar de los cabellos blancos de Montenegro, el narrador dice que desde las perspectivas de las «damiselas» de la época «[...] fue preciso suponerle víctima de trágicos amores» (p. 108). En otra oportunidad, la indecisión del narrador contribuye a la atmósfera de incertidumbre que debe de existir cuando el ser humano se enfrenta a circunstancias que no le resultan claras, a la vez que insinúa que Montenegro tiene la extraordinaria —sobrenatural— habilidad de saber lo que sentía Rosarito: «¡Acaso había sentido el peso magnético de aquella mirada que tenía la curiosidad de la virgen y la pasión de la mujer!» (p. 110).

21. Esta anticipación es lo que Gérard Genette llamó «amorce», tipo de preparación que contribuye a la comprensión del lector de sucesos que se avecinan. *Figures III* (París, Seuil, 1972, pp. 112-114).

22. Otro indicio de la verdadera importancia del narrador en el proceso de comprender el sentido subyacente de lo que ocurre lo tenemos cuando adelanta, a finales de la sección VII, cómo «la idea de la muerte» podía leerse al contemplar la figura de Rosarito (p. 120). Aquí, nuevamente, el narrador dice mucho sin aparentemente decir nada. Véase también la visión totalizante de la realidad del pazo en los primeros párrafos de la sección VIII (pp. 120-121). En esta ocasión, junto a lo transcendente —esos gritos que cree escuchar la vieja Condesa—, queda descri-

to el silencio que reina por doquier y que es interrumpido por el latir de un reloj, el «trotecillo» de un ratón, la luz de la luna y su reflejo en los daguerrotipos, la voz de un sapo, y el agonizar de la luz de una lámpara. La impresión que se deriva de toda esta concentración de circunstancias es que el narrador, aunque sólo sea en un nivel concreto, tiene capacidad de percibirlo todo de forma más completa. O lo que es lo mismo, el narrador tiene gran poder, característica suya que, muy probablemente, se refleja en sus insinuaciones aparentemente intuitivas sobre Montenegro.

23. *The Fantastic. A Structural Approach to a Literary Genre*, trad. Richard Howard (Cleveland, The Press of Case Western Reserve, 1973, pp. 25-43). Indudablemente, una interpretación «sobrenatural» de «Rosarito» reconoce que lo inexplicable en el texto puede ser elucidado valiéndonos de teorías sobre el diablo con antecedentes en nuestra civilización. Sobre lo fantástico son también útiles las percepciones críticas de Rosemary Jackson, *Fantasy: The Literature of Subversion* (Londres, Methuen, 1981, especialmente las páginas 1-91).

24. Recordemos nuevamente lo sustentado por Stanley E. Fish al respecto: «el contexto [en una obra] existe como resultado de un acto interpretativo» (p. 749).

«BEATRIZ» Y LA HERMENÉUTICA DE LA MALDAD

Entre los textos tempranos de Valle-Inclán, «Beatriz» fue uno de los que provocó cierto interés debido al juicio tan favorable con que don Juan Valera se expresó sobre él a pesar de no haber ganado un premio literario que había sido convocado por el periódico *El Liberal*, en 1900.[1] Aunque el título de este extenso cuento se refiere a uno de sus personajes, es otro, la Condesa, su protagonista.[2] Lo es porque en ella quedan encarnados ciertos valores tradicionales de capital importancia en esta historia y debido a que el texto se concentra bastante en sus sufrimientos ante lo que le ha pasado y pasa a su hija. Es a través de la Condesa que se adquiere conciencia de la horrible circunstancia de Beatriz, de lo satánico y sobrenatural, y de la humanidad de una madre.

I

En «Beatriz», la nobleza de la Condesa y su hija es de capital importancia, al depender este atributo de ciertas creencias morales que son diametralmente opuestas a la violación física de que es objeto Beatriz a manos de un fraile de su casa. Desde el primer capítulo del relato, se pone extraordinario énfasis en el linaje de la Condesa y en cómo la dama concibe su alcurnia:

> ¡Ese pasado que los reyes de armas poblaron de leyendas heráldicas! Carlota Elena Aguiar y Bolaño, Condesa de Porta-Dei, las aprendiera cuando niña deletreando los rancios nobiliarios. Descendía de la casa de Barbanzón, una de las más antiguas y esclarecidas, según afirman ejecutorias de nobleza y cartas de hidalguía signadas por el Señor Rey Don Carlos I. La Condesa guardaba como reliquias aquellas páginas infanzonas aforradas en velludo carmesí, que de los siglos pasados hacían gallarda remembranza con sus grandes letras floridas, sus orlas historiadas, sus grifos heráldicos, sus emblemas caballerescos, sus cimeras empenachadas y sus escudos de dieciséis cuarteles, miniados con paciencia monástica, de gules y de azur, de oro y de plata, de sable y de sinople [pp. 33-34].

Para la Condesa todo lo que especifica su noble estirpe es visto como una reliquia —objeto vinculado a lo sagrado—, indicio de cómo la realidad es interpretada por ella.[3] Otra indicación de sus percepciones la ofrece, además, la obediencia que la Condesa demuestra al no reclamar sus diversos títulos nobiliarios —algo que obviamente le atrae—, ya que hacerlo iría en contra de los designios de su padre:

> Su hija admiró llorosa la soberana gallardía de aquella maldición que se levantaba del fondo de un sepulcro, y acatando la voluntad paterna, dejó perderse los títulos que honraran veinte de sus abuelos, pero suspiró siempre por aquel Marquesado de Barbanzón [p. 34].

Y es que la Condesa es un ser consciente de las obligaciones que lleva consigo ser noble, responsabilidades que a veces no se ajustan a sus más íntimos deseos.

Siendo como es una persona que valora en mucho su origen, para la Condesa de Porta-Dei la violación de su hija por un cura constituye un acto que no sólo la afecta en términos personales —algo normal—, sino también en lo concerniente a su condición de noble.[4] Que esto sea así no sorprende a la luz de cómo es este personaje y del lugar donde le informa el Penitenciario de lo que le sucedió a Beatriz. En esta sala presiden «los blasones bordados» de su familia (pp. 40-41), cual si quisiesen contrastar la afrenta que su honor ha sufrido con la profanación de Beatriz a manos de Fray Ángel. Es en este sentido comprensible la reacción inicial de la Condesa al enterarse de lo que le pasó a su hija. Entonces ella afirma que «¡Yo haré matar el capellán! ¡Le haré matar! ¡Y a mi hija no la veré más!» (p. 43), para, acto seguido, poner a un lado su orgullo dejando que se manifieste su dolor de madre al saber a su hija abusada: «Agobiada, yerta, la Condesa sollozaba como una madre ante la sepultura abierta de sus hijos» (p. 43). De hecho, en este cambio la dama prueba cuán profunda es su nobleza, atributo que ahora opera en términos humanos y filiales.

II

En «Beatriz» hay una tendencia a que el hombre esconda sus defectos atribuyéndoselos a Satanás:

> Largos y penetrantes alaridos llegaban al salón desde el fondo misterioso del palacio. Agitaban la oscuridad, palpitaban en el silencio como las alas del murciélago Lucifer [...]. Fray Ángel se santiguó:
>
> —¡Válgame Dios! ¿Sin duda el Demonio continúa martirizando a la Señorita Beatriz?
>
> La Condesa puso fin a su rezo, santiguándose con el crucifijo del rosario, y suspiró:
>
> —¡Pobre hija mía! El Demonio la tiene poseída. A mí me da espanto oírla gritar, verla retorcerse como una salamandra en el fuego [p. 35].

Lo equivocada que es esta propensión resulta algo comprensible retrospectivamente al saberse que Beatriz no ha sido víctima de Lucifer y sí de Fray Ángel.[5] La inexactitud de la vinculación del diablo a la circunstancia de la joven surge de equívocos deliberados como el que ilustra el pasaje que acabo de citar (recuérdese que es Fray Ángel quien habla en el pasaje citado) o de malentendidos que reflejan creencias imperantes donde tiene lugar la acción o de formas típicas de expresión local.

En «Beatriz» se observa una mezcla irreflexiva del diablo con la supuesta culpabilidad de un ser que es, indudablemente, víctima y totalmente irresponsable de cuanto le ha pasado:

> ORACIÓN
>
> ¡Oh Tristísima y Dolorosísima Virgen María, mi Señora, que siguiendo las huellas de vuestro amantísimo Hijo, y mi Señor Jesucristo, llegasteis al Monte Calvario, donde el Espíritu Santo quiso regalaros como en monte de mirra, y os ungió Madre del linaje humano! Concededme, Virgen María, con la Divina Gracia, el perdón de los pecados y apartad de mi alma los malos espíritus que la cercan, pues sois poderosa para arrojar a los demonios de los cuerpos y las almas. Yo espero, Virgen María, que me concedáis lo que os pido, si ha de ser para vuestra mayor gloria, y mi salvación eterna. Amén.
>
> Beatriz repitió:
>
> —¡Amén! [p. 40].

En esta plegaria se le ruega a la Virgen María que perdone los pecados, que se aparten del alma los malos espíritus y que se arrojen los demonios de los cuerpos y las almas. Todo esto lo dice la Generala para tratar de conseguir la salvación de Beatriz, niña que se le une en este rezo cuando dice «¡Amén!» y que no fue responsable de lo que Fray Ángel le hizo. Dicho de otra forma, Beatriz no tiene en verdad por qué sentirse poseída por el demonio (ella no hizo nada malo) aunque, sin embargo, psicológicamente cree que lo es, al sentirse culpable estando como está reflejando los prejuicios que predominan en el mundo en que se desenvuelve, prejuicios que se evidencian inevitablemente en la oración cristiana que inicia Misia Carlota.

Coexisten en «Beatriz», entonces, referencias a cómo

la joven está poseída por el diablo con afirmaciones fidedignas que rechazan esta interpretación de los hechos, como cuando el Penitenciario le explica a la Condesa lo que ha ocurrido con su hija:

> —Ver a mi Beatriz privada de la gracia, poseída de Satanás. El canónigo la interrumpió:
>
> —¡No, esa niña no está poseída! [...]. Hace veinte años que soy Penitenciario en nuestra Catedral, y un caso de conciencia tan doloroso, tan extraño, no lo había visto. ¡La confesión de esa niña enferma, todavía me estremece! [...]
>
> La Condesa levantó los ojos al cielo:
>
> —¡Se ha confesado! Sin duda Dios Nuestro Señor quiere volverle su gracia. ¡He sufrido tanto viendo a mi pobre hija aborrecer de todas las cosas santas! Porque antes estuvo poseída, Señor Penitenciario.
>
> —No, Condesa, no lo estuvo jamás.
>
> La Condesa sonrió tristemente, inclinándose para buscar su pañuelo, que acababa de perdérsele. El Señor Penitenciario lo recogió de la alfombra. Era menudo, mundano y tibio, perfumado de incienso y estoraque, como los corporales de un cáliz [...].
>
> —En este palacio, señora, se hospeda un sacerdote impuro, hijo de Satanás [...].
>
> La Condesa le miró horrorizada:
>
> —¿Fray Ángel!
>
> El Penitenciario afirmó inclinando tristemente la cabeza, cubierta por el solideo rojo, privilegio de aquel Cabildo:
>
> —Ésa ha sido la confesión de Beatriz. ¡Por el terror y por la fuerza han abusado de ella! [...] [pp. 41-42].

En el fragmento citado queda aclarado que Beatriz no es culpable en términos morales, que a la Condesa no le es fácil aceptar que su hija no esté poseída (de allí su sonrisa condescendiente ante lo que le dice el Penitenciario), y que la insistencia en expresar la maldad humana en términos diabólicos responde a una percepción usual y figurativa de las cosas (es por ello por lo que Fray Ángel se convierte para el Penitenciario en «hijo de Satanás», en seguidor aparente del Príncipe de las Tinieblas).[6] Añádase, además, que muy probablemente la maldad extrema deja de ser algo humano para el ser que la siente en carne propia (por ejemplo, Beatriz). Para este individuo, la virulenta maldad adquiere proporciones sobrenaturales, a pesar de que sabe muy bien qué fue lo que confrontó en términos reales:

> —¡Ahí está Satanás! ¡Ahí duerme Satanás! Viene todas las noches. Ahora vino y se llevó mi escapulario. Me ha mordido en el pecho. ¡Yo grité, grité! Pero nadie me oía. Me muerde siempre en los pechos y me los quema.
>
> Y Beatriz mostrábale a su madre el seno de blancura lívida, donde se veía la huella negra que dejan los labios de Lucifer cuando besan [...].
>
> —Mamá querida, fue una tarde que bajé a la capilla para confesarme... Yo te llamé gritando... Tú no me oíste... Después quería venir todas las noches, y yo estaba condenada [...] [p. 44].

En los ejemplos citados no sólo se expresa Beatriz paradójicamente al atribuirle, al unísono, sus desdichas a un hombre y al diablo. Además, el narrador mismo concuerda con las percepciones de la joven cuando explica cómo «se veía la huella negra que dejan los labios de Lucifer cuando besan». Y es que para ambas voces —la de Beatriz y la del narrador— el mal es el diablo, aunque esta posición sea aparentemente insostenible a la vista de lo que ocurre en el texto: la fusión de las dos entidades es una que, indudablemente, responde a códigos culturales operantes en el mundo de «Beatriz».

A pesar de lo ya dicho, no todo puede ser explicado en este cuento por medio de referencias a creencias que predominan en un sitio específico. El capítulo VI ejemplifica la verdad de esta aseveración: la saludadora de Céltigos llega al palacio después de recibir un aviso del otro mundo (p. 46), diagnostica en Beatriz un «mal de ojo» (p. 47) al considerar a la joven «embrujada», prescribiéndole rezos para curarla y, por último, participa en una invocación a Satanás para castigar a Fray Ángel (pp. 47-48). Resultado directo de este conjuro es la llegada del cuerpo muerto del mal cura (p. 48), suceso que tiende a dar vigencia a lo sobrenatural en el relato. En este contexto, se puede afirmar que en «Beatriz» lo diabólico es simultáneamente explicable en términos de deficiencias humanas, de creencias o costumbres colectivas que reflejan ciertas actitudes preponderantes en un lugar, y de fuerzas que no le resultan, en última instancia, totalmente explicables al lector implícito de este relato.[7]

III

Predomina en «Beatriz» la figura de un narrador extradiegético y heterodiegético que focaliza de forma externa. También funciona cual narrador intradiegético y heterodiegético el Penitenciario, cuando cuenta lo que le ocurrió a Beatriz.[8] En este caso, el Penitenciario focaliza de forma externa al ser todo observado desde fuera de los hechos focalizados. En otras ocasiones, es la Condesa quien focaliza internamente (como cuando le atribuye características a las estatuas de su jardín, p. 33). Indudablemente, la focalización variable que se detecta en esta narración es algo que enriquece el texto, al ofrecerse con ella una visión más compleja, más diversa, de las cosas.

En «Beatriz» se detectan varios aspectos técnicos que por su funcionalidad merecen ser considerados brevemente. Entre ellos figuran la yuxtaposición de escenas, el uso de demoras narrativas y la caracterización de algunos personajes.

En la página 43 queda contrapuesto el sufrimiento de la Condesa, después de saber cómo su hija fue violada, con lo que ocurre en un mundo más amplio:

> Agobiada, yerta, la Condesa sollozaba como una madre ante la sepultura abierta de sus hijos. Allá fuera, las campanas de un convento volteaban alegremente, anunciando la novena que todos los años hacían las monjas a la seráfica fundadora. En el salón, las bujías lloraban sobre las arandelas doradas, y en el borde del brasero apagado dormía, roncando, el gato [p. 43].

Por medio de esta yuxtaposición de escenas se recalca la intensidad de lo que siente la Condesa: mientras que afuera de su palacio el mundo se desenvuelve alegremente, en el salón lloran las bujías en aparente reflejo del estado anímico de su ama y el gato demuestra una indiferencia total —tipo de inconciencia animal— por cuanto ocurre a su alrededor.[9]

Es común que en los textos narrativos no se dé la información pertinente cuando se deba y que se la posponga para más tarde, provocándose así que el lector especule sobre el sentido de lo que lee. En términos narratológicos, esta técnica es denominada «demora» (Rimmon-Kenan, pp. 125-127). En «Beatriz», la demora a que me refiero surge de la ubicación de los hechos. Es así que se especula en el texto sobre cómo la Condesa reaccionará cuando se enfrente con el malvado fraile, sin que se sepa el porqué de esta especulación (p. 38). A tal efecto, es necesario recordar que esta anticipación ocurre a la vez que se habla de Beatriz y de su penosa situación. O sea, del comentario especulativo emana un enigma que provocará interés en el lector implícito. El tipo de demora ilustrado con el ejemplo mencionado es el que se conoce como «demora realista», al ser una técnica lógica en relación con los hechos mismos de la historia (Rimmon-Kenan, p. 127): aquí los personajes hacen comentarios sobre la situación que se confronta —«Es tan doloroso tener que decírselo [...]», p. 38— sin que se defina con precisión el asunto que se discute:

> El canónigo, con la voz ungida de solemnidad, empezó a decir:
> —Es un terrible golpe, Condesa...
> La dama suspiró:
> —¡Terrible, Señor Penitenciario!
> Quedaron silenciosos. La Condesa se enjugaba las lágrimas que humedecían el fondo azul de sus pupilas. Al cabo de un momento murmuró, cubierta la voz por un anhelo que apenas podía ocultar:
> —¡Temo tanto lo que usted va a decirme!
> El canónigo inclinó con lentitud su frente pálida y des-

> nuda, que parecía macerada por las graves meditaciones teológicas:
> —¡Es preciso acatar la voluntad de Dios!
> —¡Es preciso! [...] ¿Pero qué hice yo para merecer una prueba tan dura? [p. 41].

Cada personaje en una narración puede ser descrito en términos de una red de características. En el caso de la Condesa, por ejemplo, el narrador la describe con una «sonrisa amable de las devotas linajudas» (p. 33), como «muy piadosa» (p. 34), tipo de «priora noble» (p. 33) «con los ojos vueltos hacia el pasado» (p. 33). Al hacerlo, define al personaje directamente. En otras ocasiones, sin embargo, el proceso de caracterización de la Condesa opera de forma algo diferente. De este modo, en sus palabras y gestos se puede también encontrar un indicio de cuán piadosa es ella: «La Condesa volvió al cielo los ojos, que tenían un cerco amoratado. —¡Dios lo haga!» (p. 37). Este tipo de definición del personaje es indirecto, ya que lo que sabemos de la dama es algo que queda ejemplificado en sus acciones. También puede responder la caracterización de la Condesa a ciertos símbolos con los que ella es asociada. En la página 35 se dice que tiene dedos que son «lirios blancos» cuando reza. Indudablemente, su vinculación con esta flor es sumamente significativa al ser el lirio «Símbolo de pureza [...], la flor de la Virgen», sentido que recalca el color blanco de la flor.[10] Dicho de otra forma, en términos simbólicos, se expresa la elevada posición ética de la Condesa, característica suya que contrastará mucho con las circunstancias con las que se enfrenta y que hará más horrible su situación al ver lo que ella valora mancillado por la bajeza de un cura.

Existen a través del relato otros ejemplos de caracterización que merecen también atención especial debido a su marcada efectividad. Por ejemplo, se dice que la Condesa contempla a su hija con las manos en cruz y «semejante a una Dolorosa» (p. 39). La cruz es aquí asociable al sufrimiento que siente el personaje al ver a su hija padeciendo, algo que queda recalcado con su vinculación a la Virgen de los Dolores (Pérez-Rioja, pp. 147-148 y 419-420). Más adelante, en la misma página, se añade que sus mejillas eran «tristes y altaneras»: es decir, se afirma que en la dama coexisten su dolor de madre y su orgullo de casta (la referencia a las mejillas es un tipo de sinécdoque al atribuir a estas partes del cuerpo estados anímicos pertenecientes a la totalidad del ser).[11]

NOTAS

1. Juan Valera, *Nuevas cartas americanas. Cartas a «La Nación» en Buenos Aires. Correspondencia, Obras Completas*, vol. III (Madrid, Aguilar, 1958, pp. 559-560). Otros que han mencionado lo que sucedió con *El Liberal* fueron Francisco Madrid (*La vida altiva de Valle-Inclán* [Buenos Aires, Poseidón, 1943, p. 111]), Melchor Fernández Almagro (*Vida y literatura de Valle-Inclán* [Madrid, Taurus, 1966, pp. 62-64]), Alonso Zamora Vicente (*La realidad esperpéntica* [*Aproximación a «Luces de bohemia»*] [Madrid, Gredos, 1969, pp. 97-98]), Manuel Bermejo Marcos (*Valle-Inclán: introducción a su obra* [Salamanca, Anaya, 1971, pp. 59-61]), Alonso Zamora Vicente (*Valle-Inclán, novelista por entregas* [Madrid, Taurus, 1973, pp. 83-87]), y Eliane Lavaud (*Valle-Inclán: du journal au roman* [*1888-1915*] [París, Klincksieck, 1979/1980, pp. 182-183]). Originalmente se tituló este relato «Satanás». Valle mismo se refirió al incidente en una entrevista con Juan López Núñez que apareció en *Por Esos Mundos* el 1 de enero de 1915 (véase Dru Dougherty, *Un Valle-Inclán olvidado: entrevistas y conferencias* [Madrid, Fundamentos, 1982, p. 56]).

2. Para Lavaud, p. 234, Beatriz es la protagonista. Nótese además cómo de este cuento se conocen las siguientes versiones: *La cara de Dios* (Madrid, Taurus, 1972, pp. 107-116 —casi todo el texto de la narración es asimilado a esta novela que fue publicada por primera vez alrededor de 1900—; *Electra*, 2, 23 de marzo (1901), pp. 44-50; *Nuestro Tiempo*, III, 25, enero (1903), pp. 63-72; *Corte de amor* (Madrid, Imprenta de Antonio Marzo, 1903, pp. 185-232); *Historias perversas* (Barcelona, Maucci, 1907, pp. 63-81); *Corte de amor* (Madrid, Imprenta de Balgañón y Moreno, 1908, pp. 195-239); *La Correspondencia Gallega*, 8 de enero (1910) —constituye sólo un fragmento del relato; *El cuento dece-*

nal, I, 15 (31 de mayo de 1913); *Corte de amor. Opera Omnia*, vol. XI (Madrid, Perlado, Páez y Compañía, Editores, 1914, pp. 199-241); *Jardín Umbrío. Opera Omnia*, vol. XII (Madrid, Sociedad General de Librería Española, 1920, pp. 51-78); y *Flores de almendro* (Madrid, Librería Bergua, 1936, pp. 30-42). En la versión incluida en *La cara de Dios* falta la «Oración» que rezan la Generala y Beatriz. A no ser que se indique lo contrario, las citas y referencias a este cuento provienen de *Jardín Umbrío* (Madrid, Espasa-Calpe, 1979[5]).

Fue Domingo García-Sabell, en su introducción a la reimpresión moderna de *La cara de Dios*, el primero en especular que quizá el texto de «Beatriz» incluido en esta novela sea el original, mientras que el del cuento posterior resulte ser uno secundario («*La cara de Dios* o Valle-Inclán en persona», p. 20). Algo parecido es sustentado por Alonso Zamora Vicente, *Valle-Inclán, novelista por entregas*, pp. 83-87 (este último crítico asume erróneamente que la primera versión independiente del cuento es la publicada en *Nuestro Tiempo* en 1903; por supuesto, existía otra que apareció en *Electra* en 1901). Sobre *La cara de Dios* el lector es referido a los ensayos de Zamora Vicente, José Antonio Gómez Marín (*Aproximaciones al realismo español* [Madrid, Miguel Castellanote, Editor, 1975, pp. 194-205]), Lavaud, pp. 329-360, y Luis T. González del Valle y Antolín González del Valle («*La cara de Dios*: novela alienígena», en *El teatro de Federico García Lorca y otros ensayos sobre literatura española e hispanoamericana* [Lincoln, Society of Spanish and Spanish-American Studies, 1980, pp. 175-191]).

3. Para Justo Saco Alarcón, la Condesa añora el pasado. Véase *Técnicas narrativas en «Jardín Umbrío» de Valle-Inclán*, tesis doctoral (The University of Arizona, 1974, pp. 81-82). Por su parte, Lavaud, pp. 530-531, enfoca la actitud de la Condesa a la luz del carlismo. Por último, Giovanni Allegra, *El reino interior. Premisas y semblanzas del Modernismo en España*, trad. Vicente Martín Pintado (Madrid, Encuentro, 1986, pp. 269-280), cree que la Condesa vive mirando al pasado.

4. Que su estirpe es tan importante para la Condesa es obvio si se recuerda que «para consolarse [de haber perdido sus títulos en cumplimiento de su deber] solía leer, cuando sus ojos estaban menos cansados, el nobiliario del Monje de Armendáriz, donde se cuentan los orígenes de tan esclarecido linaje» (pp. 34-35).

5. Es significativo que el mal cura se llame Ángel, sustantivo que recuerda al ángel caído que en sí es el diablo. Ildefonso

Manuel Gil sustentó que el mal cura fue responsable de la situación de Beatriz a la vez que descartó lo diabólico. «Innocent Victims in the Works of Valle-Inclán», en *Valle-Inclán Centennial Studies*, ed. Ricardo Gullón, trad. Douglass Rogers (Austin, Department of Spanish and Portuguese, The University of Texas, 1968, pp. 46-47).

6. En este pasaje es también importante la descripción del pañuelo de la Condesa. Al establecerse un nexo entre esta prenda y «los corporales de un cáliz» se dice, en efecto, que el pañuelo de la dama es parecido al lienzo sobre el cual coloca el sacerdote la hostia y el cáliz, algo que tiende a indicar la elevada posición de la Condesa en términos de sus creencias y origen.

7. Obsérvese que, en este sentido, «Beatriz» es un punto medio entre «Rosarito» y «Mi hermana Antonia», circunstancia lógica si se recuerdan las fechas en que fueron escritas las versiones originales de los tres textos. Sobre «Rosarito» y «Mi hermana Antonia» me expreso por separado.

8. Shlomith Rimmon-Kenan, *Narrative Fiction: Contemporary Poetics* (Nueva York, Methuen, 1983, pp. 94-96).

9. De hecho, este trozo es un ejemplo de la densidad de la acción en la prosa de Valle-Inclán, lo que se detecta también en varios de sus otros escritos (por ejemplo, en *Rosita*).

10. José Antonio Pérez-Rioja, *Diccionario de símbolos y mitos* (Madrid, Tecnos, 1971², pp. 272 y 297).

11. También son importantes en el cuento las caracterizaciones de Fray Ángel y de Beatriz. En el caso del mal cura, es descrito como un ente que ejemplifica los atributos del diablo sin dejar de ser un ser de carne y hueso. Hasta cierto punto, la maldad es humanizada con su figura (se le describe con «la mano atenazada y flaca» [p. 35; algo que sugiere tenazas, crueldad y sequedad], «alto y seco», «dominador y marcial» [p. 35], con ojos hoscos y «perfil aguileño», «como tallado en granito» [p. 36; todo en él es duro, su físico recuerda un ave de rapiña], con ojos que «parecían dos alimañas» [p. 37; su dimensión bestial], como ser intranquilo [p. 37; tipo de *amorce* o anticipación que facilita la comprensión del lector a lo que se avecina al dejar que se perciba que él está preocupado por sus actos previos; este personaje se llama Ángel, referencia clara al Príncipe de las Tinieblas al ser él un mal cura al igual que el diablo fue un ángel caído], y es considerado «hijo de Satanás» por sus malas acciones [p. 42]). Por su parte, Beatriz es descrita como alguien que parece estar muerto (p. 37; de hecho no lo está físicamente, aunque sí en términos espirituales), ser con «magdalénica cabeza»

(p. 43; está arrepentida de supuestos pecados que ella misma se atribuye, aunque es evidente su inocencia) y cuya historia tiene antecedentes en la «de aquellas blancas y legendarias princesas, santas de trece años ya tentadas por Satanás» (pp. 43-44). Nótese cómo, para M. Bermejo Marcos, el relato tiene ya elementos del esperpento (pp. 60-61).

«MI HERMANA ANTONIA» Y LA ESTÉTICA DEL ENIGMA INENIGMÁTICO*

> [...] para ser perpetuada por el arte no es la verdad aquello que un momento está ante la vista, sino lo que perdura en el recuerdo. Yo suelo expresar en una frase este concepto estético que conviene por igual a la pintura y a la literatura: Nada es como es, sino como se recuerda.
>
> RAMÓN DEL VALLE-INCLÁN[1]

Uno de los mejores relatos de Valle-Inclán, «Mi hermana Antonia» es, a la vez, uno de sus textos más evasivos conceptualmente, ya que lo que aparenta manifestar no resulta ser tan claro después de su lectura y del estudio de las varias interpretaciones que sobre este cuento disponemos.[2] Todo en la narración requiere una amplia y profunda reinterpretación, debido a ciertos pasajes y circunstancias que le restan precisión a su supuesto mensaje.

I

En «Mi hermana Antonia» aparece la historia de dos jóvenes —Antonia y Máximo— que se aman a pesar de la oposición de la madre de ella.[3] La pasión que ambos sienten queda expuesta a través del hermano menor de Antonia, niño impresionable que de adulto recuerda hechos que sucedieron hace ya mucho tiempo. Para este niño, la

* Una versión de este ensayo fue publicada en *Estelas, laberintos, nuevas sendas (Unamuno. Valle-Inclán. García Lorca. La Guerra Civil)*, ed. Ángel G. Loureiro (Barcelona, Anthropos, 1988, pp. 171-190).

realidad que le rodea está cargada de una gran tensión que refleja la presencia de fuerzas sobrenaturales en el mundo en que se desenvuelve, circunstancias que para él y otros personajes del relato ejercieron influencia en la relación amorosa de Antonia y Máximo y en la dolorosa muerte de su madre.[4]

Abundan en «Mi hermana Antonia» situaciones en las que lo que acontece responde, al parecer, a potencias cuyas características no se ajustan a las fuerzas de la naturaleza. Es así que se cree que Antonia se enamoró de Máximo Bretal debido a que comió una manzana hechizada (p. 68), y que el joven estudiante asume la identidad de un gato que tortura a la madre de Antonia y que sólo abandona a su víctima cuando en dos ocasiones el niño que narra el relato lo espanta debido a que es un ser inocente (p. 76) y al valerse, en una oportunidad, de una cruz para conseguir sus objetivos (pp. 79-80).[5]

El segundo episodio, el del gato, es de suma envergadura en el cuento como resultado de la repetida presencia del gato y de la vinculación tradicional entre este animal, el diablo, las tinieblas y la muerte.[6] En «Mi hermana Antonia», este gato queda directamente vinculado con Máximo Bretal cuando, al final de la historia, se describe a este personaje de forma que recuerda la escena en que Basilisa la Galinda, al parecer, le cortó las orejas al gato que estaba en la cama de la madre de Antonia. A pesar del supuesto nexo entre los dos pasajes, sin embargo, una lectura cuidadosa de ambos pone en entredicho lo que se podría tomar como su conclusión lógica: es decir, que Máximo Bretal, como agente del diablo, ha adoptado la figura de un gato para vengarse de la madre de Antonia. Leamos los dos textos:

> Basilisa la Galinda entra en aquella alcoba [...] y sale con una cruz de madera negra. Murmura unas palabras oscuras, y me santigua por el pecho, por la espalda y por los costados. Después, me entrega la cruz y ella toma las tijeras de su hermano [...].
>
> Me condujo por la mano a la alcoba de mi madre, que seguía gritando:

> —¡Espantarme ese gato! ¡Espantarme ese gato!
>
> Sobre el umbral me aconsejó en voz baja:
>
> —Llega muy paso y pon la cruz sobre la almohada [...]. Yo quedo aquí en la puerta.
>
> Entré en la alcoba. Mi madre estaba incorporada, con el pelo revuelto, las manos tendidas y los dedos abiertos como garfios. Una mano era negra y otra blanca. Antonia la miraba, pálida y suplicante. Yo pasé rodeando, y vi de frente los ojos de mi hermana, negros, profundos y sin lágrimas. Me subí a la cama sin ruido, y puse la cruz sobre las almohadas. Allá en la puerta, toda encogida sobre el umbral, estaba Basilisa la Galinda. Sólo la vi un momento, mientras trepé a la cama, porque apenas puse la cruz en las almohadas, mi madre empezó a retorcerse, y un gato negro escapó de entre las ropas hacia la puerta. Cerré los ojos, y con ellos cerrados, oí sonar las tijeras de Basilisa [...]. En el corredor, cerca de la mesa que tenía detrás la sombra enana del sastre, a la luz de las velas, enseñaba dos recortes negros que le manchaban las manos de sangre, y decía que eran las orejas del gato [pp. 79-80].
>
> Llevaba a la cara una venda negra y bajo ella creí ver el recorte sangriento de las orejas rebanadas a cercén [p. 84].

Indudablemente, en las dos citas el narrador establece una conexión entre el gato y Máximo. Esta unión, sin embargo, queda debilitada cuando el narrador, después de mencionar la huida del gato, admite tener los ojos cerrados en el instante en que, según Basilisa, ella le cortó las orejas al animal y cuando se comprende que en realidad no vio un «recorte sangriento» bajo la venda negra que llevaba Máximo sino que creyó ver esto. La distancia semántica entre «creer» y «ver» es semejante a aquella que existe cuando el narrador asevera que Basilisa «decía» que los recortes «eran las orejas del gato» en vez de afirmar tajantemente que los recortes eran dichas orejas. En estos textos, los vocablos «creí ver» y «decía» implican una falta de certidumbre total por parte del narrador sobre lo que ha pasado: en el primer ejemplo, ello se debe a que tenía los ojos cerrados, mientras que en el segundo lo que dice bien puede ser justificado si se acepta que el narrador desea percibirlo como lo hace, como indicio del funcionamiento de lo sobrenatural en el cuento.[7] Dicho de otra forma, lo sobrenatural en «Mi hermana Antonia» no se manifiesta con el absoluto convencimiento del hermano de Antonia. Que ello sea así es de extraordinaria importancia al ser el niño el narrador del relato, esa voz por la que se expresa cuanto ocurre.

La falta de certidumbre en el hermano de Antonia a que he hecho referencia tiene además antecedentes en otros sucesos del cuento que merecen estudio. En primer término, ya en la sección VII, el niño dice que «nuestra madre era muy piadosa y no creía en agüeros ni brujerías, pero alguna vez lo aparentaba por disculpar la pasión que consumía a su hija» (p. 68). Estas palabras, por supuesto, les restan vigencia a las percepciones de aquéllos que realmente creen que Antonia está motivada por fuerzas prodigiosas en su amor por Máximo y explica cómo esta teoría la usaba su madre para justificar lo que era para ella una deficiencia en su hija.

Otro aspecto que ejerce influencia sobre por qué el niño opta por enfocarlo todo de esa manera tiene que ver con el ascendiente que sobre él ejercía el mundo milagrero gallego que le rodeaba.[8] Indicio directo de esta influencia cultural aparece en una tercera intentona —la segunda en términos cronológicos— que el niño hace por espantar el gato y librar a su madre de más sufrimiento. En esa escena, el pequeño fracasa y, como resultado, es acusado de haber «cometido algún pecado» que le impidió «espantar al enemigo malo» (pp. 76-77). En esta circunstancia, es importante observar que el niño-narrador no sólo no puede espantar al supuesto gato; además, tampoco siente su presencia sobre la torturada espalda de su madre. Ambas cosas llevan a una censura del personaje, algo de suma importancia con vistas a la definición de lo que le motiva a integrar la realidad circundante como lo hace, ya que en el mundo donde le ha tocado vivir no se pueden ignorar las creencias de los demás si uno quiere que se le valore de forma apropiada.[9] En este ejemplo es importante también que el niño no ponga en duda las creencias de los demás sobre el gato (algo lógico, ya que él no lo percibe) y que opte esa misma noche por recordar la historia del gigante Goliat y del niño David (pp. 77-78). Al hacerlo, el hermano de Antonia mezcla su situación personal (el sufrimiento de su madre y la oposición de ésta a las relaciones entre Antonia y el estudiante de Bretal) con la historia bíblica. Es decir, su fértil imaginación juvenil no distingue entre ficción y realidad, al mezclar ambas cosas cuando desea convertirse en otro David que lucharía con un nuevo Goliat (en este caso, Máximo):

> Yo me senté en el corredor, cerca de una mesa donde había un candelero con dos velas, y me puse a pensar en la historia del Gigante Goliat [...]. Por aquel tiempo, nada admiraba tanto como la destreza con que manejó la honda el niño David. Hacía propósito de ejercitarme en ella cuando saliese de paseo por la orilla del río. Tenía como un vago y novelesco presentimiento de poner mis tiros en la frente pálida del estudiante de Bretal [pp. 77-78].

Si se acepta que el niño-narrador debilita sus percepciones en torno a lo sobrenatural debido a cómo las expresa, que este ser está sujeto a fuerzas culturales imperantes en el medio en que se desenvuelve, y que él sabe de la estrategia de su madre al valerse de lo prodigioso para justificar a su hija, entonces es necesario reexaminar también ese pasaje en el cuento donde las fuerzas del mal son abiertamente discutidas.[10] Me refiero a la escena en que el Padre Bernardo se entrevista con la madre de Antonia, conversación que es escuchada parcialmente por el niño y la criada (secciones X a XII, pp. 70-74), y que ocurre antes de que la figura del gato obsesione a la dama.

Desde el comienzo de la sección X, es evidente que el narrador tiene cierta predisposición por percibir la figura del Padre Bernardo en un sentido diabólico, actitud que compagina bien con esas historias de santos que ha estado escuchando:

Quedé arrodillado mirándole y esperando su bendición, y me pareció que hacía los cuernos. ¡Ay, cerré los ojos, espantado de aquella burla del Demonio! Con un escalofrío comprendí que era asechanza suya, y como aquéllas que traían las historias de santos que yo comenzaba a leer en voz alta delante de mi madre y de Antonia. Era una asechanza para hacerme pecar, parecida a otra que se cuenta en la vida de San Antonio de Padua. El Padre Bernardo, que mi abuela diría un santo sobre la tierra, se distrajo saludando a la oveja de otro tiempo, y olvidó formular su bendición sobre mi cabeza [...] [pp. 70-71].

En la conversación que sigue a este pasaje, el Padre Bernardo refiere cómo un joven enamorado le ha confesado que, desesperado de amor, invocó al demonio para obtener su ayuda. Por el momento, este joven, según el fraile, no ha firmado un pacto con Satanás, aunque tampoco ha renunciado a sus tácticas diabólicas para alcanzar sus objetivos amorosos. Ante estas revelaciones, la madre de Antonia demuestra poca caridad cuando dice que «¡Preferiría muerta a mi hija!» (p. 72) antes que entregársela al estudiante, a la vez que indica que cuenta con la «gracia de Dios» (p. 73) para proteger sus intereses. Acto seguido, el Padre Bernardo la recrimina por no preocuparse por la salvación del alma de un semejante como es su obligación cristiana:

Hay almas que sólo piensan en su salvación, y nunca sintieron amor por las otras criaturas. Son las fuentes secas. Dime. ¿Qué cuidado sintió tu corazón al anuncio de estar en riesgo de perderse un cristiano? ¿Qué haces tú por evitar este negro concierto con los poderes infernales? ¡Negarle a tu hija para que la tenga de manos de Satanás! [...].

—El amor debe ser por igual para todas las criaturas. Amar al padre, al hijo o al marido, es amar figuras de lodo. Sin saberlo, con tu mano negra también azotas la cruz como el estudiante de Bretal [p. 73].

Continúa la escena con un tipo de especulación sobre cómo el cura salió de la sala, ya que sólo un gato negro pasó junto al niño y Basilisa, cuando ambos escapan de la puerta a través de la cual han sido testigos de la conversación entre la dama y el fraile (pp. 73-74). Concluye el pasaje con la siguiente afirmación: «Basilisa fue aquella tarde al convento, y vino contando que estaba en una misión, a muchas leguas» (p. 74). Si bien lo sustentado en este breve texto tiende a indicar que el verdadero Padre Bernardo no fue quien visitó a la madre de Antonia, la fuente de esta información resulta indigna de confianza: por todo el texto, Basilisa ha demostrado comulgar con ciertas creencias sobre el diablo y, por tanto, lo que ella dice no puede ser aceptado por el lector implícito ciegamente (recuérdese que el narrador se limita a decir que ella «vino contando», frase que bien puede implicar que ella vino narrando algo que ha inventado).[11]

Si se examinan los comentarios del Padre Bernardo a la luz de las creencias cristianas y con cierta objetividad, es innegable que su crítica a la madre de Antonia tiene validez: esta señora nunca ha justificado su odio por Máximo ni demuestra por él ninguna caridad.[12] De ser aceptada esta interpretación de la dama, el gato podría entonces ser concebido como una manifestación de su cargo de conciencia al saberse culpable y al no estar dispuesta a alterar su conducta. En este sentido, el gato dejaría de ser un agente del diablo y se convertiría en una manifestación física de la conciencia de la madre de Antonia, señal de algo que para la dama poseía realidad a la vez que sufre una enfermedad que le traerá la muerte. Si bien esta exégesis del texto puede que resulte menos estimulante que la sobrenatural, es lógica, cuando se mantiene en mente el temperamento del niño-narrador, ser cuya sensibilidad ha coloreado excesivamente aspectos importantes del relato.[13]

II

Como ya he afirmado, a través del cuento el hermano de Antonia opera como narrador de cuanto se lee. Dentro de su figura son detectables dos momentos cronológicos: primero, cuando implícitamente se dirige a un narratario desde un momento presente, instante que coincide con su existencia actual de adulto; y, segundo, cuando narra una acción pasada utilizando su perspectiva de entonces. En el primero de estos momentos, el narrador es extradiegético: él comienza el proceso narrativo, él inicia y, de hecho, narra todo lo incluido en el nivel diegético de la narración. La posición del narrador extradiegético es jerárquicamente superior a la de la historia que cuenta en el nivel diegético. Lo que el narrador extradiegético relata en el nivel diegético es su problemática actual (la de un ser adulto), dadas sus percepciones previas —cuando era niño— sobre sucesos que ocurrieron entonces. Estos hechos de su niñez los cuenta el hermano de Antonia valiéndose de sus antiguas creencias. Al hacerlo, se convierte en un narrador intradiegético al narrar su pasado, historia que ocurre en el nivel hipodiegético del texto y que constituye el segundo momento cronológico que se detecta en el hermano de Antonia. La historia del nivel hipodiegético facilita la comprensión de lo que pasa en el nivel diegético: tiene la función de explicar cómo eran las cosas percibidas por el narrador cuando él era niño, algo que facilita una comparación entre su circunstancia en el pasado y hoy. En ambos momentos —el presente y el pasado—, añádase, el narrador es uno, resultando ser además homodiegético al participar en las historias que narra y que aparecen en los niveles diegético e hipodiegético.[14]

La existencia en el hermano de Antonia de dos voces que operan en diversos momentos es de gran importancia, ya que como narrador extradiegético puede interpretar —al focalizar externamente— lo que pasó antes desde un punto de vista actual, mientras que como narrador intradiegético puede mantener esa ilusión de mímesis que le dará cierto aire de autenticidad a su narración a la vez que focaliza internamente, ajustándose todo a sus percepciones pretéritas.

La identificación de las dos voces a que he aludido no es fácil si se busca aislarlas constantemente, ya que las dos están muy mezcladas. Podemos asumir que en las secciones I y XXIII el narrador extradiegético nos da sus percepciones actuales sobre la realidad en Santiago de Galicia. Asimismo, en el primer párrafo de su relato (sección II, p. 65), este narrador deja sentado con su uso del pretérito imperfecto y el pretérito indefinido del modo indicativo que lo que cuenta es algo pasado, algo que sucedió cuando él era niño y que responde a sus recuerdos, mientras que en otras ocasiones nos da un fondo a la materia narrada o comenta sobre lo que sucedió desde una perspectiva actual. Escuchemos ejemplos de cómo opera el narrador adulto:

> Por la noche, acostado y a oscuras, esta semejanza se agrandó dentro de mí sin dejarme dormir, *y volvió a turbarme otras muchas noches* [p. 67, énfasis mío].
>
> El Padre Bernardo, que mi abuela diría un santo sobre la tierra, se distrajo saludando a la oveja de otro tiempo, y olvidó formular su bendición sobre mi cabeza [...]. *Cabeza de niño sobre quien pesan las lúgubres cadenas de la infancia: El latín de día, y el miedo a los muertos, de noche* [p. 71, énfasis mío].

La perspectiva del narrador intradiegético, por su parte, es detectable por todo el texto cuando se dice lo que el hermano de Antonia creía cuando ella vivía con él. Es decir, en estos casos se pone énfasis en cómo este niño percibía la realidad entonces.

Un muy revelador ejemplo de la fusión de ambos momentos cronológicos en el narrador lo ofrece la tercera sección del relato:

> —Entramos en una capilla, donde algunas viejas rezaban las Cruces. Es una capilla grande y oscura, con su tarima llena de ruidos bajo la bóveda románica. Cuando yo era niño, aquella capilla tenía para mí una sensación de paz campesina [...]. Por las tardes siempre había corro de viejas rezando las Cruces. Las voces, fundidas en un murmullo de fervor, abríanse bajo las bóvedas y parecían iluminar las rosas de la vidriera como el sol poniente [...]. ¡Oh, Capilla de la Corticela, cuándo esta alma mía, tan vieja y tan cansada, volverá a sumergirse en tu sombra balsámica! [p. 66].

Aquí quedan contrapuestos lo que hicieran el niño y Antonia (entrar en una capilla), lo que según el narrador-niño provocaba en él un sitio específico (la «paz campesina» que derivaba de la capilla), con lo que el narrador-adulto desearía poder volver a sentir hoy (una comunión espiritual con otros seres fervorosos).

Debido a que en «Mi hermana Antonia» hay un narrador-focalizador en primera persona, debemos ser muy cuidadosos al interpretar lo que esta voz sustenta, ya que su presentación e interpretación de hechos pretéritos puede que esté afectada por distorsiones inconscientes de la realidad escrita. Que ello suceda no debe sorprendernos, pues ninguna narración —y «Mi hermana Antonia» no es una excepción— presenta historias completas de una o más vidas: todas las narraciones son textos en los cuales ciertos sucesos son seleccionados y esta selectividad, sin lugar a dudas, es indicio de algo importante.

En «Mi hermana Antonia», aún más, el proceso de selección es todavía más problemático que lo normal dada la identidad del narrador-focalizador.[15] Y es que, como bien ha dicho Shlomith Rimmon-Kenan, un narrador deja de ser digno de confianza cuando, entre otras cosas, está directamente involucrado en lo que narra y cuando sus percepciones sobre lo que ocurre no compaginan con aquellas del autor implícito o conciencia que gobierna el texto, «la fuente de las normas contenidas en la obra [...]. Por tanto [...] el autor implícito de una obra específica es concebido como una entidad estable, idealmente consistente consigo misma dentro de la obra». Como en otras narraciones, este autor implícito es «sin voz y silente [...], una fabricación inferida y construida por el lector de todos los componentes del texto».[16]

En «Mi hermana Antonia», nuevamente, no somos testigos de la vida de Antonia en su totalidad. El lector simplemente conoce ciertos sucesos y percepciones que el narrador-focalizador comparte con el narratario para que, implícitamente, esta entidad pueda percibir la realidad como la percibe (o como desea que la perciba) el narrador. Como narrador-focalizador, el hermano de Antonia puede que dé una visión verdadera de un fragmento de la realidad, o puede que esté distorsionando la historia que narra para alcanzar sus propios objetivos. Es por ello que, después de leer el texto, cada lector deberá reflexionar minuciosamente si quiere llegar a conclusiones factibles sobre el relato. Al hacerlo, el lector tiene que considerar si el niño es consistente, si su lógica no resulta deficiente y si sus afirmaciones en el presente compaginan con lo que él le dice al narratario en sus supuestas digresiones. Las digresiones a que he hecho referencia son esos comentarios que hace el narrador y que están, aparentemente, poco vinculados con la historia que narra. Ejemplos de estas digresiones son las secciones I y XXIII, parte de la III y un breve fragmento en la X. Todas ellas, por otra parte, están muy fusionadas en términos conceptuales y serán discutidas en el próximo segmento de este ensayo.

III

Al expresarse sobre la dinámica de la lectura, Rimmon-Kenan muestra cómo la naturaleza lineal de la narrativa se presta al uso de diversos efectos retóricos: «El texto puede dirigir y controlar la comprensión y actitud del lector al colocar *ciertas* cosas antes que otras» (p. 120). En este sentido, un texto es interpretado a la luz de lo que ha sido dicho antes en él y todo lo que ha sido dicho con anterioridad obliga al lector a reconsiderar lo que ha ocurrido previamente. La localización de algo en un texto es muy importante para el lector, ya que esta entidad está intentando comprender el texto e integrar sus elementos. Por último, los textos tratan normalmente de posponer la comprensión del lector para garantizar su lectura: lo que se busca, por tanto, es el interés del lector (Rimmon-Kenan, pp. 122-123).

«Mi hermana Antonia» comienza con una sección (p. 65) que le atribuye a Santiago de Compostela tres características: 1) que «ha sido uno de los santuarios del mundo» (uno de los templos o lugares donde se siguen observando ciertas creencias), 2) que «las almas todavía guardan allí los ojos atentos para el milagro» (es decir que los seres humanos demuestran en este lugar cierta preocupación por detectar algo y ello, se sobreentiende, es indicio de cierta inclinación hacia una forma de interpretar la realidad), y 3) que, implícitamente, allí quizá ocurran milagros («sucesos inexplicables y que son interpretados como signo de los actos o voluntad de las deidades»).[17] Esta sección inicial constituye un ejemplo de demora narrativa, técnica que según Rimmon-Kenan consiste «en no dar la información donde se debe en el texto, pero dejarla para más tarde» (p. 125). En «Mi hermana Antonia», la demora narrativa a que hace referencia Rimmon-Kenan se manifiesta a través de la falta de certidumbre que tiene el lector implícito cuando intenta comprender qué motivó al narrador-focalizador adulto en primera persona a expresarse como lo hace en la sección I (recuérdese la, aparentemente, poca vinculación entre lo que se expresa en esta sección y la historia que comienza en la segunda sección). Como resultado de esta técnica, el proceso de lectura se convierte en un tipo de adivinanza que necesita ser resuelta. Es extraordinariamente importante comprender qué impulsó al narrador-focalizador de «Mi hermana Antonia», ya que de esta forma se puede explicar por qué las cosas son presentadas como lo son y si el relato —o aspectos de él— puede ser visualizado como el narrador aparentemente desea que lo sea, dados los oscuros conceptos planteados en la primera sección del cuento y sobre los cuales el lector implícito carece de suficiente información para llegar a conclusiones válidas cuando los lee por primera vez. El código hermenéutico de «Mi hermana Antonia» está estructurado, por tanto, en unidades que contribuyen a la creación de sucesos enigmáticos (la aparente presencia de lo sobrenatural) que sugieren la existencia de un enigma referido a las fuerzas imperantes en el mundo del cuento y que, por ende, facilitan la especulación del lector implícito sobre la verdadera motivación del narrador. Indudablemente, las digresiones del narrador en esta primera sección y en otras partes del relato permitirán que el lector implícito llegue finalmente a conclusiones sobre lo que acontece y sobre los objetivos del narrador-focalizador, entidad que tiene que ser comprendida si se quiere entender el texto. Hasta cierto punto, estas digresiones se convierten en diversas hipótesis que, en conjunto, pasan a ser una hipótesis final a la que se llega cuando el texto es considerado retrospectivamente. En este sentido, el proceso de lectura de «Mi hermana Antonia» se convierte, con mucho, en un intento de llenar una hondonada hermenéutica que confronta al lector implícito, abertura que obliga a este mismo lector a ser muy activo, a la vez que intenta que el texto adquiera sentido para él.[18]

A la luz de la dinámica de la lectura mencionada, es muy significativo que el cuento concluya con una sección muy parecida ideológicamente a la primera. La diferencia entre la sección I y la XXIII tiene que ver con el espíritu que las motiva. Mientras que en la primera se hace una afirmación general sobre Santiago y sus atributos, en la segunda la sintaxis cambia, convirtiéndose la frase «como ha sido uno de los santuarios del mundo» en una locución que explica el porqué de lo que se asevera sobre esta ciudad:

> XXIII.—En Santiago de Galicia, como ha sido uno de los santuarios del mundo, las almas todavía conservan los ojos abiertos para el milagro [p. 84].

Esta alteración al final del relato facilita la comprensión de su primera sección, a la vez que pone énfasis en la historia que es narrada entre las secciones II y XXII, asunto que, debido a sus características, justifica el juicio que podemos suponer que el narrador-adulto tiene sobre Santiago.[19] Ahora bien, ¿a qué milagro hace referencia el narrador en la primera y última secciones del cuento? En mi opinión, no se refiere esta entidad al «hechizo» de Antonia por Máximo, ni a la tortura que supuestamente el gato inflige a la madre de Antonia, algo lógico de aceptar sin reservas lo sustentado por el narrador desde su perspectiva infantil (no se olvide que ni un «hechizo» ni un «acto diabólico» son iguales a un «milagro»). Para mí, el milagro a que alude el narrador es el de las creencias sentidas, el de la fe colectiva que se manifiesta en «Mi hermana Antonia» a través de la sensibilidad imaginativa de un niño de pocos años y de gente cuya sencillez intelectual le lleva a aceptar ciertas leyendas vigentes en una Galicia milagrera.[20]

Lo que quiero decir es que en «Mi hermana Antonia» existe una contradicción entre el narrador extradiegético (el del presente adulto) y el narrador intradiegético (el del ayer infantil) que hace que la figura del narrador resulte indigna de confianza, percepción que cobra aún más vida cuando a lo que el narrador-niño afirma se le pueden contrastar otras explicaciones lógicas según las normas que imperan en el mundo descrito en este cuento.[21] En este sentido, el adjetivo posesivo en el título del relato no sólo enfatiza la relación entre el narrador y Antonia; además, es indicio directo de que lo que aquí nos da el narrador es la historia de cómo fue su hermana para él a la luz de creencias imperantes cuando todo sucedió, opiniones que entonces tenían validez para el niño. En este sentido, la hermana Antonia es ese ser que para sí ha creado subjetivamente el narrador-niño, sea o no plausible lo que él le atribuye a ella y al mundo en que ambos se desenvolvieron.

Lo que acabo de afirmar lo encuentro bien documentado en la contraposición de la primera y última secciones del relato (según mis comentarios sobre ellas) y en otros dos pasajes. En todos ellos, lo que contiene el texto da la impresión de ser digresiones al no resultar indispensables a la historia del narrador-niño de ser ella aceptada literalmente.

En la sección III, el narrador-niño describe una capilla que visitó con Antonia. Y añade este narrador, valiéndose ahora, sin embargo, de su perspectiva de adulto, que «cuando yo era niño, aquella capilla tenía para mí una sensación de paz campesina. Me daba un goce de sombra como la copa de un viejo castaño [...]» (p. 66). La distancia cronológica que he mencionado queda establecida con el uso del pretérito imperfecto del indicativo (en vocablos como «era», «tenía», «daba»). Y continúa el narrador de hoy en su recreación de una atmósfera en la que él ya no puede creer a pesar de desearlo:

> Por las tardes siempre había corro de viejas rezando las Cruces. Las voces, fundidas en un murmullo de fervor, abríanse bajo las bóvedas y parecían iluminar las rosas de la vidriera como el sol poniente. Sentíase un vuelo de oraciones glorioso y gangoso, y un sordo arrastrarse sobre la tarima, y una campanilla de plata agitada por el niño acólito, mientras levanta su vela encendida, sobre el hombro del capellán, que deletrea en su breviario la Pasión. ¡Oh, Capilla de la Corticela, cuándo esta alma mía, tan vieja y tan cansada, volverá a sumergirse en tu sombra balsámica! [p. 66].

Indudablemente, lo que le falta al narrador-adulto es la habilidad de compartir con la colectividad («corro de viejas [...] fundidas en un murmullo de fervor»), creencias que si bien fueron de él ya no lo son, voces que tienen el extraordinario poder de —en un tipo de sinestesia— «iluminar las rosas de la vidriera como el sol poniente». Dicho de otra forma, lo que preocupa al narrador-adulto por el que, necesariamente, tiene que filtrarse el narrador-niño, es esa sensibilidad que en su ayer le permitía dar crédito a las supersticiones que prevalecían colectivamente en Galicia. Por ello, este narrador-adulto puede reflexionar en la sección X de la siguiente forma: «Cabeza de niño sobre quien pesan las lúgubres cadenas de la infancia: El latín de día, y el miedo a los muertos, de noche» (p. 71). Y es que el narrador-adulto detecta lo que le falta, a la vez que percibe la belleza de poder creer en algo que profesan también quienes le rodean, sin que importe mucho que dicho algo provocara horror en él.[22] De aquí que comience y concluya su relato con referencias a Santiago de Compostela, lugar en el que todavía pone sus esperanzas para poder alcanzar una perspectiva imaginativa que le resulte auténtica. Al hacerlo, el narrador deja de ser, por consiguiente, fidedigno: ni en el hoy ni en el ayer del narrador puede confiar el lector implícito al estar el uno motivado por la añoranza de una percepción de la realidad y el otro por un deseo de vivificar aquello en que supuestamente creyó y que el narrador-niño mismo dice que se le ha esfumado como esas figuras que se desvanecen ante sus ojos[23] o como el tiempo que transcurre y del que llega a perder toda noción en varios lugares del relato.[24]

Este deseo de expresar lo que ya no se posee puede hacer más comprensible por qué el narrador-niño opta —supeditado como está al narrador extradiegético— por no explorar otros caminos que le expliquen lo que sucedió con su hermana y con su madre. Tampoco se puede ignorar al respecto que él es un niño:

> Me pareció oír gritos en el interior de la casa, y no osé moverme, con la vaga impresión de que eran aquellos gritos algo que yo debía ignorar por ser niño. Y no me movía del hueco del balcón, devanando un razonar medroso y pueril, todo confuso con aquel nebuloso recordar de reprensiones bruscas y de encierros en una sala oscura. Era como envoltura de mi alma, esa memoria dolorosa de los niños precoces, que con los ojos agrandados oyen las conversaciones de las viejas y dejan los juegos por oírlas. Poco a poco cesaron los gritos [...] [p. 75].

Es decir, la perspectiva infantil del narrador —el hecho de que es un niño— impide que adopte una posición diferente a la que debe poseer y va a ilustrar esa fusión con las creencias de la colectividad por la que siente tanta morriña el narrador-adulto (obsérvese también que en esta cita hay un indicio sobre cómo el niño era castigado en forma tal que se despiertan sus aprensiones).

Lo ya dicho, la selectividad con que el narrador-niño lo interpreta todo, queda documentado también cuando, curiosamente, ignora ciertas inconsistencias en lo que le rodea: por ejemplo, cuando Antonia es descrita en la p. 79 como «pálida y suplicante» (algo que demuestra preocupación por su madre) y «sin lágrimas» (o sea, todo lo opuesto), o cuando en la p. 81 la presenta como sollozando y con una risa violenta ante la muerte de su madre (en el contexto de este segundo ejemplo, parece que la joven está poseída, cuando su actitud, muy probablemente respondiese a la gran tensión —quizá un estado de histeria— que sentía ante el fallecimiento de su progenitora [no se olvide que momentos antes ella había rescatado al niño de los brazos de la Galinda cuando ésta había querido que besase a su madre —algo que aterrorizó al niño—, demostrando así amor por él, para acto seguido, abusar de él retorciéndole una mano]), o cuando en la p. 65 el estudiante puede tomar agua bendita (algo ilógico si fuese una figura diabólica) para dársela a Antonia.[25]

* * *

Otro escritor hispánico de nuestro siglo, Ernesto Sábato, ha dicho que «[...] la ficción es una indagación de la verdad de la condición humana [...]»[26] y, de hecho, esto es lo que consigue «Mi hermana Antonia» a la vez que presenta cómo un hombre —el hermano de Antonia— visualiza aspectos deseables en la realidad según sus aspiraciones existenciales. La exploración del hombre que documenta este relato constituye en sí otro indicio directo de cómo la obra de Valle-Inclán evolucionó. Si bien la Galicia milagrera y rústica todavía aparece en este texto, lo importante aquí es el ser humano con sus creencias individuales que contrastan con las percepciones colectivas del pueblo gallego al no poder comulgar el hermano de Antonia —a pesar de quererlo— con aquellas supersticiones que de niño ejercieron tanta influencia sobre él.[27] En este sentido, «Mi hermana Antonia» es un punto extremo en el desarrollo de los escritos narrativos breves de don Ramón, al detectarse en este texto un avance de lo sobrenatural como algo verídico (como es el caso con «Rosarito») a un plano intermedio donde lo sobrenatural coexiste con deficiencias humanas en la definición de cómo es en verdad el cosmos (recuérdese «Beatriz»).[28] Esta evolución le es perceptible al lector cuando se vale de ciertos conceptos narratológicos que aquí se han discutido y que permiten la formulación de conclusiones sobre el enigma inenigmático del mundo de «Mi hermana Antonia».

NOTAS

1. «Opiniones», en *Julio Romero de Torres* (Madrid, Tipografía Artística, s.a., pp. 11-12).

2. Por ejemplo, la de Ernesto Da Cal, «Observaciones sobre "Mi hermana Antonia"», *Ramón del Valle-Inclán. An Appraisal of his Life and Works*, ed. Anthony N. Zahareas, Rodolfo Cardona y Sumner Greenfield (Nueva York, Las Américas Publishing Co., 1968, p. 276), y la de William R. Risley, «Hacia el simbolismo en la prosa de Valle-Inclán», *Anales de la Narrativa Española Contemporánea*, 4 (1979), pp. 59-61. Por su parte, Robert Lima, *Valle-Inclán. The Theatre of His Life* (Columbia, University of Missouri Press, 1988, p. 10), cree observar ciertos elementos autobiográficos en este texto.

3. Citas y referencias a «Mi hermana Antonia» provienen de *Jardín Umbrío* (Madrid, Espasa-Calpe, 1979[5]). La versión original de «Mi hermana Antonia» es prácticamente idéntica a la que hoy es incluida en *Jardín Umbrío* (existen pequeños cambios en la colocación tipográfica de algunos textos, unas pocas alteraciones en la puntuación, y la sección XVII de la edición actual originalmente correspondía a las secciones XVII y XVIII en la impresión original). Véanse: *Cofre de sándalo* (Madrid, Librería General de Victoriano Suárez, 1909, pp. 93-141); El cuento galante, I, 2 (17 de abril de 1913); Los contemporáneos, X, 447 (21 de febrero de 1918); *Jardín Umbrío. Opera Omnia*, vol. XII (Madrid, Sociedad General de Librería Española, 1920, pp. 107-140); *Jardín Umbrío*, ed. Paul Patrick Rogers (Nueva York, Henry Holt and Company, [1928], pp. 42-63); y *Flores de almendro* (Madrid, Librería Bergua, 1936, pp. 57-72).

4. De la relación entre los dos jóvenes sabemos poco, ya que todo proviene, en última instancia, de cómo el niño interpreta las cosas. Nada de lo que se dicen los dos enamorados puede ser concebido como algo tenebroso. Sólo en un sitio, el estudiante afirma querer el alma de Antonia y no su cuerpo (p. 69). Si bien esta aseveración puede ser interpretada de varias formas, en mi opinión se ajusta a una concepción romántica del cosmos y a nada más.

5. Existe un tercer intento fallido (pp. 76-77) que será enfocado por separado más tarde.

6. Véanse J.C. Cooper, *An Illustrated Encyclopaedia of Traditional Symbols* (Londres, Thames and Hudson, 1978, p. 30), Juan-Eduardo Cirlot, *Diccionario de símbolos* (Barcelona, Labor, 1981[4], p. 214), José Antonio Pérez-Rioja, *Diccionario de símbolos y mitos* (Madrid, Tecnos, 1971[2], p. 221), y Rafael Medrano, *Diccionario de las ciencias ocultas* (Barcelona, De Vecchi, 1985, p. 68).

7. Justo Saco Alarcón, *Técnicas narrativas en «Jardín Umbrío»*, tesis doctoral (The University of Arizona, 1974), no se percata de la forma en que el niño describe a Máximo a finales del cuento.

8. Ya Claude Lévi-Strauss se ha expresado sobre cómo la vigencia de lo sobrenatural depende en parte de las creencias de la colectividad local (*Antropología estructural*, trad. Eliseo Verón [Buenos Aires, Editorial Universitaria de Buenos Aires, 1968, p. 152]).

9. Significativamente, en el velorio de su madre, el niño es testigo de «relatos de aparecidos y de personas enterradas vivas» (p. 82) que hacen las mujeres. Historias de este tipo ejercen sobre su imaginación gran influencia.

10. Por lo que conocemos, la crítica es unánime en su aceptación implícita o explícita de lo que el niño sustenta como algo documentable en el mundo de este cuento. Véanse, por ejemplo, Enrique Segura Covarsí, «La flora y la fauna en la obra de Valle-Inclán», *Revista de Literatura*, 23-24 (1957), p. 52, Hebe Noemi Campanella, «Aproximación estilística a un cuento de Valle-Inclán», *Cuadernos Hispanoamericanos*, 199-200 (1966), pp. 374-375, Emma Susana Speratti-Piñero, «Los brujos de Valle-Inclán», *Nueva Revista de Filología Hispánica*, 21 (1971), pp. 4 y 48-49, Verity Smith, *Ramón del Valle-Inclán* (Nueva York, Twayne Publishers, 1973, p. 107), Alarcón, pp. 31 y 51, Ernest C. Rehder, «Concentric Patterns in Valle-Inclán's *Jardín Umbrío*», *Romance Notes*, 18 (1977), p. 63, Eliane Lavaud, *Valle-Inclán: du journal au roman (1888-1915)* ([París], Klincksieck, 1979 [1980], pp. 206-207), y Antonio Risco, *Literatura y fantasía* (Madrid, Taurus, 1982, pp. 157 y 167-168). Para Risco, por ejemplo, en este relato ocurre una posesión diabólica.

11. Indudablemente, en esta escena ocurren sucesos extraños (por ejemplo, el diálogo sobre el diablo y la salida del cura). Sin embargo, es plausible asumir que el sentido último de lo que pasa se nos escape debido a que quien lo interpreta todo es un

niño, cuya capacidad intelectual no está todavía suficientemente desarrollada como para poder entender lo que acontece a su alrededor y quien, inconscientemente, se deja influir por quienes conviven con él. La figura del narrador será discutida más detalladamente después. Una interpretación diferente a la mía sobre el pasaje del Padre Bernardo la da Alarcón, pp. 32-33.

12. En la sección VI (pp. 67-68) se discute el origen del estudiante sin que quede aclarado qué justifica la posición de ella. Esto es significativo a la luz de cómo la madre de Antonia es descrita. Por ejemplo, durante una de las escenas en que el gato la tortura (p. 79), se dice que es alguien que tiene «una mano negra y otra blanca». Con anterioridad, el narrador-niño ya había dicho que ella era «piadosa» (p. 68). Y añade este mismo narrador que «mi madre era muy bella, blanca y rubia, siempre vestida de seda, con guante negro en una mano, por la falta de dos dedos, y la otra, que era como una camelia, toda cubierta de sortijas. Ésta fue siempre la mano que besamos nosotros y la mano con que ella nos acariciaba. La otra, la del guante negro, solía disimularla [...], y sólo al santiguarse la mostraba entera, tan triste y tan sombría» (pp. 69-70). En los fragmentos que he citado se detecta una preocupación por parte del niño por las manos de su madre, al quedar la que no está enguantada como algo hermoso que demuestra cariño por sus hijos mientras que en la otra él percibe tristeza y sombra (siendo esto último quizá indicio de algo tenebroso). Asimismo, la mano enguantada es negra, color que en el simbolismo cristiano recuerda al Príncipe de las Tinieblas al representar la maldad (Pérez-Rioja, p. 313), mientras que la otra mano es blanca, siendo este color símbolo de la pureza (Pérez-Rioja, p. 97). Dicho de otra forma, a través de «Mi hermana Antonia» se tienen indicios simbólico-gráficos de la coexistencia del bien y del mal en la madre de Antonia, ser que en sus actos con sus hijos aparentemente demuestra bondad, mientras que hace lo opuesto al oponerse a Máximo Bretal, sin que su conducta quede justificada en el texto. Por su parte, para Alarcón, p. 32, la oposición de la dama responde a que estos amores de su hija eran «no sólo ilícitos sino sacrílegos [...] por estar [Máximo] ordenado *in sacris*». De lo aseverado por Alarcón no hay elaboración en el texto (sólo en una ocasión se menciona que «ya tenía Órdenes Menores», p. 68).

13. Consideremos algunos ejemplos más. En dos ocasiones, el hermano de Antonia cree ver parecidos entre Basilisa y las gárgolas monstruosas de la Catedral (pp. 71 y 72), siendo esto indicio de su rica imaginación (véanse Harold Osborne [ed.],

The Oxford Companion to Art [Nueva York, Oxford University Press, 1970, p. 459], y *Enciclopedia Universal Ilustrada Europeo-Americana*, vol. 25 [Madrid, Espasa-Calpe, 1924, p. 858]); por todo el texto, el niño demuestra temor y está predispuesto adversamente hacia Máximo Bretal (tenía para él «cara de muerto» [pp. 65 y 67], sabía que su madre «le odiaba» [p. 65], vincula el amor de su hermana por él con el diablo cuando dice «[...] adiviné el secreto de mi hermana Antonia. Lo sentí pesar sobre mí como pecado mortal, al cruzar aquella antesala donde alumbraba un quinqué de petróleo [...]. La llama hacía dos cuernos, y me recordaba al Diablo. Por la noche, acostado y a oscuras, esta semejanza se agrandó dentro de mí sin dejarme dormir, y volvió a turbarme otras muchas noches» [p. 67]; cree que el gato al maullar «conformaba su maullido sobre el nombre del estudiante» [p. 67]).

14. Por supuesto, cualquier historia narrada en el nivel hipodiegético por un personaje ocurrirá en el nivel hipohipodiegético. Un breve ejemplo lo ofrece lo que Basilisa «vino contando» sobre el Padre Bernardo después de la entrevista del cura con la madre de Antonia (p. 74).

15. Esto hace más comprensible que Campanella, p. 374, no distinga entre las figuras del narrador y del autor real de este cuento.

16. *Narrative Fiction: Contemporary Poetics* (Nueva York, Methuen, 1983, pp. 86-87).

17. Medrano, p. 109. El mero hecho de que se esperen milagros es indicio de que pueden ocurrir.

18. El tipo de demora narrativa que se detecta en este cuento es aquél que Rimmon-Kenan denominó «orientada al pasado» (pp. 125-127). En otro contexto, Campanella, p. 373, afirma que la primera sección se refiere a lo que acontecerá más tarde en el cuento.

19. Otra divergencia entre las dos secciones está en el uso de diferentes giros. En la primera, «las almas todavía *guardan* allí los ojos *atentos* para el milagro» (p. 65, énfasis mío). O sea, las almas mantienen fija la atención en expectativa del milagro (el verbo *guardar* implica aquí «preservar una cosa del daño que le puede sobrevenir»). Por su parte, en la última sección se dice que «las almas todavía *conservan* los ojos *abiertos* para el milagro» (p. 84, énfasis mío). En este caso, el verbo «conservar» junto con el adjetivo «abierto» pone énfasis en cómo la gente en Santiago, según se documenta en las secciones II y XII del relato, continúa con sus viejas costumbres y creencias. Dicho de

otra forma, en el primer caso la gente está a la expectativa del milagro, mientras que en el segundo aceptan sin duda su existencia, al ser permitido por su percepción de la realidad (no olvidemos que no es lo mismo decir «guardar atento» que «conservar abierto»: el uno demuestra preocupación —atención, expectativa, vigilancia— por algo mientras que el otro implica libre acceso a algo). Sobre estas palabras véase el *Diccionario de la lengua española* de la Real Academia Española, 2 tomos (Madrid, Espasa-Calpe, 1984[20]).

20. Véase, por sólo dar un ejemplo, lo que Jesús Rodríguez López dice sobre los maleficios. *Supersticiones de Galicia y preocupaciones vulgares* (Lugo, Celta, 1979[8], pp. 165-171).

21. Es decir, según el autor implícito. Recuérdense mis interpretaciones de la conversación entre la madre de Antonia y el Padre Bernardo, del efecto de quienes rodean al narrador-niño sobre sus percepciones, etc.

22. Obsérvese cómo hay un ser en el cuento que no comparte el temor por los muertos. Esta señora, la abuela del narrador, por sus años y aparente falta de ternura (p. 83), puede besar «a mi madre en los ojos mal cerrados, sin miedo al frío de la muerte y casi sin llorar» (p. 82).

23. Por ejemplo, su madre (pp. 66 y 69) y su hermana (p. 68). En este sentido, ni aun en el ayer de la perspectiva infantil los seres humanos resultan muy concretos al tornarse invisibles ante el narrador.

24. En dos lugares se mencionan días muy largos (pp. 76 y 77); en otro se llega a admitir que no se sabe si pasó una o muchas noches. En este último ejemplo, lo recordado es aún más impreciso al transpirarse todo por los sueños (p. 9). La desorientación del narrador-niño es tal que cuando le conducen al lecho de muerte de su madre no sabe con certeza quién le lleva:

> Me fueron empujando hacia adelante algunas manos que salían de los manteos oscuros, y volvían prestamente a juntarse sobre las cruces de los rosarios. Eran las manos sarmentosas de las viejas que rezaban en el corredor, alineadas a lo largo de la pared, con el perfil de la sombra pegado al cuerpo [p. 80].

En esta cita, el predominio de las manos anónimas recalca la imprecisión que caracteriza las percepciones del niño.

25. Dos hechos que quedan sin explicación completamente satisfactoria tienen lugar cuando el fraile revela el secreto de confesión de Máximo, algo que no le está permitido (p. 72), y

cuando la madre de Antonia se queja de que un gato araña bajo el canapé. Nadie que no sea Antonia puede ver y escuchar a este gato y aun Antonia, extrañamente, deja de sentirlo a pesar de que su madre lo sigue escuchando (pp. 74-75). Como ya he dicho, aun de aceptarse la presencia del gato en esta escena, hasta cierto punto podría ser interpretada como una manifestación del castigo de la madre de Antonia al haber demostrado tan poca caridad por Máximo.

26. *Páginas de Ernesto Sábato seleccionadas por el autor* (Buenos Aires, Celtia, 1983, p. 123).

27. Sumner M. Greenfield ya se refirió a este desarrollo en el arte de Valle-Inclán al discutir *El embrujado* (1913). Léase *Ramón del Valle-Inclán: anatomía de un teatro problemático* (Madrid, Fundamentos, 1972, pp. 134-135).

28. En términos cronológicos, la evolución que he mencionado resulta lógica si se recuerda que las primeras versiones de «Rosarito», «Beatriz» y «Mi hermana Antonia» aparecieron, respectivamente, en 1895, 1900 y 1909. Nótese cómo entre ambos extremos han transcurrido catorce años.

OTROS CUENTOS DE *JARDÍN UMBRÍO*

A continuación se estudian los restantes catorce relatos de *Jardín Umbrío* siguiendo el orden en que aparecen en la versión moderna de este libro.[1]

«Juan Quinto»[2]

Es éste un breve cuento que narra un episodio de la vida de un bandolero. Fundamental en este relato es el sosiego —la actitud reposada— del fraile a quien trata de robar Juan Quinto en el Rectoral de Baya de Cristamilde. Como resultado de la actitud del cura, Juan no le roba: la fuerza del bandolero está, implícitamente, no sólo en su poder físico, sino también en su habilidad en intimidar a quienes amenaza, algo que el ladrón no consigue con el cura debido a la forma en que éste le trata.

Con gran intuición psicológica,[3] el fraile consigue reducir la figura de Juan a la de casi un pelele: el párroco justifica cómo Juan actúa atribuyéndole sus acciones al alcohol (le declara borracho), a la vez que le recuerda el respeto que se le debe a un cura. Todo esto lo hace el viejo exclaustrado sin demostrar temor por Juan Quinto (le llega a llamar «mal cristiano» por sus acciones, p. 13). A pesar de atacar verbalmente a Juan, el religioso lo hace con «grave indulgencia» (p. 13), algo que es indicio de su superioridad sobre el bandolero. Y es que el cura llega a afirmar que él sabe quién es Juan Quinto mejor que Juan Quinto mismo:

> —¡Usted no sabe quién es Juan Quinto!
> Antes de responderle, el exclaustrado le miró de alto abajo con grave indulgencia:
> —Mejor lo sé que tú mismo, mal cristiano.
> Insistió el otro con impotente rabia:
> —¡Un león!
> —¡Un gato! [p. 13].

Al final, el fraile llega a convertir a Juan en su ayudante a la vez que le da consejos: en este instante su posición es claramente superior a la del ladrón y, por tanto, él es quien ha vencido por medio de sus tácticas:

> Cuando acabó de vestirse salió a la solana por ver cómo amanecía. Cantaban los pájaros, estremecíanse las yerbas, todo tornaba a nacer con el alba del día. El abad gritóle al bigardo, que seguía cateando en la gaveta:
> —Tráeme el brevario, rapaz.
> Juan Quinto apareció con el brevario, y al tomárselo de las manos, el exclaustrado le reconvino lleno de indulgencia:
> —¿Pero quién te aconsejó para haber tomado este mal camino? ¡Ponte a cavar la tierra, rapaz!
> —Yo no nací para cavar la tierra. ¡Tengo sangre de señores!
> —Pues compra una cuerda y ahórcate, porque para robar tampoco sirves [p. 14].

Que el cura es quien triunfa y que esto es algo que se debe a sus tácticas queda realizado implícitamente cuando a finales del cuento se deja ver cómo Juan Quinto era en realidad un hombre peligroso (al huir de la Rectoral robó y mató a un comerciante, alguien con quizá menos temple y que, muy probablemente, le demostró temor; no se olvide que un comerciante se dedica al tráfico de cosas mientras que un cura trata con los aspectos de la personalidad humana). La yuxtaposición de ambas escenas demuestra que lo hecho por el cura es algo de importancia: él supo dominar a un león.[4]

«Juan Quinto» ejemplifica la presencia de una narración dentro de otra. Aquí un narrador relata cómo otro personaje, Micaela la Galana, contaba la historia de Juan Quinto para acto seguido escucharse la historia de una noche en la vida de este bandido. El primer narrador del relato, el que inicia la narración, es extradiegético. En «Juan Quinto», este narrador no participa en lo narrado y, por tanto, es a la vez heterodiegético. Por su parte, Micaela la Galana es un personaje en el nivel diegético (en el nivel narrado por el narrador extradiegético) que narra a su vez algo: al hacerlo, pasa a ser ella un narrador intradiegético o narrador de un segundo nivel (o nivel hipodiegético). En síntesis, en «Juan Quinto» tenemos dos niveles narrativos: el relatado por el narrador inicial (un ser desconocido y de cuyo mundo nada sabemos), y el narrado por Micaela la Galana (personaje que cuenta la historia de Juan Quinto) (no se olvide que lo que narra Micaela responde a hechos que supuestamente ocurrieron cuando ella era moza).[5]

«La adoración de los Reyes»[6]

Este cuento relata el encuentro entre los tres Reyes Magos y el Niño Jesús. Su motivo es entonces el de la Epifanía, fiesta que en el mundo cristiano se celebra el 6 de enero. Siguiendo la tradicional historia de los Reyes Magos, se tiene aquí a tres monarcas que viajan siguiendo una estrella para encontrar al Niño Jesús. Ante él, se quitan sus coronas en acto de humildad para quedar inmediatamente coronados por una luz que les eleva jerárquicamente y que les convierte en reyes superiores al haber sabido honrar a la deidad.

Dentro del cuento hay varios asuntos que merecen ser considerados individualmente:

1) El relato comienza con una canción en gallego que capta el espíritu de un pueblo ante la llegada del Redentor. Es decir, por medio de esta canción se mezcla lo narrado con la sensibilidad colectiva de la nación gallega.[7]

2) Los Reyes son descritos en toda su majestad y como seres que demuestran preocupación por el Niño: criatura a la que hay que tratar con delicadeza según se deriva de sus actos. Estos monarcas tienen un andar «armonioso» (p. 17), indicio de que sus actos están en comunión con la perfección del recinto en que se aloja el Niño Jesús.

3) El mundo fuera del establo del Niño Jesús está lleno de paz (p. 18) durante la mañana en que se marchan los Reyes: todos se desenvuelven de forma usual, demostrando así un vínculo armónico entre la gente, el paisaje y el recién nacido. En contraste con esta atmósfera, sin embargo, está otro cantar en gallego que escuchan los Reyes, composición con la que termina el relato y donde se hace referencia a fuerzas disruptivas —soldados de Herodes— que se aproximan y que según se deduce, destruirán la perfección que prevalece en este lugar.

4) Abundan en el cuento descripciones del físico de los Reyes y otros seres y de sus actitudes junto con algunas breves afirmaciones hechas por los Reyes y otros personajes. Implícita en todo el cuento está la figura de un narrador extradiegético y heterodiegético que ofrece mucha información sobre lo que sucede, sin que su presencia casi pueda ser detectada. Como resultado de las descripciones, lo que ocurre en el relato adquiere gran realidad: lo fundamental son los hechos mismos y no quien informa, siendo esto algo que se deduce de la falta de compaginación entre el tiempo en que algo pasa y el excesivo tiempo que ese mismo algo toma para ser narrado en términos del espacio que se le dedica en el texto y debido a la preponderancia de lo descriptivo a través del relato.[8]

«El miedo»[9]

En este relato se define, en primera persona, lo que es el miedo y cómo el sentirlo quizá ha afectado la existencia de un ser, el narrador del cuento. Las primeras dos páginas y media del texto se concentran en el ambiente que prevalece en la capilla del pazo, lugar húmedo, tenebroso y resonante; sitio donde descansan los restos de un antepasado del narrador. Este narrador-protagonista escucha a su madre y hermanas en dicha capilla sin poder verlas, y anticipa lo que hacen al imaginárselas en sus rezos y otras actividades cotidianas. Además, este narrador se adormece, y más tarde despierta con los gritos despavoridos de sus hermanas, lo que hace plausible su huida de allí.[10] Dichos gritos ocurren debido a que se escucha el chocar de los huesos del enterrado y el rodar de su calavera. Estos sucesos llenan de temor al protagonista, aunque él permanece en la capilla hasta la llegada del Prior de Brandeso, antiguo soldado que, después de detectar miedo en el narrador-protagonista, se niega a absolverle de sus pecados: «¡Yo no absuelvo a los cobardes!» (p. 23). Este insulto es lo que hace que el narrador-protagonista en el presente (ya adulto) crea comprender por qué dejó de temerle a la muerte: sentirse cobarde no le gustó y ello hizo posible que cambiase y pudiera «sonreír a la muerte como a una mujer» (p. 23).

El narrador de «El miedo» es extradiegético cuando, desde su vejez, se expresa sobre su existencia desde una perspectiva presente que no es parte de lo narrado en el pasado:

> Ese largo y angustioso escalofrío que parece mensajero de la muerte, el verdadero escalofrío del miedo, sólo lo he sentido una vez [p. 19].
>
> Y con rudo empaque salió sin recoger el vuelo de sus blancos hábitos talares. Las palabras del Prior de Brandeso resonaron mucho tiempo en mis oídos. Resuenan aún [p. 23].

Este mismo narrador-protagonista es intradiegético cuando desde el pasado narra lo que ocurrió entonces:

> El Prior alargó un brazo dentro del sepulcro para cogerla. Después, sin una palabra y sin un gesto, me la entregó. La recibí temblando. Yo estaba en medio del presbiterio y la luz de la lámpara caía sobre mis manos. Al fijar los ojos las sacudí con horror. Tenía entre ellas un nido de culebras que se desanillaron silbando, mientras la calavera rodaba con hueco y liviano son todas las gradas del presbiterio [p. 23].
>
> El Prior atravesó lentamente la capilla. Era un hombre arrogante y erguido. En sus años juveniles también había sido Granadero del Rey. Llegó hasta mí, sin recoger el vuelo de sus hábitos blancos, y afirmándome una mano en el hombro y mirándome la faz descolorida, pronunció gravemente:
>
> —¡Que nunca pueda decir el Prior de Brandeso que ha visto temblar a un Granadero del Rey! [...] [p. 22].

En los fragmentos citados, el narrador utiliza una perspectiva pretérita y es a la vez un participante de lo narrado. Es decir, desde un nivel diegético, el protagonista cuenta lo que sucedió y, al hacerlo, se convierte en narrador de un segundo nivel (o nivel hipodiegético). Dicho de otra forma, el narrador-protagonista es extradiegético cuando inicia el relato desde una perspectiva actual e intradiegético cuando narra cuanto sucedió siguiendo las percepciones vigentes en un momento pasado. En este sentido, los dos momentos del cuento son el presente del nivel diegético y el pasado del narrador intradiegético.

Ambos narradores, el extradiegético y el intradiegético, operan además como narradores homodiegéticos al estar presentes en las historias que narran. Añádase también que el narrador-protagonista de «El miedo» es digno de confianza: de él derivamos una visión autorizada de lo que ocurrió al no haber contradicción entre su figura y la del autor implícito.

Además de ser el narrador de «El miedo», el protagonista de este relato funciona también como focalizador de lo que ocurre. Su focalización es externa cuando lo que dice responde a su perspectiva de hoy; es interna cuando lo que expresa refleja sus percepciones pretéritas sobre lo que ocurrió, hechos que está narrando en la actualidad. En este sentido, el narrador-adulto es el extradiegético que demuestra focalización externa mientras que el narrador-joven es el intradiegético con focalización interna. De importancia con respecto a la focalización en «El miedo» es el uso que recibe el discurso indirecto libre. A través de él se dice lo que alguien dijo o pensó y se procede entonces a citar lo pensado o lo dicho. En estos casos, un narrador lo introduce todo y se detecta cómo él percibe las cosas en el presente:

> La pobre señora vivía retirada en el fondo de una aldea, donde estaba nuestro pazo solariego, y allá fui *sumiso* y *obediente* [...]. Después me llamó con voz baja para darme su devocionario y decirme que hiciera examen de conciencia:
>
> —Vete a la tribuna, hijo mío. Allí estarás mejor [...] [p. 19, énfasis mío].[11]

«Tragedia de ensueño»[12]

Esta es la historia de una anciana desposeída en vida de todo lo que ama, de aquello que le da sentido a su existencia. Todos sus hijos y nietos han muerto. Sólo le queda el más indefenso, aquél que ella amaba más y en quien erróneamente puso su esperanza («¡Ah! ¡Cuánto temía que la esperanza llegase y se cobijara en mi corazón como en un nido viejo abandonado bajo el alar!», p. 29). Fue erróneo el cariño de la abuela, ya que ahora paga con sufrimiento sus sentimientos al ver al niño muerto junto a ella, y es que para la vieja el niño era compañía, vida (flores) en su existencia; era un aviso celestial, luz en la noche de su vida, luz en su oscura alma. Todo lo pierde con la desaparición del niño y por ello la vieja le grita a la muerte que le devuelva a la criatura:

> ¡Ya me has dejado, nieto mío! ¡Qué sola me has dejado! ¡Oh! ¿Por qué tu alma de ángel no puso un beso en mi boca y se llevó mi alma cargada de penas? [...] Eras tú como un ramo de blancas rosas en esta capilla triste de mi vida [...]. Si me tendías los brazos eran las alas inocentes de los ruiseñores que cantan en el Cielo a los Santos Patriarcas. Si me besaba tu boca, era una ventana llena de sol que se abría sobre la noche [...]. ¡Eras tú como un cirio de blanca cera en esta capilla oscura de mi alma! [...] ¡Vuélveme al nieto mío, muerte negra! ¡Vuélveme al nieto mío! [...] [p. 32].[13]

Este texto es una tragedia en el sentido tradicional (aristotélico)[14] del término: aquí ocurre una acción importante que provoca compasión y terror por quienes conocen esta historia, emociones que surgen ante las circunstancias que afectan a la pobre vieja al verse predestinada a sufrir la soledad de encontrarse sin los suyos. Y es que los nietos de la abuela han ido a parar a un «camino donde cantan los sapos y el ruiseñor» (p. 25), animales que simbólicamente recuerdan lo infernal y el más allá.[15]

También de importancia conceptual en el relato son cómo el ser humano queda indefenso ante fuerzas aparentemente superiores que llegan aun a burlarse de él cuando más sufre (por ejemplo, el tardío regreso de la oveja, p. 31) y el uso que recibe la palabra «ensueño» en el título del relato (la situación de la abuela es trágica debido a que su ensueño —su ilusión— queda frustrado con la muerte del nieto).

Indudablemente, la historia de «Tragedia de ensueño» se desdobla en términos esencialmente dramáticos. Las descripciones, por ejemplo, sirven para colocar en ambientes específicos lo que sucede y para retratar a los personajes. Ambos atributos recuerdan las acotaciones en las obras teatrales. Por su parte, la presencia de las tres hermanas azafatas opera cual un coro que comenta la acción y permite que se adquiera una idea más profunda de lo que sucede y de cómo la existencia del niño se ve acosada por malos agüeros (pp. 25-27). A lo ya dicho es necesario agregar el predominio del diálogo por todo el relato, algo típico en el teatro.

Lo teatral en este cuento es aún más evidente cuando se le contrasta con ciertos conceptos aristotélicos detectables en él. En su *Poética,* Aristóteles discutió varios asuntos que para él debían caracterizar a toda buena tragedia.[16] Al hablar del argumento, el filósofo griego mencionó cómo una tragedia debía provocar miedo y piedad en el espectador. Añádase que para Aristóteles el argumento complejo era el mejor. Para él, un argumento era complejo cuando se detectaba en él una inversión de intención y un reconocimiento. En «Tragedia de ensueño» la inversión de intención ocurre cuando la abuela recibe lo opuesto de lo que espera del nieto; en otras palabras, ella espera alegría de este niño y recibe sufrimiento. El reconocimiento, por su parte, opera cuando la abuela se da cuenta del vacío final en que queda ante la muerte de la criatura. Otros elementos aristotélicos en «Tragedia de ensueño» son el uso del coro que comenta la acción y el hecho de que los personajes son consistentes consigo mismos y que desempeñan papeles apropiados a las circunstancias descritas.

En términos narratológicos, todo es relatado por un narrador extradiegético y heterodiegético que focaliza y permite que a través de él se expresen directamente los personajes en su diálogo. Por otra parte, la concepción dramática de «Tragedia de ensueño» no invalida que se le considere un texto narrativo, lo que es posible cuando se le aplican criterios típicos de la ficción narrativa.[17]

«Un cabecilla»[18]

Como es común en toda narración, sea ésta ficticia o no, su lector está constantemente explorando el texto que lee a fin de llegar a ciertas conclusiones sobre su contenido. Este proceso de exploración acontece en «Un cabecilla», aunque en este relato se produzca una curiosa situación, ya que durante gran parte del texto se puede asumir que el lector implícito tiene una idea bastante exacta de lo que sucede para descubrirse en las postrimerías del cuento —retrospectivamente— que estas percepciones eran deficientes a la luz de la conclusión del texto. Y es que, hasta cierto punto, «Un cabecilla» ejemplifica ese tipo de ficción que resulta ser autoconsciente; textos narrativos que se preocupan por su naturaleza y por sus nexos con la realidad, escritos donde se demuestra un entendimiento de cómo opera la ficción narrativa y de los efectos que pueden crearse para controlar el proceso de comunicación en la lectura.[19] Lo ya dicho queda documentado, específicamente, en el primer párrafo de «Un cabecilla»: aquí, el relato tiende a desorientar al lector implícito al poner énfasis en aspectos más bien anecdóticos del cuento a expensas de la problemática del narrador, asunto que queda expuesto en el último párrafo de la narración.

A primera vista, se concentra el relato en la figura de un cabecilla de una de las partidas que lucharon en la segunda guerra carlista, el cual impresionó mucho al narrador.[20] Si bien lo ya dicho es cierto, casi al terminar el texto surge un elemento de sorpresa al descubrirse que el cabecilla tuvo un altercado con el narrador algún tiempo después de la acción descrita previamente. Debido a la ya mencionada disputa entre el narrador y el cabecilla, todo lo leído hasta entonces tiene que ser reevaluado ya que, como resultado de esta información final, se altera bastante nuestra percepción sobre lo presentado y los diversos niveles narrativos que hay en este cuento.

El final del relato es de suma importancia, en parte debido a que el narrador admite que cuando despidió al cabecilla desconocía la identidad de este último y, por tanto, se atrevió a hacer algo esencialmente insólito. Es decir, el narrador —en el presente y al dirigirse implícitamente a un narratario— comprende el peligro que corrió cuando se enfrentó al cabecilla, ser de cuya supuesta barbarie no tenía una noción precisa.[21] Como resultado sufre una evolución la impresión atribuible al lector implícito del texto: de su percepción inicial sobre lo que realmente se presenta en este relato —la figura del cabecilla—, pasa a su interpretación última de que lo significativo en esta historia son los sentimientos que en la actualidad siente el narrador —su temor— al saber con quién había tenido un desacuerdo (p. 53). Todo esto, por añadidura, es algo de lo que sólo tiene conciencia el lector implícito al final del relato: sorprendiéndose entonces al descubrir lo que ha ocurrido en realidad, experimentando al hacerlo una emoción —la sorpresa— semejante a la del narrador cuando conoce quién era la persona a quien despidió:

> Confieso que cuando el buen Urbino Pimentel me contó en Viana esta historia terrible, temblé recordando la manera violenta y feudal con que despedí en la Venta de Brandeso al antiguo faccioso, harto de acatar la voluntad solapada y granítica de aquella esfinge tallada en viejo y lustroso roble [p. 53].

El paralelo entre el narrador y el lector implícito es, por consiguiente, muy efectivo, ya que a través de esta semejanza lo descrito por el narrador adquiere verosimilitud ante el lector implícito, al poder este último identificarse con lo que él primero sintió hace tiempo. El vínculo no sólo opera en términos conceptuales sino también de forma práctica: ni el narrador cuando discutió con el cabecilla ni el lector implícito tenían una idea precisa de lo que confrontaban, los dos están desorientados y asombrados (los dos comparten una misma emoción).

Si se examina retrospectivamente la historia de «Un cabecilla» se pueden encontrar los siguientes niveles narrativos en el relato:

1) El cuento es relatado por el narrador extradiegético que inicia la narración. Este narrador es homodiegético al encontrarse presente en lo que narra en el nivel diegético (el nivel extradiegético está fuera de lo narrado en «Un cabecilla»). En el nivel diegético o primer nivel narrativo, se encuentra un narrador que desde un presente hace referencia a asuntos pretéritos (las historias del cabecilla y su mujer y la del cabecilla y su despido a manos del na-

rrador). En este nivel diegético, el narrador es intradiegético. Es aquí —en este momento cronológico— cuando queda establecido lo que hoy piensa el narrador de su disputa con el cabecilla (obsérvese que sus percepciones al respecto son conocidas solamente en la última parte del relato).

2) El segundo nivel de la narración es aquél en el que el narrador tiene una trifulca con el cabecilla y ese otro momento en que Urbino Pimentel le cuenta en Viana la historia del cabecilla y su mujer. Este momento es el hipodiegético. Aquí se sobreentiende que Urbino Pimentel funciona como un narrador intradiegético y heterodiegético de un tercer nivel.

3) El tercer nivel es el de la historia del cabecilla y su mujer según la narra Urbino. Dentro de ella, se hace referencia a un cuarto nivel cuando la mujer del cabecilla, Sabela, narra brevemente la llegada de los negros al molino (p. 50). Cuando la molinera hace esto, se convierte a su vez en un narrador intradiegético y homodiegético.

4) El cuarto nivel atañe al ataque de los negros al molino según lo cuenta la molinera.[22]

Dentro de los diversos niveles de este relato, hay varios focalizadores. Por ejemplo, el narrador intradiegético del nivel diegético (el que cuenta su despedida del cabecilla) es un focalizador interno al ser uno de los personajes afectados (p. 53). Sin embargo, a veces no se puede saber con certeza quién focaliza, de quién es la perspectiva que se verbaliza. Por ejemplo, en la narración de la historia del cabecilla y su mujer, esta última es descrita como «pobre mujer» (p. 51). Este es un ejemplo de focalización externa (ella es vista desde fuera), pero no se sabe si esta percepción sobre la molinera emana del narrador de su historia (Urbino Pimentel, quien opera en el segundo nivel como narrador) o de ese otro narrador que en el nivel diegético (o primer nivel) discute en el presente cosas pretéritas que hoy provocan sus meditaciones: este narrador quizá esté modificando en el presente la historia hecha por Urbino Pimentel a la vez que interpreta la importancia de los hechos.

En general, se puede afirmar que el primer y último párrafo del relato son ejemplos de focalización interna al poner énfasis en las percepciones actuales del narrador sobre su situación (por supuesto, esta característica del primero es sólo comprensible retrospectivamente, después de haber leído el último). En el resto del cuento, por su parte, tiende a predominar la focalización externa al provenir cuanto allí se narra —la historia del cabecilla y su mujer— de Urbino Pimentel o del narrador extradiegético. Ninguno de los dos estuvo presente en la historia narrada y, por consiguiente, las cosas son concebidas desde fuera.

Por último, se detecta en «Un cabecilla» caracterización por definición directa e indirecta. Ejemplo de la caracterización directa nos lo da la descripción inicial del cabecilla (p. 49; se llega a decir que «había sido un terrible guerrillero») y la relación de este personaje con un «roble», árbol sólido y duradero cuyos atributos pueden ser relacionados con el temperamento y el físico del viejo cabecilla (p. 53) según la visión que de él tiene el narrador extradiegético, voz que no le comprendió plenamente. La definición indirecta se ejemplifica con esas características del cabecilla que se derivan de sus acciones. Es así que él mata a su mujer, sin odio y con dolor, ya que ella ha traicionado la causa:

> La pobre mujer caminaba angustiada, enredados los toscos dedos de labradora en la mata cenicienta de sus cabellos. Si se detenía, mesándoselos y gimiendo, el marido, cada vez más sombrío, la empujaba con la culata de la escopeta, pero sin brusquedad, sin ira, como a vaca mansísima nacida en la propia cuadra, que por acaso cerdea [p. 51].[23]

«La misa de San Electus»[24]

Esta es la historia de tres jóvenes que han sido mordidos por un lobo rabioso e intentan curarse sin conseguirlo. Su última esperanza recae en una misa al «glorioso San Electus» (p. 55), ceremonia que será financiada con limosnas. Dos de ellos no pueden asistir a este acto por estar ya muy enfermos mientras que el tercero lo hace en su nombre. Los tres mueren en una misma noche: ni su devoción ni las creencias que comparten con quienes les rodean les salvan (recuérdese cómo unas mujerucas les dicen «remedio lo hay para todas las cosas queriendo Dios», p. 54). La fe no puede con la enfermedad, el mal que ellos sufren es más fuerte que sus creencias (o, al menos, parece que Dios ha optado por no salvarles, lo que no queda justificado por la presencia en el relato de posibles defectos de ellos). Es, pues, este cuento un claro indicio de que las supersticiones no son ni totalmente poderosas ni absolutamente válidas en la definición de la problemática humana.

Los elementos constituyentes de este relato resultan algo evasivos en la identificación de los narradores y de los diversos niveles narrativos: el enigma que esto produce se asemeja a la incertidumbre que afecta a los tres jóvenes en su deseo de curarse. Sin embargo, el paralelo desaparece al final, cuando sabemos que los jóvenes no consiguen su objetivo y todavía no hay certeza sobre los narradores y niveles narrativos (por supuesto, tampoco hay certidumbre sobre por qué no se salvan: quizá Dios no lo haya querido o las creencias de los tres jóvenes no posean suficiente convicción como para justificar su cura).

Se puede concluir que la narración es comenzada por un narrador extradiegético que es también homodiegético, cuando en el primer nivel (o nivel diegético) se convierte en uno de los niños que interrogaban a los tres enfermos cuando estos últimos pedían limosnas (p. 55).[25] En este plano narrativo, puede resultar extraña la aparente omnisciencia del narrador cuando sabe el «vago terror» que los tres enfermos sentían cuando de noche regresan a su aldea (p. 55). Esta omnisciencia, sin embargo, tiene justificación, ya que es probable que lo que pasa sea que el narrador de niño haya sido testigo de lo que ocurrió en el relato y que en el presente —momento que podría derivarse del lenguaje bastante elaborado del cuento—, ya mayor, combina sus percepciones pretéritas con las de su hoy, siendo en este último instante cuando se imagina lo que sucedió y procede a llenar ciertos vacíos de sus recuerdos, a la vez que opera cual un narrador extradiegético que lo observa todo desde fuera de la historia narrada:

> Cuando llegaban a la puerta de las casas hidalgas [...] los niños, asomados a los grandes balcones de piedra, los interrogábamos:
> —¿Hace mucho que fuisteis mordidos?
> —Cumpliéronse tres semanas el día de San Amaro...
> Y los tres mozos, luego de recibir la limosna, seguían adelante [...]. Era el caer de la tarde, y caminaban en silencio por aquella vereda del molino donde les saliera el lobo. Los tres mozos sentían un vago terror [pp. 54-55].

Si se aceptara la interpretación que acabo de formular, entonces el relato tendría dos niveles narrativos: el que cuenta el narrador extradiegético (es decir, el nivel diegético —su pasado—, en el que aparecen como narradoras intradiegéticas unas mujeres que narran lo que les ha ocurrido a los tres jóvenes en un nivel hipodiegético [véase la p. 54]). Mujeres que son narradoras heterodiegéticas al no aparecer en la historia que cuentan (ellas están incluidas, sin embargo, en la historia del narrador extradiegético). En este sentido, el narrador extradiegético narra su historia de cuando era niño (incluyendo cómo unas «mujerucas» contaron algo) y las «mujerucas» cuentan lo que les ocurrió a los tres jóvenes:

> Las mujerucas que llenaban sus cántaros en la fuente comentaban aquella desgracia con la voz asustada. Éranse tres mozos que volvían cantando del molino, y a los tres habíales mordido el lobo rabioso que bajaba todas las noches al casal. Los tres mozos, que antes eran encendidos como manzanas, ahora íbanse quedando más amarillos que la cera. Perdiendo todo contento, pasaban los días sentados al sol, enlazadas las flacas manos en torno de las rodillas, con la barbeta hincada en ellas. Y aquellas mujerucas que se reunían a platicar en la fuente cuando pasaban ante ellos solían interrogarles [...] [p. 54].

Esta interpretación parece plausible, ya que alguien directamente describe a las mujeres en sus actos y ello compagina con la inclusión que el narrador hace de sí mismo entre los niños (p. 55).[26] En este sentido, es fundamental recordar cuán privilegiada es a menudo la posición del narrador extradiegético: en última instancia, todos los planos narrativos tienen que filtrarse a través de él y ello facilita la aparente fusión de estos niveles y voces narrativas.

«El rey de la máscara»[27]

En este relato se ofrece un cuadro de la barbarie en la campiña gallega cuando un grupo de disfrazados a lo carnavalesco aparecen con gran alboroto en la casa de un cura acompañados de un rey enmascarado que abandonan muerto en la casa rectoral, mientras el cura y su sobrina les buscan vino. El muerto, el abad de Bradomín, fue al parecer secuestrado y asesinado por sus acompañantes, individuos que le visten de forma grotesca.[28]

En el cuento, el abad de Bradomín se convierte en un problema para el cura de San Rosendo de Gondar y su sobrina, ya que no les resulta beneficioso que la justicia se entere del lugar donde los asesinos le han dejado, y tampoco pueden avisar a sus vecinos (los molineros), por ser muy posible que ellos estén involucrados en lo que ha ocurrido. Dado el conflicto al que se enfrentan, el cura y su sobrina optan por quemar el cuerpo del difunto para que así no quede rastro de su presencia en la casa rectoral. Al hacerlo, un cura aparentemente valiente y una joven que parece ser buena demuestran que lo que más les preocupa es evitarse futuras dificultades e ignoran, por tanto, sus otras responsabilidades. La dualidad que caracteriza a los personajes queda recalcada al final de la narración, cuando Sabel lamenta la muerte del abad a la vez que describe su buen carácter para, inmediatamente, mirar a su alrededor para verificar que no queda ningún indicio del cadáver en la casa rectoral:

—¡De por fuerza lo mataron para robarlo! Otra cosa no pudo ser. ¡Un bendito de Dios que con nadie se metía! ¡Bueno como el pan! ¡Respetuoso como un alcalde mayor! ¡Caritativo como no queda otro ninguno! ¡Virgen Santísima, qué entrañas tan negras! ¡Madre Bendita del Señor!

De pronto cesó en su planto, se levantó, y con esa previsión que nace de todo recelo, barrió la ceniza y tapó la negra boca del horno, con las manos trémulas. El cura, sentado en el banco, picaba otro cigarrillo, y murmuraba con sombría calma:

—¡Pobre Bradomín! [...] ¡Válate Dios la hornada! [pp. 63-64].

En el texto citado se observa un marcado contraste entre el calor humano (algo esencialmente emotivo) y la frialdad (lo calculador) en los actos de la joven. Simultáneamente, se puede detectar la frustración —quizá humor negro también— del párroco cuando, al invocar el nombre de Dios, expresa su esperanza de que Éste aprecie la cremación del abad, siendo lo único que el cura puede hacer ante tal situación.[29]

Es significativo en el relato cómo el espíritu de juerga que usualmente prevalece en el carnaval queda desvirtuado al predominar en las descripciones una tendencia a pintarlo todo en términos extremos, inclinación que muy probablemente responda a la barbarie del crimen y que quizá constituya un tipo de *amorce*, al adelantarnos un poco las percepciones del narrador sobre lo que ha sucedido (no se olvide que todavía no se sabe que el rey ha sido asesinado). Es así como el narrador extradiegético y heterodiegético del cuento describe en términos poco usuales a los disfrazados:

Eran hasta seis hombres, tiznados como diablos, disfrazados con prendas de mujer, de soldado y de mendigo: Antiparras negras, larguísimas barbas de estopa, sombrerones viejos, manteos remendados, todos guiñapos sórdidos, húmedos, asquerosos, que les hacían de repugnante agüero. En unas angarillas traían un espantajo, vestido de rey o emperador, con corona de papel y cetro de caña. Por rostro pusiéronle groserísima careta de cartón, y el resto del disfraz lo completaba una sábana blanca [p. 60].

En el pasaje citado, es muy significativo que en la descripción inicial del muerto se le pinte como «espantajo», figura que ahuyenta el espíritu alegre del carnaval a la luz de lo que ocurre en «El rey de la máscara».[30] Indudablemente, las descripciones previas constituyen un tipo de caracterización por definición directa que hace el narrador-focalizador de este breve cuento.

«Del misterio»[31]

Este relato está constituido por los recuerdos que un niño tiene de una señora (doña Soledad) que le inspiraba miedo y que una noche narró cómo había visto al padre del niño matar a su carcelero, acto por el cual, según ella, este niño deberá pagar, ya que su padre tiene un demonio que le protege y, por ende, no permite que sea castigado. Estos recuerdos son evocados por un adulto (el niño que escuchó a doña Soledad) que, al parecer, siente junto a sí la figura del fallecido carcelero, cumpliéndose de esta forma la profecía de la vieja doña Soledad. Como resultado de la información que contiene el cuento y de la forma en que es expresada, su lector se puede plantear varias preguntas: 1) ¿Es el narrador-protagonista fidedigno? ¿Se puede aceptar lo que dice literalmente o podemos concebir hechos reales que explican por qué lo percibe todo como lo hace?; 2) ¿Qué efecto puede asumirse que tiene lo sobrenatural sobre la sensibilidad de un niño que cree que ha sido testigo de hechos extraordinarios?; 3) ¿Se puede aceptar totalmente lo sobrenatural según es descrito en el relato o es plausible que se tengan dudas al respecto?; 4) ¿Estaba predispuesto el niño ante la figura de doña Soledad cuando dice en la p. 85 que le «infundía un vago terror»? A continuación, se intentará dar respuesta a estas preguntas, a la vez que se plantearán otros aspectos que, en mi opinión, son de capital importancia en este cuento.

I

Muy al principio del relato, el niño llega a decir que él fue objeto de un «maleficio» (p. 86) a manos de doña Soledad. Al hacerlo, queda planteada la posibilidad de que su historia responda a este hechizo y no al supuesto crimen de su padre. Sea lo uno o lo otro cierto, es indudable que el niño siente gran aversión por la vieja y que ello se refleja en su caracterización directa del personaje cuando opera simultáneamente como protagonista y narrador del cuento. Si bien él la acusa a ella de hechizarle, también parece aceptar la posibilidad de que un espíritu —el del carcelero de su padre— es quien le persigue, algo que ella había aseverado.[32] Dicho de otra forma, no hay total evidencia sobre por qué el protagonista se enfrenta a ciertas circunstancias durante su vida. Al mismo tiempo, tampoco se sabe con certeza qué motiva al narrador a expresarse como lo hace. Esta imprecisión abre la posibilidad de que se pueda interpretar este texto de varias formas a la luz de lo que ocurre en él.

En este sentido, el significado del título del relato —«Del misterio»— es altamente clarificador: el cuento es una exploración de lo que es un misterio, ya que la narración se concentra en su esencia evasiva, enigmática y, probablemente, plurifacética. Todo cuanto he afirmado queda hasta cierto punto recalcado con el uso de la contracción de la preposición «de» y el artículo determinado «el»: será del misterio de lo que se hablará y especulará en el cuento que nos concierne.

II

«¡Hay también un demonio familiar!» (p. 85): con esta afirmación impersonal sobre la existencia de un demonio familiar se inicia el relato. Esta oración sólo se entiende plenamente al final del cuento, siendo como es un tipo de prolepsis al constituir una afirmación que queda enunciada antes de que se narren hechos que la hagan verdaderamente comprensible. Como resultado de esta afirmación inicial, se despiertan dudas en el lector implícito al carecer de datos completos que le permitan entender lo que sucede. En este sentido, se puede especular que el lector implícito quedará preocupado por cómo se manifestará ese «demonio familiar» que se menciona al comienzo del texto y no en si existe o no este ente (es decir, en vez del «qué», se va al «cómo» de algo). Lo hasta aquí dicho sobre la primera oración del relato permite que se la considere como un ejemplo de omisión que contribuye a su dinámica: «Del misterio», como todo texto, fue escrito para ser leído, y con la omisión a que me he referido se evita su comprensión inmediata, a la vez que aumenta el interés del lector por saber lo que ocurre. Dicho de otra forma, esta frase inicial es un tipo de omisión hermenéutica que hace que el lector implícito detecte un enigma e intente de allí en adelante resolverlo mientras lee el texto.[33]

III

En «Del misterio» hay un narrador extradiegético y homodiegético que inicia el relato y que está presente en lo que narra como alguien ya adulto que reflexiona sobre lo que le sucedió y está sucediendo. Este narrador extradiegético que cuenta lo que ocurre en el nivel diegético (o sea, su vida de adulto) opera además como un narrador intradiegético y homodiegético cuando empieza a narrar lo que le pasó en su niñez, actualizándolo cual si estuviese ocurriendo en el presente. El relato del narrador intradiegético ocurre en un nivel hipodiegético. Ambos momentos cronológicos en el narrador son documentables en el texto según se puede observar en los siguientes ejemplos:

> Mis ojos de niño conservaron mucho tiempo el espanto de lo que entonces vieron, y mis oídos han vuelto a sentir muchas veces las pisadas del fantasma que camina

> a mi lado implacable y funesto, sin dejar que mi alma, toda llena de angustia, toda rendida al peso de torvas pasiones y anhelos purísimos, se asome fuera de la torre, donde sueña cautiva hace treinta años. ¡Ahora mismo estoy oyendo las silenciosas pisadas del Alcaide Carcelero! [p. 89].
>
> Yo recuerdo que, cuando era niño, iba todas las noches a la tertulia de mi abuela, una vieja que sabía estas cosas medrosas y terribles del misterio [p. 85].
>
> —¿Por qué no acuestas a ese niño?
>
> Mi madre se levantó conmigo en brazos, y me llevó al estrado para que besase a las dos señoras. Yo jamás sentí tan vivo el terror de Doña Soledad. Me pasó una mano de momia por la cara y me dijo:
>
> —¡Cómo te le pareces!
>
> Y mi abuela murmuró al besarme:
>
> —¡Reza por él, hijo mío!
>
> Hablaban de mi padre, que estaba preso por legitimista en la cárcel de Santiago. Yo, conmovido, escondí la cabeza en el hombro de mi madre, que me estrechó con angustia:
>
> —¡Pobres de nosotros, hijo! [p. 86].

En los dos primeros fragmentos citados, el narrador se expresa sobre su pasado, mientras que en el tercero los hechos de su niñez son dados como si fueran actuales, a pesar del uso parcial de pretéritos en las formas verbales.[34]

La existencia de dos voces cronológicamente diferentes en el protagonista es muy importante, ya que como narrador extradiegético puede presentar lo que ocurrió desde un punto de vista actual, mientras que como narrador intradiegético (desde su ayer) el protagonista puede mantener una ilusión de mímesis que infunde de autenticidad lo que narra. En cualquier caso, el lector tiene que recordar que el protagonista es el focalizador en ambos momentos y que sus percepciones tienen que ser sospechosas al haber estado involucrado directamente en lo que sucedió.

La perspectiva predominante en el narrador extradiegético es un ejemplo de focalización externa, mientras que la del narrador intradiegético ejemplifica una focalización interna. Esto se detecta en la forma en que se verbalizan las perspectivas de ambos momentos cronológicos en la vida del protagonista-narrador. La focalización del narrador extradiegético es, en general, externa, ya que casi todo es visto desde fuera, desde un hoy, desde una perspectiva en el presente.[35] La focalización del narrador intradiegético, por su parte, es interna, ya que ocurre desde dentro de los hechos focalizados.

IV

Generalmente, los narradores protagonistas son de poca confianza debido a su involucración personal en lo que narran. Para que esta impresión preliminar sea válida, añádase, tiene que estar corroborada por el autor implícito. O sea, si lo dicho por el narrador no compagina con lo sustentado por el autor implícito, entonces el narrador es indigno de confianza.

En «Del misterio», el párrafo inicial del relato tiende, a primera vista, a darle validez a lo aseverado por doña Soledad:

> La sombra del muerto no puede nada contra él. La sangre que derramó su mano, yo la veo caer gota a gota sobre una cabeza inocente [...] [p. 88].
>
> —¡Ay Jesús! Sólo los ojos del niño le han visto. La sangre cae gota a gota sobre la cabeza inocente. Vaga en torno suyo la sombra vengativa del muerto. Toda la vida irá tras él. Hallábase en pecado cuando dejó el mundo, y es una sombra infernal. No puede perdonar. Un día desclavará el puñal que lleva en la garganta para herir al inocente [p. 89].

Lo dicho en ambos ejemplos es vinculable a lo que afirma el protagonista cuando, al final del cuento, escucha las pisadas del Alcaide Carcelero junto a sí, carcelero que su padre asesinó durante la niñez del narrador: de esta forma cobrará vida la profecía de doña Soledad, ya que el niño, al parecer, pagará —y de hecho paga al sentirse perseguido— por los pecados de su progenitor (por treinta años ha estado obsesionado por la figura del carcelero).

Otra posible interpretación del cuento sería que el narrador-adulto intenta justificar sus deficiencias con la profecía de doña Soledad: en este sentido, el narrador-adulto es lo que es debido a que durante treinta años el fantasma del carcelero que su padre mató le ha perseguido e impulsado a cometer ciertos errores como parte de su venganza. En esta segunda interpretación, el protagonista se exime de toda culpa por sus actos, lo que justificaría por qué se ha expresado como lo hace a través del texto (no se olvide que sólo el niño y doña Soledad ven al fantasma del carcelero [p. 89]: él, por supuesto, está muy mezclado con lo que pasa y es impresionable debido a su niñez, mientras que ella sustenta creencias que favorecen la existencia de un mundo sobrenatural).[36]

En vista de los contenidos del texto, cada lector puede aceptar una u otra de las interpretaciones que he enunciado. Al hacerlo, se documenta cómo ciertos datos se prestan a diversas interpretaciones, lo que recuerda los múltiples sentidos que a menudo se derivan de una narración ficticia.[37] Y es que «Del misterio» ofrece un ejemplo de ese tipo de textos que tienen significado múltiple —o doble sentido— como resultado de la examinación de datos semejantes que pueden adquirir para el lector implícito sentidos diferentes.[38]

Lo dicho hasta aquí queda recalcado en la primera oración del cuento —«¡Hay también un demonio familiar!». Esta aseveración se presta a dos interpretaciones básicas debido al sentido de la palabra «familiar»: 1) que cada familia tiene un demonio suyo, algo que se hereda; y 2) que existe un demonio comúnmente conocido.[39] En ambos casos, el giro «también» complica aún más el sentido de esta oración al contribuir a la idea de reiteración o repetición en términos imprecisos. Dicho de otra forma, el ser humano es lo que es en parte por su herencia pero, también, como resultado de defectos comunes que comparte con otros individuos.

«A medianoche»[40]

En este relato predomina una atmósfera de misterio,[41] de anticipación y de tensión que surge, en parte, debido al uso de descripciones y de diálogos que constituyen, hasta cierto punto, un tipo de discurso indirecto libre, donde se sabe lo dicho por los personajes a la vez que se conoce cómo el narrador concibe ciertas circunstancias como resultado de la manera en que las plantea. Lo enigmático en el cuento se detecta desde su primer párrafo por la forma en que se describe al jinete y a su acompañante, dadas las características del lugar por donde viajan y a la hora en que lo hacen:[42]

> Corren jinete y espolique entre una nube de polvo. En la lejanía son apenas dos bultos que se destacan por oscuro sobre el fondo sangriento del ocaso. La hora, el sitio y lo solitario del camino, ayudan al misterio de aquellas sombras fugitivas [p. 90].

En este pasaje se observa cómo las dos figuras que viajan quedan caracterizadas en términos de un reforzamiento por analogía, que hace que el paisaje refleje aspectos de los personajes y de su circunstancia aunque ello sólo ocurra en términos muy generales.

Del jinete que aparece en «A medianoche» poco —prácticamente nada— se sabe, aunque es perceptible que desea llegar a un sitio desconocido rápidamente (aun tomando malos y peligrosos caminos) por razones que se ignoran. Su nombre nunca es pronunciado, aunque sí se sabe que mantiene con el espolique que le acompaña una relación de amo con criado. Indudablemente, la figura de este jinete es bastante enigmática.

En el viaje del jinete y el espolique hay dos incidentes que podrían ser concebidos como puntos culminantes de la historia de estos personajes: el encuentro con un asaltante y la conversación entre el criado y esa vieja que, muy probablemente, fuera la madre del ya difunto ladrón. Sin embargo, ninguno de estos sucesos parece tener mayor envergadura: en el primero, el asaltante muere a manos del jinete durante su pretendido robo, mientras que, en el segundo, queda claro que el ladrón lo hacía con el conocimiento y aparente apoyo de su madre (es decir, el acto de robar queda aquí institucionalizado como algo típico de ciertas gentes de este lugar).

Más importante que ambos incidentes es la atmósfera de vago misterio que predomina:

> Callaron con las almas sobresaltadas y cubiertas de misterio [p. 93].
>
> Percibíase más cerca el rumor de la corriente aprisionada en los viejos dornajos del molino; era un rumor lleno de vaguedad y de misterio que tan pronto fingía alarido de can que ventea la muerte como un gemido de hombre a quien quitan la vida [p. 91].

Lo arcano en estas atmósferas refleja la figura del jinete, ser que demuestra preocupación por encontrarse con personas al no desear que se sepa que él está allí (pp. 93-94). Y es que el jinete tiene una cita con alguien (un tal Don Ramón María) por razones que ignoramos (aunque sabemos que desea que todo se mantenga en secreto: «¡Te va la vida en callar!», p. 94): ni aun su criado sabe quién es él en realidad, desconocimiento que se deduce de su especulación al respecto:

> Y con esto arrendóse el encubierto, para dejarle paso, un dedo puesto sobre los labios. Al verse solo, se santiguó devotamente. ¿Adónde iba? ¿Quién era? Tal vez fuese un emigrado. Tal vez un cabecilla que volvía de Portugal. Pero de las viejas historias, de los viejos caminos, nunca se sabe el fin [p. 94].

Dicho de otra forma, se ha leído un relato donde su protagonista es un ser enigmático del que se desconoce prácticamente todo. Su figura es, en última instancia, lo central en el cuento (de allí todo el misterio que ha existido a través del texto), ya que los otros incidentes operan más bien como excusas para facilitar la creación del protagonista, ente que el lector implícito cree conocer sin en verdad conocerle, hombre esencialmente esotérico. Agréguese que todo esto es comprensible si se acepta que el misterio por sí mismo (en sí mismo) es lo central en el cuento, ya que lo recóndito e impenetrable de la medianoche es lo que se intenta captar en este texto, relato que es narrado por un narrador extradiegético y heterodiegético que focaliza de forma externa.[43]

«Mi bisabuelo»[44]

Es la historia de alguien que descubre semejanzas entre su persona y la de su bisabuelo, parecidos sobre los cuales sólo se adquiere plena conciencia al final del relato (p. 101), algo de suma importancia al obligar al lector implícito a reconsiderar lo leído a la luz de esta nueva información (este fenómeno es común a los relatos de Valle). Por el bisabuelo el narrador sintió cariño a la vez que su figura, durante la niñez del narrador, constituyó una incógnita. Más tarde, sin embargo, el narrador escucha la historia de cómo su bisabuelo fue a la cárcel de Santiago, lo que le produce orgullo, pues en ella su bisabuelo quedó como un hombre valiente al ser el único que se atrevió a matar al escribano que abusaba de sus súbditos. En este sentido, el bisabuelo es un individuo que demuestra piedad por sus subalternos y que les defiende ante el poderoso y, por tanto, sufre por ello cuando se toma la justicia por su mano y castiga al escribano que, utilizando sus poderes, roba a los pobres.[45]

Años más tarde, el narrador descubre que su bisabuelo realmente fue a la cárcel por pertenecer a un partido (a una facción) y ello, sin embargo, no le resta nada a la admiración que siente por su antepasado, con el cual se identifica al saber que su propio carácter es interpretado por su parentela como una repetición del de su ya desaparecido bisabuelo:

> Era yo estudiante cuando llegué a formarme cabal idea de mi bisabuelo. Creo que ha sido un carácter extraordinario, y así estimo sobre todas mis sangres la herencia suya. Aún ahora, vencido por tantos desengaños, recuerdo con orgullo aquel tiempo de mi mocedad, cuando, despechada conmigo toda mi parentela, decían las viejas santiguándose: ¡Otro Don Manuel Bermúdez! ¡Bendito Dios! [p. 101].

Debido a esta actitud del narrador se puede entender plenamente cómo el título del relato es una afirmación del narrador, en el sentido de que el bisabuelo que describe es el suyo: esa persona a quien el narrador le ha atribuido ciertas características y por quien se siente atraído a pesar de que conoce muy bien que no fue como se lo imaginó de niño.[46] Esta visión suya de su bisabuelo es de capital importancia al responder, implícitamente, su evocación de lo que narra a tendencias que el narrador comparte con su antepasado y a cómo, aparentemente, no le agradaba el resto de su parentela (el narrador y su bisabuelo comparten la animosidad de ellos).

En «Mi bisabuelo» hay varios narradores. El narrador extradiegético es quien inicia el texto a la vez que narra desde un hoy adulto lo que ocurrió, escuchó y sintió.[47] Este narrador extradiegético es a la vez homodiegético, al participar en lo que narra en el nivel diegético (su pasado). El narrador extradiegético se expresa en primera persona cuando reflexiona sobre sus creencias pasadas, sobre la leyenda de su bisabuelo y sobre su propia vida. Además, este narrador extradiegético interrumpe la historia de Micaela sobre las hazañas de su bisabuelo para matizarlas:

> Cuentan que mi bisabuelo al oír esto dio una voz muy enojado, imponiendo silencio:
>
> —¡Habla tú, Serenín! ¡Que yo me entere!
>
> Todos se apartaron, y el ciego labrador quedó en medio del camino con la cabeza descubierta, la calva dorada bajo el sol poniente. Llamábase Serenín de Bretal, y su madre, una labradora de cien años, Águeda la del Monte.

> Esta mujer había sido nodriza de mi bisabuelo, quien le guardaba amor tan grande, que algunas veces cuando andaba de cacería llegábase a visitarla, y sentábase bajo el emparrado a merendar en su compañía un cuenco de leche presa [p. 97].

En el nivel diegético aparece Micaela, personaje que opera como narradora intradiegética y heterodiegética. Lo que ella narra sin ser partícipe constituye el nivel hipodiegético del relato (pp. 96-101), plano en que se perciben ciertos comentarios que son intercalados por el narrador extradiegético, aseveraciones que explican lo que relata la vieja. En el cuento de Micaela, por otra parte, aparece la narración de Serenín y otros sobre los males que sufren a manos del escribano. Al hacerlo, Serenín y sus compañeros se convierten en narradores intradiegéticos y homodiegéticos en un nivel inferior a aquel en el que ellos operan como narradores (o sea, en un tercer plano narrativo o nivel hipohipodiegético; véanse, específicamente, las pp. 97-98). Sobreentendida en todos los niveles narrativos está la presencia de narratarios. Añádase que ni el narrador extradiegético ni Micaela —las dos voces que más se escuchan— se puede asumir que sean dignos de confianza. El primero demuestra una actitud hacia sus familiares que le inclina a concebir las cosas como lo hace: su «cabal idea» (p. 101) está coloreada por cómo prefiere verlo todo (al comenzar el cuento afirma que su bisabuelo «era orgulloso, violento y muy justiciero» [p. 95], adjetivos que captan su visión algo exagerada y contradictoria de la realidad). Micaela, por su parte, se equivoca al explicar por qué el famoso bisabuelo fue a la cárcel. En el caso de Micaela, ella relata una leyenda —narra lo que otros ya «cuentan» (p. 97)—, texto que no tiene por qué ser verídico al ajustarse, por encima de todo, a percepciones que son sustentadas colectivamente. De hecho, lo que ella afirma sobre el caballero es tan descabellado como lo que se decía de la «roseola» que tenía él en la mejilla derecha («[...] murmuraba [la gente del pueblo] que era un beso de las brujas» [p. 95]).

En «Mi bisabuelo», la focalización es variable. Así, la focalización del narrador extradiegético es externa e interna (depende de si visualiza desde su hoy o su ayer, distinción que no es nada fácil de hacer). La focalización de los narradores intradiegéticos resulta ser interna. Los diversos tipos de focalización permiten que lo narrado sea evaluado desde una perspectiva actual y que no se pierda por ello una percepción directa de los sucesos, según éstos atañen a diversos focalizadores que a la vez funcionan como narradores.

Por último, es significativo el uso de diversos tipos de discursos que facilitan la expresión de la problemática conceptual que se observa en este cuento (por ejemplo, la idealización de ese antepasado con quien se identifica el narrador extradiegético, el sentido de justicia de un potentado rural, el sufrimiento de los labradores, etc.). Con estas variedades se diferencia a menudo entre los distintos niveles narrativos que a su vez reflejan los momentos «históricos» que se documentan en «Mi bisabuelo» (son identificables en el relato los siguientes discursos: indirecto que parafrasea [p. 96], indirecto libre, y directo).

«Comedia de ensueño»[48]

Tiene este relato una concepción dramática por el uso de acotaciones que describen el sitio donde ocurre la acción, la apariencia de los personajes y sus actos, y por el predominio del diálogo.[49] La historia narrada es esencialmente modernista (simbolista para algunos críticos): un capitán de forajidos se enamora de una mano maravillosa que le cortó a alguien que desconoce, ser que según se dice es una doncella encantada, la hija de un rey. Por recuperar esta mano cuando se la roba un perro, este capitán está dispuesto a dar sus posesiones; por esta mano rompe con los suyos.

De importancia suprema es para el capitán lo fantástico —la ilusión—, algo que está en contraste directo con el materialismo de sus compañeros:

LA VIEJA
Hijos míos, no corráis el mundo inútilmente, que moriríais de viejos a lo largo de los caminos sin hallar la mano de la Princesa. [...] La caravana pasa, y aprovechad el bien que os depara la suerte [p. 132].

La Madre Silvia tiene en el suelo el paño de oro que fue mortaja de la mano blanca, y los ladrones fían su suerte a los dados, mientras, por el camino que ilumina la luna, corre un jinete en busca de la mano de la Princesa Quimera [p. 134].

Las referencias en el relato a una princesa, a la nigromancia, a la belleza, a lo ideal, al misterio de la doncella, todo en fin, es esencialmente modernista al recordar, por ejemplo, el famoso poema de Rubén Darío titulado «Sonatina».[50]

«Comedia de ensueño» es un texto narrativo que presenta ciertos vicios de la sociedad, algo común en ese otro género literario llamado «comedia». Así mismo, el narrador del relato es extradiegético y heterodiegético (cual suele serlo implícitamente un dramaturgo), mientras que la focalización en el cuento resulta ser variable: externa en las descripciones del narrador (en esos fragmentos que podrían ser considerados como acotaciones) e interna en las percepciones de los personajes sobre la realidad.

«Milón de la Arnoya»[51]

Cuento muy sencillo por su contenido y expresión, «Milón de la Arnoya» está lleno de lugares comunes de la narrativa temprana de Valle-Inclán, al tratar de una mujer joven que dice ser poseída, mientras que otras personas se compadecen o se burlan de este personaje. También se detecta en el relato la figura de una persona poderosa que decide defender a un indefenso, la posible presencia de lo sobrenatural, y un énfasis en las posibles deficiencias humanas.[52]

Este cuento plantea la posible presencia de lo sobrenatural en la figura de un hombre que aparentemente domina a una mujer debido a sus poderes diabólicos. De lo sobrenatural se sabe en el relato por lo que dice la moza poseída y por la reacción de los personajes al confrontar a Milón de la Arnoya. El narrador, por su parte, es quien hace testigo al lector implícito de mucho de cuanto ocurre a la vez que no llega a afirmar la existencia de lo diabólico cuando admite que no fue testigo directo de lo que otros contaron, ya que él solamente vio «cuando anocheció y salió la luna, un búho sobre un ciprés» (p. 139). Si bien lo observado por el narrador resulta esencialmente sugerente, no constituyen estos elementos —la luna, el búho y el ciprés— indicios irrefutables de lo sobrenatural y lo diabólico: en el contexto de este cuento, sin embargo, es más importante la identificación de lo que, en términos generales, es percibido como real por la colectividad que determinar con precisión si lo aparentemente sobrenatural ocurre de verdad en el mundo de «Milón de la Arnoya».[53]

Este cuento es narrado por el nieto de doña Dolores Saco. El narrador es extradiegético y homodiegético. En general, no se identifican en este narrador diversos momentos cronológicos: lo que relata es concebido por él tal y como lo hizo en el momento en que ocurrieron los hechos mismos (el narrador no modifica sus percepciones pretéritas con sus creencias actuales).[54]

La focalización en el cuento es variable: junto a la del narrador extradiegético aparece la de los personajes. La coexistencia de focalizadores amplía, indudablemente, el panorama de perspectivas que se tiene sobre lo que acontece. Ello lleva, además, a la presentación de hechos donde resultan plausibles diversas interpretaciones de lo que ocurre (desde la existencia de lo sobrenatural a la presencia de defectos humanos y/o una mezcla de ambos). Agréguese que predomina en el relato el uso del discurso indirecto libre (combinación de diálogo con direcciones del narrador que establecen quién se expresa y que describen lo que acontece). El uso de este tipo de discurso resulta apropiado para la expresión de una múltiple focalización.

«Un ejemplo»[55]

En este cuento se dilucida sobre la perfección divina de Jesucristo en contraste con la imperfección humana según se ejemplifica esta última en un santo ermitaño llamado Amaro.[56] Mientras que el hombre —o sea, Amaro— añora la perfección de Dios, pidiéndosela a la deidad constantemente para, acto seguido, quejarse cuando comprende cuán difícil es la perfección, el Señor actúa con perfección sin quejarse, a pesar de ser él más sufrido en términos físicos y espirituales. En la contraposición entre el hijo de Dios y el hombre, Jesucristo queda como alguien preocupado por el prójimo mientras que en la figura de Amaro hay cierto egoísmo que refleja la imperfección humana (de hecho, su nombre mismo —Amaro— es asociable con ciertas plantas de flores blancas, con viso morado y de olor nauseabundo).

Si bien Amaro posee en el cuento buenas intenciones, su frágil naturaleza humana le crea dificultades (por ejemplo, falta de interés, lujuria), hasta que comprende la lección de Jesucristo: «¡El dolor es mi ley!» (p. 45). Al buscar el sufrimiento en obediencia de la ley divina, Amaro se purifica y a tal efecto le nace «una rosa» en la palma llagada de la mano que metió en la hoguera para evitar que la lujuria le dominase (p. 145). La lección del relato es que a Dios se llega a través de cierto tipo de actos, no con meras buenas intenciones, es decir, con acciones que reflejan los sentimientos del que las hace:

> —¿Está muy lejos el lugar adonde caminas, Maestro?
> —El lugar adonde camino, tanto está cerca, tanto lejos...
> —¡No comprendo, Maestro!
> —¿Y cómo decirte que todas las cosas, o están allí donde nunca se llega o están en el corazón? [p. 141].

En «Un ejemplo» todo proviene de un narrador extradiegético y heterodiegético. El narrador es quien, en general, focaliza externamente, aunque a veces quien lo hace es Amaro de forma interna. Junto a las descripciones de cuanto ocurre y de lo que a veces siente Amaro, hay diálogos que definen la historia de la que se es testigo en este cuento.

«Nochebuena»[57]

Se cuenta en esta narración en primera persona cómo el protagonista (el narrador) fue de niño castigado durante una Nochebuena por no saber latín y cómo le perdonó el Arcipreste de Céltigos —autor del castigo— llevándoselo a la iglesia y a su casa. En este último lugar, se escucha una canción insultante para el Arcipreste y su sobrina, desapareciendo inmediatamente toda la piedad del cura hacia el niño, a la vez que le vuelve a castigar y ordena que siga estudiando latín. En este sentido, la Nochebuena deja de serlo para el muchacho y se convierte en una noche común y corriente: ello es así ya que el Arcipreste percibe la realidad en términos cotidianos desde el instante en que vulgares injurias interfieren con su actitud hacia la Nochebuena.

Un narrador extradiegético y homodiegético en primera persona es quien narra lo que le sucedió durante una Nochebuena. La perspectiva predominante es la de este narrador-focalizador, ser que, desde un hoy cuyas características desconocemos, recuerda un instante pretérito según fue percibido entonces. Significativamente, con este cuento concluyó *Jardín Umbrío*: en él, al unísono, se observa la crueldad humana y el deseo frustrado que tiene el hombre de interpretar la realidad circundante como algo cuya magia podría elevarle, aunque ello no ocurra a menudo.[58]

NOTAS

1. Citas y referencias a *Jardín Umbrío* (Madrid, Espasa--Calpe, 1979[5]).
2. Véanse: *Los Lunes de El Imparcial*, 11 de mayo (1914); *Jardín Umbrío. Opera Omnia*, vol. XII (Madrid, Perlado, Páez y Compañía, Editores, 1914, pp. 13-19); *Jardín Umbrío. Opera Om-*

nia, vol. XII (Madrid, Sociedad General de Librería Española, 1920, pp. 13-19); *Vida Gallega*, 20 de octubre (1925) —bajo el título de «Xan Quinto»—; *Jardín Umbrío*, ed. Paul Patrick Rogers (Nueva York, Henry Holt and Company [1928], pp. 5-8); y *Flores de almendro* (Madrid, Librería Bergua, 1936, pp. 13-16). La primera versión es más breve que las restantes.

3. Tipo de percepción no muy común en los relatos breves de Valle-Inclán.

4. Una interpretación muy diferente del final del cuento la ofrece Eliane Lavaud, *Valle-Inclán: du journal au roman (1888-1915)* ([París], Klincksieck, 1979 [1980], p. 310). Para ella, el asesinato del mercader podría ser el comienzo del relato.

5. Justo Saco Alarcón, *Técnicas narrativas en «Jardín Umbrío» de Valle-Inclán*, tesis doctoral (The University of Arizona, 1974), se refiere sin gran precisión a los niveles narrativos del cuento a la vez que declara que Valle-Inclán es la voz que narra «Juan Quinto» (pp. 26-27).

6. Véanse: *Los Lunes de El Imparcial*, 6 de enero (1982); *Jardín Novelesco* (Madrid, Tipografía de la Revista de Archivos, Bibliotecas y Museos, 1905, pp. 25-35); *Jardín Novelesco* (Barcelona, Maucci, 1908, pp. 15-23); *Jardín Umbrío* (1914, pp. 23-29); *Jardín Umbrío* (1920, pp. 21-27); *Jardín Umbrío* (1928, pp. 9-12); y *Flores de almendro*, pp. 17-20. Es significativo que en la versión de 1902 falten las canciones en gallego con que comienzan y terminan las restantes impresiones del cuento.

7. Sobre la importancia de la lengua gallega en la canción final del cuento ya se expresó brevemente Lily Litvak, *A Dream of Arcadia. Anti-Industrialism in Spanish Literature, 1898-1905* (Austin, University of Texas Press, 1975, p. 133).

8. Esta falta de compaginación emana, en parte, del marcado énfasis en lo descriptivo a través del cuento. Lo estático y lo pictórico en «La adoración de los Reyes» es aún más significativo si se recuerda cómo en su primera versión se subtituló «Tabla del siglo XV». Al respecto, léase lo sustentado por Lavaud, p. 258.

9. Véanse: *Los Lunes de El Imparcial*, 27 de enero (1902); *Jardín Umbrío* (Madrid, Viuda de Rodríguez Serra-Biblioteca Mignon, XXXIII, 1903, pp. 27-38); *Jardín Novelesco* (1905, pp. 37-49); *Jardín Novelesco* (1908, pp. 25-35); *La Voz de Galicia*, 3 de enero (1910); *La Correspondencia Gallega*, 19 de enero (1910); *La Gaceta de Galicia*, 5 de marzo (1910); *La Gaceta de Galicia*, 8 de octubre (1911); *La Correspondencia Gallega*, 30 de septiembre (1913); *Jardín Umbrío* (1914, pp. 33-40); *Ideas y Figu-*

ras, 1 de mayo (1918); *A Nosa Terra,* 15 de enero (1919) —con el título «O medo» y escrito en gallego—; *Jardín Umbrío* (1920, pp. 29-36); y *Flores de almendro,* pp. 21-24. Sobre cómo fragmentos de este texto fueron usados por Valle-Inclán en la *Sonata de otoño,* léanse las aseveraciones de Emma Susana Speratti-Piñero, *De «Sonata de otoño» al esperpento* (Londres, Tamesis Books Limited, 1968, pp. 29 y 31), y Lavaud, p. 374.

10. De hecho, y como bien ha sugerido una de mis antiguas estudiantes graduadas (Sheryl Rasmussen-Castro), quizá el narrador-protagonista no despierte de verdad en esta escena. Es decir, es posible que cuanto se narra aquí haya ocurrido en un sueño que ha ejercido, posteriormente, influencia sobre el personaje a través de su vida. Esta interpretación resulta plausible ante la imprecisión que predomina cuando se inicia la descripción de lo que ocurre en la capilla (por medio de tales palabras como «adiviné», «habíame adormecido», etc., pp. 20-21). En última instancia, no importa si lo que pasa aquí en verdad ocurrió o fue soñado: su efecto sobre el narrador-protagonista es el mismo. Ambas interpretaciones, por otra parte, son aceptables dada la descripción de los hechos y son ejemplos de cómo un texto puede provocar diversas explicaciones. Cuanto ocurre en esta escena es una muestra de interpretación múltiple, según el término fue definido por Shlomith Rimmon en *The Concept of Ambiguity-The Example of James* (Chicago, The University of Chicago Press, 1977, pp. 9-16).

11. Otro tipo de discurso que también es utilizado es el resumen no tan diegético. Con él se hace referencia a algo que ha sido dicho y se menciona el asunto de esta enunciación: «Yo, desde la tribuna, solamente oía el murmullo de su voz, que guiaba moribunda las avemarías; pero cuando a las niñas les tocaba responder, oía todas las palabras rituales de la oración» (p. 20).

12. Véanse: *Madrid. Revista Literaria,* 2 (1901); *Jardín Umbrío* (1903, pp. 41-58); *La Ilustración Artística,* 1.145, 7 de diciembre (1903, pp. 795-796); *Jardín Novelesco* (1905, pp. 51-68); *Jardín Novelesco* (1908, pp. 37-52); *Jardín Umbrío* (1914, pp. 43-57); *Jardín Umbrío* (1920, pp. 37-50); *Céltiga* (15 de febrero de 1925); *Jardín Umbrío* (1928, pp. 13-21); y *Flores de almendro,* pp. 25-29. En comparación con las restantes versiones, en la primera impresión faltan las dos descripciones finales y el monólogo último de la Abuela.

13. Este grito constituye, al unísono, una queja y una protesta que recuerda aquella que ocurre en otra tragedia moderna, *Bodas de Sangre* por Federico García Lorca, vol. 2 (Madrid,

Aguilar, 1974[18], pp. 614-615). Allí, la Madre y las otras mujeres se quejan de los cuchillos que destruyen la vida humana. Véase Luis González del Valle, *La tragedia en el teatro de Unamuno, Valle-Inclán y García Lorca* (Nueva York, Torres Library of Literary Studies, 1975, pp. 132-134, nota 55).

14. Este asunto será discutido brevemente más adelante.

15. José Antonio Pérez-Rioja, *Diccionario de símbolos y mitos* (Madrid, Tecnos, 1971[2], pp. 381 y 376).

16. Véanse Aristóteles, *Poética*, ed. Valentín García Yebra (Madrid, Gredos, 1974, pp. 144-214), y *La tragedia...*, pp. 11-22, 115-130. Para Sumner M. Greenfield, *Valle-Inclán: anatomía de un teatro problemático* (Madrid, Fundamentos, 1971), «Tragedia de ensueño» es un experimento de Valle en la «tragedia total» (p. 46, nota 7, y p. 134). Según Greenfield esta obra es un antecedente de *El embrujado* (p. 39, nota 1, pp. 143, 145 y 146). Por su parte, Juan Carlos Esturo Velarde, *La crueldad y el horror en el teatro de Valle-Inclán* (La Coruña, Gráficas do Castro, 1986, pp. 35-38), considera que la tragedia de la vieja consiste en no poder amamantar a su nieto.

17. Para algunos críticos, «Tragedia de ensueño» y «Comedia de ensueño» son obras dramáticas (Susan Kirkpatrick, «From "Octavia Santino" to *El yermo de las almas*: Three Phases of Valle-Inclán», *Revista Hispánica Moderna*, 37 [1972-73], pp. 62-66, Francisco Ruiz Ramón, *Historia del teatro español. Siglo XX* [Madrid, Cátedra, 1977[3], p. 97] —denomina ambos textos «poemas dramáticos en prosa de carácter simbolista»—, Ernest C. Rehder, «Concentric Patterns in Valle-Inclán's *Jardín Umbrío*», *Romance Notes*, 18 [1977], p. 63, William R. Risley, «Hacia el simbolismo en la prosa de Valle-Inclán», *Anales de la Narrativa Española Contemporánea*, 4 [1979], pp. 63-69, Lavaud, p. 316, Robert Lima, *Valle-Inclán. The Theatre of His Life* [Columbia, University of Missouri Press, 1988, p. 91]); mientras que para otros son una mezcla de cuento y drama (Emilio González López, *El arte dramático de Valle-Inclán* [Nueva York, Las Américas Publishing Company, 1967, p. 57], Alarcón, pp. 16-24). Para mí son narraciones con una dimensión dramática (de hecho, Kirkpatrick misma justifica la presencia de ambos tipos de obras en *Jardín Umbrío* recordando experimentos en la mezcla de géneros literarios que fueron hechos por Rubén Darío y Benito Pérez Galdós [p. 63]). Obsérvese además cómo para varios críticos —sobre todo los que consideran «Tragedia de ensueño» y «Comedia de ensueño» obras dramáticas— estos textos son manifestaciones del arte simbolista de Valle-Inclán donde, para algunos,

se detecta la influencia del dramaturgo belga Mauricio Maeterlinck (González López [pp. 57-62], Kirkpatrick, Risley, John Lyon, *The Theatre of Valle-Inclán* [Cambridge, Cambridge University Press, 1983, pp. 10-11], y Jesús Rubio Jiménez, «Modernismo y teatro de ensueño», *Anales de la Literatura Española Contemporánea*, 14 [1989]). Como es obvio, no todos estos críticos enfocan los dos relatos de forma semejante.

18. Véanse: *Extracto de Literatura*, 37, 16 de septiembre (1893), pp. 5-7; *El Globo*, 6.533, 29 de septiembre (1893) —reproducido por William L. Fichter, *Publicaciones periodísticas de Don Ramón del Valle-Inclán anteriores a 1895* (México, El Colegio de México, 1952, pp. 216-220)—; *El País*, 2.889, 27 de mayo (1895); *Don Quijote* (13 de septiembre de 1895, p. 4); *La Ilustración Artística*, 1.018 (1901, p. 430); *Jardín Umbrío* (1903, pp. 77-89); *Los Lunes de El Imparcial*, 1 de junio (1903); *Jardín Novelesco* (1905, pp. 69-81); *Jardín Novelesco* (1908, pp. 53-63); *Gaceta de Galicia*, 218, 10 de septiembre (1911); *Jardín Umbrío* (1914, pp. 61-68); *A Nosa Terra*, 25 de enero (1919) p. 4 —en gallego—; *Jardín Umbrío* (1920, pp. 79-86); y *Flores de almendro*, pp. 43-46. Se nos informa que existen dos impresiones adicionales que serán identificadas más adelante por su descubridor.

19. Sobre estos conceptos el lector es referido a Robert Alter, *Partial Magic: The Novel as a Self-Conscious Genre* (Berkeley, University of California Press, 1975), Robert C. Spires, *Beyond the Metafictional Mode. Directions in the Modern Spanish Novel* (Lexington, The University Press of Kentucky, 1984), y David K. Herzberger, «Split Referentiality and the Making of Character in Recent Spanish Metafiction», *MLN* (1988), pp. 419-435. Comprendo que lo que estos críticos discuten no se ajusta necesariamente a lo que ocurre en este relato de Valle. Sin embargo, observo nexos comunes y, por tanto, considero que sus ideas facilitan nuestra comprensión del texto que nos concierne.

De hecho, la crítica tiende, en general, a ignorar el final del relato y/o a no atribuirle la importancia que posee (quizá esto se deba en algunos casos a la semejanza que se descubrió entre «Mateo Falcone» de Próspero Mérimée y «Un cabecilla» en lo concerniente a cómo un delator es castigado por su acción; este parecido ha provocado que se ponga más atención en este aspecto del relato y que se ignoren otros). Véanse A.G. Solalinde, «Prosper Mérimée y Valle-Inclán», *Revista de Filología Española*, 6 (1919), pp. 389-391, Paul P. Rogers, «A Spanish Version of the "Mateo Falcone" Theme», *Modern Language Notes*, 45 (1930), pp. 402-403 (más tarde el profesor Rogers se disculpó por haber escrito sobre algo que ya había descubierto Solalinde [*Modern Language Notes*, 45 (1930), p. 529]), William L. Fichter, «Estudio Preliminar», en *Publicaciones periodísticas de Don Ramón del Valle-Inclán anteriores a 1895*, pp. 26-27, Manuel Bermejo Marcos, *Valle-Inclán: introducción a su obra* (Salamanca, Anaya, 1971, p. 38), Alarcón, p. 239, Rehder, p. 64.

20. La referencia al carlismo y el crimen del viejo molinero llevan a Lavaud, pp. 533-534, a considerar que el relato es una denuncia de la barbarie de los carlistas (es decir, que es un tipo de denuncia del carlismo).

21. Claro está, la aparente barbarie del cabecilla no lo es tanto si se acepta que el asesinato de su mujer responde a sus valores éticos (él la castiga por haber delatado a sus compañeros e hijos). En este sentido, el temor del narrador probablemente constituya una equivocación suya, una mala interpretación de por qué es como es el cabecilla. Es decir, el narrador bien puede que sea indigno de confianza al no entender los códigos que rigen la conducta del cabecilla y al saber el lector que está involucrado en la historia del cuento (esto último resta objetividad a sus percepciones).

22. Obsérvese que a principios del cuento, cuando todavía no se sabe de la disputa entre el narrador y el cabecilla ni la existencia de Urbino Pimentel, se puede creer que el relato tiene solamente tres niveles: el diegético (contado por narrador extradiegético y con un narrador intradiegético que recuerda hoy el ayer), el del cabecilla y su mujer, y el de la historia del ataque al molino por los negros.

23. Véanse también las páginas 52-53. Una interpretación curiosa del cuento la ofrece Juan Antonio Hormigón, *Ramón del Valle-Inclán. La política, la cultura, el realismo y el pueblo* (Madrid, Alberto Corazón, 1972, p. 29).

24. Véanse: *Los Lunes de El Imparcial*, 6 de febrero (1905); *La Correspondencia Gallega*, 13 de febrero (1905); *Jardín Novelesco* (1905, pp. 83-93); *Jardín Novelesco* (1908, pp. 65-74); *Jardín Umbrío* (1914, pp. 71-77); *Jardín Umbrío* (1920, pp. 87-93); *Jardín Umbrío* (1928, pp. 27-30); y *Flores de almendro* (pp. 47-50). En las versiones de *Los Lunes de El Imparcial*, *La Correspondencia Gallega* y *Jardín Novelesco* (1905 y 1908) el narrador no se incluye entre los niños que interrogaban a los tres enfermos.

25. Ya Lavaud identificó al niño como narrador (pp. 317-318).

26. La focalización que predomina en el cuento parece ser la

del narrador (por supuesto, se detectan otras percepciones sobre lo que ocurre en los diálogos).

27. Véanse: *El Globo*, 20 de enero (1892) y *Germinal*, 24 de mayo (1897) —las variantes correspondientes a estas versiones son indicadas por Fichter, pp. 81-87—; *Revista Moderna*, 184, 22 de septiembre (1899); *Jardín Umbrío* (1903, pp. 61-75); *Jardín Novelesco* (1905, pp. 95-110); *Jardín Novelesco* (1908, pp. 75-88); *La Gaceta de Galicia*, 28 de octubre (1911); *Jardín Umbrío* (1914, pp. 81-91); *Jardín Umbrío* (1920, pp. 95-105); *Jardín Umbrío* (1928, pp. 31-37); y *Flores de almendro*, (pp. 51-56). Sólo las tres últimas versiones concluyen igual que la impresión moderna del texto.

28. La violencia de este crimen es captada en el subtítulo que tuvo y que no ha sobrevivido: «Cuento color de sangre» (véase Fichter, p. 81 y *Revista Moderna*).

29. Sobre varios aspectos del cuento se han expresado, entre otros, Fichter, «Estudio Preliminar», pp. 15-16, Luis S. Granjel, *La generación literaria del noventa y ocho* (Salamanca, Anaya, 1966, p. 89), Antonio Risco, *La estética de Valle-Inclán en los esperpentos y en «El ruedo ibérico»* (Madrid, Gredos, 1966, pp. 39-40), y Bermejo Marcos (pp. 35-36, 41-42).

30. El supuesto rey está cubierto con una sábana blanca como lo están usualmente los muertos. Nuevamente, tenemos un dato que tiende a anticipar lo que se avecina (o sea, un tipo de *amorce*).

31. Véanse: *Jardín Novelesco* (1905, pp. 185-197); *El Imparcial*, 5 de abril (1906); *Jardín Novelesco* (1908, pp. 101-111); *Jardín Umbrío* (1914, pp. 137-145); *Los Lunes de El Imparcial*, 18 de enero (1915) —bajo el título de «Jardín Umbrío»—; *Jardín Umbrío* (1920, pp. 141-148); *Jardín Umbrío* (1928, pp. 64-68); y *Flores de almendro* (pp. 73-76). Significativamente, sólo en las tres últimas versiones concuerda la oración final con la edición moderna que utilizo. Esta oración es fundamental para una de mis interpretaciones sobre este cuento.

32. No se olvide cómo la vieja es llamada «sibila», mujer dotada de espíritu profético (p. 86).

33. Shlomith Rimmon-Kenan, *Narrative Fiction: Contemporary Poetics* (Nueva York, Methuen, 1983, pp. 127-129).

34. En la expresión de la realidad presente del narrador, predomina el discurso directo, mientras que la realidad pretérita es dada por medio del discurso indirecto libre.

35. Podría decirse que la focalización del narrador extradiegético es interna cuando se concentra en la problemática actual

del protagonista: «¡Ahora mismo estoy oyendo las silenciosas pisadas del Alcaide Carcelero!» (p. 89).

36. La madre del niño nada ve, aunque detecta temor en él (p. 88). Añádase que el deseo de ser disculpado que le atribuyo al protagonista adulto recuerda la actitud de Pascual en *La familia de Pascual Duarte* de Camilo José Cela. Una síntesis de la motivación de Pascual la doy en «La muerte de la "Chispa": su función en *La familia de Pascual Duarte*», en *Novela española contemporánea* (Madrid, Sociedad General Española de Librería, 1978[2], pp. 13-16). Hasta cierto punto, resultan válidas aquí las palabras de Christopher Norris sobre esos narradores que se confiesan: «"Confesar" es dar rienda suelta a una serie de afirmaciones autojustificantes que tratan de aparentar que son "sinceras", o que ofrecen acceso directo a los recuerdos y conciencia del escritor. Sin embargo, las confesiones son siempre, en alguna forma, una estrategia diseñada para "excusar" al paciente al colocar su culpa en un contexto narrativo que la explica y que, por tanto, disuelve la responsabilidad [de este agente]». Véase *Deconstruction: Theory and Practice* (Nueva York, Methuen, 1982, p. 107). Un ejemplo moderno y algo extremo de este tipo de narrador aparece en *El Túnel* del argentino Ernesto Sábato. Al respecto, léase el estudio que Catherine Nickel y yo escribimos: «Contemporary Poetics to the Rescue: The Enigmatic Narrator in Sábato's *El Túnel*», *Rocky Mountain Review of Language and Literature*, 40 (1986), pp. 5-20.

37. En el cuento no hay un doble sistema de datos que, si bien válidos independientemente, se excluyen mutuamente cuando son contrapuestos. Este no es un texto ambiguo según lo define Shlomith Rimmon, *The Concept of Ambiguity*, pp. 9-14.

38. Por ejemplo, para Lavaud operan fuerzas extraordinarias en «Del misterio» (pp. 292-294).

39. Real Academia Española, *Diccionario de la Lengua Española*, tomo 1 (Madrid, Espasa-Calpe, 1984[20], p. 630).

40. Véanse: *La Ilustración Ibérica*, 7, 317, enero (1889), pp. 59 y 62; *El Globo*, 30 de julio (1891) y *El Universal*, 22 de junio (1892) —este último titulado «Los caminos de mi tierra», ambos incluidos en Fichter, pp. 47-55—; *La Ilustración Artística*, 1.058, 7 de abril (1902), p. 238; *La Ilustración Española y Americana*, año XLIX, núm. IX, 8 de marzo (1905); *Jardín Novelesco* (1905, pp. 199-210); *El Imparcial*, 22 de abril (1906); *La Correspondencia Gallega*, 30 de mayo (1906) —los dos últimos titulados «Del camino»—; *Jardín Novelesco* (1908, pp. 113-123); *Jardín Umbrío* (1914, pp. 149-157); *Jardín Umbrío* (1920, pp. 149-157);

Jardín Umbrío (1928, pp. 69-74); y *Flores de almendro*, pp. 77-80 (ésta es la primera vez que el título está constituido por las siguientes dos palabras: «A medianoche»). Nótese que Fichter sustentó erróneamente que este cuento fue incluido en la impresión de *Jardín Umbrío* de 1903 (p. 47, nota 1). Por su parte, para Lavaud este es un excelente ejemplo de la evolución estilística de Valle-Inclán (p. 256).

41. Algo ya mencionado por Fichter, pp. 13-14, por sólo dar un ejemplo.

42. Ya Lavaud (p. 287) se ha referido a la importancia del paisaje en este cuento. Esta misma crítica afirma además que el relato carece de narrador y que su autor está presente en él (pp. 318-319).

43. En ocasiones, es el espolique quien focaliza internamente, lo que sirve para realzar lo misterioso de lo que ocurre.

44. Véanse: *Jardín Umbrío* (1914, pp. 161-172); *Por Esos Mundos*, 16, enero (1915, pp. 7-11); *Jardín Umbrío* (1920, pp. 159-170); *Jardín Umbrío* (1928, pp. 75-81); y *Flores de almendro* (pp. 81-86).

45. Significativamente, el escribano se llama «Malvido»: verlo es ver al mal en un tipo de caracterización que responde a un reforzamiento por analogía de nombre, analogía de tipo morfológico. Nótese cómo para Antonio Risco, *El demiurgo y su mundo: hacia un nuevo enfoque de la obra de Valle-Inclán* (Madrid, Gredos, 1977, p. 33), don Manuel Bermúdez y Bolaño es un antecedente de don Juan Manuel Montenegro. Claro está, el personaje posterior no es tan piadoso como el de «Mi bisabuelo». Véanse también los comentarios que sobre este cuento hace Giovanni Allegra, *El reino interior. Premisas y semblanzas del Modernismo en España*, trad. Vicente Martín Pintado (Madrid, Encuentro, 1986, pp. 280-283).

46. Lavaud (p. 324) se expresa al respecto de forma parecida, aunque en un contexto diferente al mío.

47. Del presente del narrador prácticamente no se sabe nada, excepto que valora todavía la figura de su bisabuelo y que ahora está «vencido por tantos desengaños» (p. 101). Claramente, lo que se conoce del presente del narrador es tan poco que en sí no constituye una historia: es por ello que este nivel se concibe como fuera de la historia narrada y, por consiguiente, el narrador es extradiegético.

48. Véanse: *Jardín Novelesco* (1905, pp. 211-230); *Por Esos Mundos*, 135 (1906, pp. 339-342); *Revista Moderna de México*, 6, mayo (1906, pp. 162-165); *Jardín Novelesco* (1908, pp. 125-143);

Jardín Umbrío (1914, pp. 75-91); *Jardín Umbrío* (1920, pp. 207-223); *Jardín Umbrío* (1928, pp. 94-104); y *Flores de almendro* (pp. 104-110). Curiosa y erróneamente, Kirkpatrick (p. 621) afirma que «Comedia de ensueño» fue incluida en la versión de *Jardín Umbrío* publicada en 1903. Léanse también los comentarios de Juan Carlos Esturo Velarde sobre este cuento y, específicamente, la influencia de Emilia Pardo Bazán en el texto (pp. 63-73).

49. González López, por su parte, cree que es una obra sin posibilidad de representación debido a lo que ocurre en ella, a que todo resulta desmesurado en el texto (p. 62). Recuérdese que sobre «Comedia de ensueño» se han expresado muchos de los críticos que han discutido «Tragedia de ensueño» (al respecto, véase la nota 17 de este capítulo).

50. No se olvide cuán atraído estuvo don Ramón por el Modernismo. Sobre las relaciones entre Valle-Inclán y Rubén Darío —modernista por excelencia—, se ha expresado, entre otros, Allen W. Phillips, «Rubén Darío y Valle-Inclán: historia de una amistad literaria», *Revista Hispánica Moderna*, 33, enero-abril (1967, pp. 1-29).

51. Véanse: *Jardín Umbrío* (1914, pp. 195-202); *Jardín Umbrío* (1920, pp. 225-232); y *Flores de almendro* (pp. 111-114).

52. Hasta cierto punto el relato tiene cierta semejanza con la problemática de *El embrujado* (1913) en los casos de Anxelo, La Galana, don Pedro Bolaño, el niño y las gentes locales. Sobre esta tragedia léanse mis estudios titulados *La tragedia en el teatro de Unamuno, Valle-Inclán y García Lorca*, pp. 88-100, «La unidad conceptual de *El embrujado*», en *Studies in Honor of José Rubia Barcia*, ed. Roberta Johnson y Paul C. Smith (Lincoln, Society of Spanish and Spanish-American Studies, 1982, pp. 71-82), y «El enigma de las palabras en *El embrujado*», en *Leer a Valle-Inclán en 1986* (Dijon, Hispanistica XX, Centre d'Études et de Recherches Hispaniques du XXème Siècle, Université de Dijon, 1986, pp. 149-152). Una lectura bastante literal del cuento la da Lavaud (p. 292) al aceptar como válida la presencia de lo sobrenatural. Otros comentarios los ofrecen R. Carballo Calero, «A temática galega na obra de Valle-Inclán», *Grial*, 3 (1964), pp. 1-15, y Giovanni Allegra, pp. 269 y 321 (nota 3).

53. A pesar de que el narrador no presenció cómo Milón de Arnoya se llevó a la moza ni cómo se sintieron «en el aire las alas de Satanás» (p. 139), él fue testigo de cómo ella escapó «antes de que la hubiesen tocado con el rosario bendito. Espumante, ululante, mostrando entre jirones la carne convulsa»

(p. 139). Nótese también cómo en la psicología de los sueños el búho es indicio de un mal presagio (Pérez-Rioja, p. 100). Por su parte, y en términos simbólicos, el ciprés tiene un significado funerario, a la vez que se le vincula con las divinidades infernales (Pérez-Rioja, p. 129).

54. Además del narrador extradiegético que narra lo que ocurre en el nivel diegético, existe otro narrador intradiegético y heterodiegético. Este otro narrador es colectivo —los criados— al expresarse sobre la historia de Milón de la Arnoya (p. 137). Estos comentarios del narrador intradiegético pertenecen a un nivel hipodiegético.

55. Véanse: *Jardín Novelesco* (1905, pp. 171-184); *El Liberal*, 13 de marzo (1906); *Jardín Novelesco* (1908, pp. 89-100); *Jardín Umbrío* (1914, pp. 205-214); *Jardín Umbrío* (1920, pp. 233-241); y *Flores de almendro*, pp. 115-119. Según Lavaud (p. 259), fue ganador —con otras tres narraciones— del primer premio de un concurso de cuentos del periódico *El Liberal* en 1906.

56. La figura de Amaro pertenece al folklore gallego. Al efecto, el lector es referido a Leandro Carré Alvarellos, *Las leyendas tradicionales gallegas* (Madrid, Espasa-Calpe, 1980[3]).

57. Véanse: *El Imparcial*, 24 de diciembre (1903) —con el subtítulo «Recuerdo infantil»—; *Jardín Novelesco* (1905, pp. 231-241); *Jardín Novelesco* (1908, pp. 145-153); *Jardín Umbrío* (1914, pp. 217-223); *Jardín Umbrío* (1920, pp. 243-249); *Jardín Umbrío* (1928, pp. 38-41); y *Flores de almendro*, pp. 120-123.

58. Robert Lima, *Valle-Inclán. The Theatre of His Life*, p. 15, cree observar una base autobiográfica en este relato.

III

DIVERSOS TEXTOS

OTROS RELATOS BREVES

Valle-Inclán publicó muchos relatos breves que no han sido incluidos en *Corte de amor* ni en *Jardín Umbrío*, dos colecciones de sus narraciones breves que todavía son editadas con regularidad.[1] Tales relatos aparecieron originalmente en periódicos, revistas y colecciones: muy a menudo fueron dados a la luz pública nuevamente por su autor, después de su aparición inicial, en diversas publicaciones con alteraciones de título o de contenido.[2] Añádase que, en algunos casos, estas narraciones fueron asimiladas, de una forma u otra, a textos más amplios (por ejemplo, las *Sonatas* y *Flor de santidad*).[3] Este aprovechamiento varía de caso en caso, ya que a veces se utiliza gran parte de un escrito en una obra posterior mientras que, en otras ocasiones, sólo se repiten en una obra tardía fragmentos del texto primario.[4]

Sin embargo, a veces, el fenómeno que he descrito se complica aún más por diversas razones. En tales ocasiones, el texto, aparentemente primario, no lo es, por constituir en realidad un fragmento de la obra más completa; tipo de breve anticipo del texto que se avecina y con el cual Valle-Inclán quiso despertar interés en un público potencial.[5] En otros casos, el texto primario es incluido en otro posterior para aparecer después por sí mismo, y sin que se le asimile a otro relato. Por último, hay narraciones en *Corte de amor* y *Jardín Umbrío* que todavía aparecen en ambos libros a pesar de haber sido usadas parcialmente en obras más amplias que son consideradas como independientes.[6]

La problemática que he identificado, junto con el gran número de textos, y obvias variantes entre ellos, es algo que dificulta el análisis de este material narrativo de don Ramón.[7] Para facilitar mi labor crítica, opto en este ensayo por concentrarme en aquellas narraciones breves de Valle que, en mi opinión, son autónomas, ya que al leerlas se obtiene una visión completa —aunque no sea muy complicada a veces— de algo que atrajo la atención de Valle-Inclán como autor real.[8] Por tanto, lo que pienso hacer es concentrarme en esos textos que, de una forma u otra, no dependen de otros escritos para expresar su sentido: analizaré individualmente esos relatos de los que se deriva una visión independiente del cosmos en términos conceptuales. En general, evitaré estudiar textos carentes de esa independencia conceptual a la cual ya he aludido. La diferenciación entre los que consideraré y los que no creo que deban ser analizados no es a veces lo precisa que quisiera. Quizá sea útil en esta ocasión mencionar un par de ejemplos de relatos que si bien publicados por sí mismos no serán estudiados por mí.

«¿Cuento de amor?»[9] es claramente un fragmento de las primeras escenas de *Sonata de otoño*. Entre ambos textos existen diferencias menores y los dos son obviamente parte de un mismo relato más amplio (de hecho, «¿Cuento de amor?» lleva como subtítulo «Fragmento de las Memorias íntimas del Marqués de Bradomín»). Por su parte, «Don Juan Manuel»[10] corresponde a varias escenas de *Sonata de otoño*. Este breve relato, sin embargo, pretende dar la impresión de ser independiente: en vez de ser Concha un personaje como es el caso en *Sonata de otoño*, en el cuento su papel es parcialmente representado por la madre del Marqués de Bradomín, Carlota Elena Agar y Bendaña. Este aparente deseo de independizar los dos relatos provoca que en el cuento Bradomín abandone con don Juan Manuel el palacio de su madre sin que ello resulte lógico. En *Sonata de otoño*, sin embargo, tal salida responde a que las hijas de Concha están a punto de regresar y es necesario que no sepan que entre la dama y Bradomín existen relaciones ilícitas. Ambos textos son, por supuesto, parte de uno más amplio que apareció con posterioridad (en 1902).[11]

También excluyo de mi consideración varios textos sueltos de Valle que fueron publicados por sí mismos y que están vinculados directamente a *El ruedo ibérico*.[12] Responde esta decisión a diversos factores: la extensión de algunos, su casi total reaparición en *El ruedo* y, por último, la naturaleza tan especial de las novelas incluidas en la serie. *El ruedo ibérico* se caracteriza por su enmarañada evolución y, sobre todo, por su extraordinaria complejidad, que requiere evaluaciones críticas monográficas y con amplitud.[13]

En este capítulo estudiaré treinta y un textos siguiendo un orden alfabético. A no ser que ello quede explicado de otra forma, me valdré de la versión más reciente de una narración y mantendré en mente las restantes (incluyendo su uso en obras independientes y, muy a menudo, más amplias). En última instancia, sin embargo, lo que más me interesará será esa versión del texto mismo que he escogido.

No se me escapa la relativa falta de precisión que caracteriza mi acercamiento, al depender mi inclusión o exclusión de cada texto de mis juicios —y quizá preferencias— personales. Ante esta compleja situación, sin embargo, no encuentro alternativa a mi método, el cual no ignora la intratextualidad en la obra de Valle-Inclán y, a la vez, se concentra en cada creación como una manifestación soberana —con leyes propias— de ficción narrativa.[14]

«Adega»[15]

Dentro del texto más amplio de *Flor de santidad* (1904),[16] fueron asimilados por Valle-Inclán varios cuentos que, de una forma u otra, coinciden con partes de la historia que se deriva de esta novela.[17] Entre ellos figura «Adega», embrión ineludible de *Flor de santidad*, que no por ello debe dejar de ser interpretado independientemente, ya que durante más de cinco años constituyó un texto autónomo.[18] Lo que quiero expresar es que, si bien soy consciente de cuán indispensable es «Adega» —y, por ende, esos otros cuentos que acabo de mencionar— para el estudio de *Flor de santidad*, ello no excluye que se analice por sí mismo.

Claro está que a este proceso coadyuvan las evaluaciones realizadas hasta la fecha sobre *Flor de santidad*: ambos, los cuentos y la novela, coinciden en mucho, aunque no todo lo aseverado sobre esta última —debido a la mayor amplitud de sus horizontes conceptuales— puede ser aplicado a los cuentos. Añádase que, en algunos de los cuentos, su historia no es exactamente como la de la novela: es así que pueden poseer autonomía algunos de estos relatos al desarrollar una visión específica de los cosmos que intentan presentar.[19] Esta visión carece, sin lugar a dudas, de la compleja organización en cinco «estancias» que aparece en *Flor de santidad*, distribución que para mí se asemeja, hasta cierto punto, a las famosas «siete moradas» de Santa Teresa en el proceso de acercamiento entre el ser humano y la deidad.[20]

Por sí mismo, el cuento «Adega»[21] corresponde en general a la Primera y Segunda Estancias (Capítulos I-V y I, respectivamente, pp. 13-31) de *Flor de santidad*. En el cuento, la narración aparece dividida en cuatro partes que se ajustan a la evolución cronológica de los hechos.

En la primera sección, se narra la llegada de un pordiosero a una venta, sitio donde conoce a una joven fervorosa llamada Adega. Este mendigo queda descrito como alguien que «parecía resucitar la devoción penitente del tiempo antiguo. ¡El hermoso tiempo en que toda la cristiandad creyó ver dibujado con estrellas en la celeste altura el camino de Santiago [...]» (p. 255). Dicho de otra forma, su imagen es vinculable a sentimientos ancestrales y lógicos en una «Historia milenaria», forma en que queda definido el cuento por su subtítulo.[22] En este lugar se destaca «con sombría idealidad la negra figura del Romero» que desfallece de cansancio antes de llegar a un caserío cercano, según se deduce de lo que dice sobre él el narrador extradiegético y heterodiegético del relato, ente que en este caso permite que focalice el visitante (p. 256).

En estas circunstancias, el «mendicante» se encuentra con una pastorcilla que está «sentada al abrigo de unas piedras célticas, doradas por líquenes milenarios» (p. 256). Esta joven sugiere inmediatamente en el texto una visión de vetustez que contrasta con su innegable juventud: a ella la rodean «piedras célticas» y «líquenes milenarios». Esta impresión inicial cobra aún más fuerza cuando se indica que «Adega era la zagala de las leyendas piadosas» (p. 257), que su realidad era propia de esos relatos en que la historia está desfigurada por la tradición a veces maravillosa.[23] Es ella también, según el narrador-focalizador,

> [...] muy *devota*, con *devoción* sombría, montañesa y *arcaica*; llevaba en el justillo cruces y medallas, amuletos de azabache y saquillos de velludo que contenían ramas de *olivo* y hojas de *misal*. Aquella pastorcilla de rostro bruñido y melado por el sol, de seno indeciso y *cándida* garganta, ostentaba la *pureza ideal* que la *tradición litúrgica* del arte cristiano ha simbolizado con el *lirio blanco* [p. 257, énfasis mío].

En el fragmento citado, son muy significativas las palabras «devota», «devoción», «arcaica», «olivo», «misal», «cándida», «pureza ideal», «tradición litúrgica» y «lirio blanco». Con ellas queda ubicada Adega en lo antiguo e idílico, rasgos que cobran aún más fuerza si se recuerda que el lirio es símbolo de la pureza y, por ello, la flor de la Virgen María.[24]

En el encuentro entre Adega y el peregrino, son muy significativos sus saludos:

> —¡Bendito y alabado sea el Santísimo Sacramento!
> —¡Bendito y alabado él sea, hermano! [p. 257].

La religiosidad de ambos, junto a las características que han sido señaladas en los dos, hacen comprensible que, de inmediato, el lector implícito del cuento detecte en ellos mayor importancia que la que usualmente se asocia entre personas de su nivel social.

Acto seguido, Adega y el peregrino sostienen una breve conversación donde él explora si los venteros eran «gente cristiana, capaz de dar hospedaje a un triste pecador que iba en peregrinación a Santiago de Galicia» (p. 258). Al acercarse los dos a la venta, inicia el peregrino inmediatamente sus oraciones «ante el umbral de hospedaje» (p. 258), mientras que ella, al verle, se siente inspirada por lo bíblico de su figura:

> Adega, cada vez que entra o sale en los establos, se para un momento a contemplarle. El sayal andrajoso del peregrino encendía en su corazón la llama de cristianos sentimientos. Sin presumirlo gustaba las inefables dulzuras de un ensueño bíblico; se bañaba en la caridad ideal que irradia del evangelio. Aquella pastorcilla de cejas de oro, hubiera lavado gustosa los empolvados pies del caminante; desceñiríase el cabello para enjugarlos; cederíale su pan y su lecho, y tras esto le seguiría por el mundo. Cristiana, llena de fe ingenua, sentíase embargada por piadoso recogimiento, la soledad profunda del paraje, el resplandor fantástico del ocaso anubarrado y con luna; la negra, desmelenada y penitente sombra del Romero, le infundían aquella devoción que se experimenta en la paz de la iglesia, ante los retablos poblados de efigies ahumadas y vetustas, bultos sin contorno ni faz, que a la luz temblona de las lámparas se columbran en el dorado misterio de las hornacinas, justicieros, solemnes, sibilinos [...] [pp. 258-259].

La segunda sección de «Adega» es un tipo de *flashback* por el cual se sabe del origen de la joven y de los muchos sufrimientos y escaseces que ha pasado. Sirve, pues, esta parte, para darle una dimensión histórica al personaje, para facilitar que se entienda el porqué de su naturaleza actual. Su orfandad y los abusos que sufrió a manos de los venteros provocaron que fuera compadecida por quienes la veían:

—¡Pobre rapaza sin padres! [...].

Adega se conmovía mucho oyendo esto. A sus pesadumbres de niña desvalida aunaba la milenaria saudade de las almas montañesas. Cuando los amos la golpeaban, acudíala tan vivo el recuerdo de su orfandad que no sabía de entrambos dolores cuál le arrasaba los ojos. Pasó la infancia suspirando por la muerte [pp. 306-307].

Su triste situación explica que Adega sea un ser introspectivo y que se vaya al bosque «en infantiles éxtasis del ánima» (p. 307). Y es que ante su lamentable situación ella:

> [...] esperaba llena de fe ingenua que la azul inmensidad se rasgase dejándole entrever la gloria; sin conciencia del tiempo, perdida en la niebla blanca de este ensueño, sentía pasar sobre su rostro el aliento encendido del milagro... ¡y el milagro acaeció! Un anochecer de verano Adega llegó a la venta jadeante, transfigurada la faz, misteriosa llama temblaba en el fondo violeta de sus pupilas, su boca de niña melancólica se entreabría sonriente; sobre aquellas facciones de madona derramábase, como óleo santo, mística alegría. No acertaba con las palabras, el corazón batía en el pecho cual azorada paloma. ¡San Berísimo glorioso! las nubes habíanse desgarrado y el cielo apareciera ante sus ojos, ¡sus indignos ojos que la tierra había de comer! Hablaba postrada en tierra con trémulo labio frases ardientes; por sus mejillas corría el llanto. ¡Ella tan humilde había gozado favor tan extremado! Ahora todas las miserias de su vida parecíanle amables; abrazada por la ola voluptuosa de la gracia, besaba el polvo con besos apasionados crepitantes, como esposa enamorada que besa al esposo. Era pura, fervorosa e ingenua como una cristiana de la iglesia primitiva; como aquellas santas de trece años que morían en el Circo rodeadas de gloria [pp. 307-308].

Debido a su perfección[25] y contemplación, Adega tiene una experiencia mística: su alma ha percibido directamente la deidad. Esta experiencia de la joven causó sorpresa en quienes la conocieron y sirvió «de edificación en el lugar» (p. 308). Significativamente, los aldeanos de la zona aceptan como verídico lo que ella dice al compartir con Adega esta fe tan propia del hombre primitivo:[26]

> Eran muchos los que la tenían en olor de saludadora. Al verla desde lejos, cuando iba por hierba al prado; o con grano al molino, las gentes que trabajaban los campos dejaban la labor, y pausadamente venían a esperarla en el lindar del sendero. Las preguntas que le dirigían eran de un candor medioeval. Con los rostros resplandecientes de fe, en medio de murmullos piadosos, los aldeanos pedían nuevas de sus difuntos; parecíales natural que si gozaban de la bienaventuranza, se hubiesen mostrado a la pastora, que al cabo era de la misma feligresía. Adega bajaba los ojos confundida: ella tan solo había visto a Dios Nuestro Señor, con aquella barba nevada y solemne, los ojos de dulcísimo mirar y la frente circundada de luz. Oyendo a la pastora, las mujeres se hacían cruces; los abuelos de blancas guedejas la bendecían con amor [...] [p. 308].

A esta visión inicial siguieron otras (pp. 308-310) y, como resultado, «la pastora sentía el alma fortalecida y resignada; se aplicaba al trabajo con ahínco [...], y hacía cuanto los amos la ordenaban, sin levantar los ojos, temblando de miedo bajo sus harapos» (p. 310).[27]

Comienza la tercera sección del cuento donde concluyó la primera: el peregrino le pide albergue a la dueña de la venta. Su solicitud es rechazada y él procede a maldecir a quienes demuestran tan poca caridad (p. 344). Es entonces cuando Adega le ofrece el establo donde ella duerme, demostrando así su amor cristiano por él:

> —No vaya de noche por el monte, señor. Mire el establo de las vacas, lo tenemos lleno de lino, y podría descansar a gusto.
>
> Sus ojos de violeta alzábanse en amoroso ruego, y sus labios trémulos permanecían entreabiertos con anhelo infinito. El mendicante, sin responder una sola palabra, sonrió [p. 345].

Al llegar al establo «con paso de lobo»,[28] se le acerca un mastín que «como en una historia de santos, vino silencioso a lamer las manos del peregrino y la pastora» (p. 345).[29] Acto seguido, el peregrino empieza a insinuársele a Adega, y ella tiembla sin resistirse al comprender que está junto a alguien superior:

> El mendicante rodeóle los brazos a la cintura, y Adega cayó sobre el lino. No hizo el más leve intento de huir: temblaba agradecida al verse cerca de aquel santo que la estrechaba con amor. Suspirando cruzó las manos sobre el cándido seno para cobijarlo, y rezar [...].
>
> —Diga, ¿están tocados estos rosarios en el sepulcro de Nuestro Señor?
>
> —En el sepulcro de Nuestro Señor, y además en el sepulcro de los Doce Apóstoles.
>
> Adega volvió a besarlos. Entonces el peregrino, con ademán pontifical, le colgó un rosario al cuello.
>
> —Guárdalo aquí, rapaza.
>
> Y apartábale suavemente los brazos que la pastora tenía aferrados en cruz sobre el pecho. La niña murmuraba con anhelo:
>
> —¡Déjeme señor! ¡déjeme!
>
> El mendicante sonreía y procuraba desabrocharle el justillo. Sobre sus manos velludas revoloteaban las manos de la pastora como dos palomas asustadas [...].
>
> —Voy a quitártelo.
>
> —¡Ay! señor, no haga eso... Guárdemelo aquí, donde quiera...
>
> Y se desabrochaba el corpiño, y descubría la garganta como una virgen mártir que se dispusiese a morir decapitada [pp. 346-347].

A la luz de la descripción,[30] Adega se le entrega al peregrino: si bien ella tiene miedo, tal sentimiento es comprensible si se acepta la superioridad —posible divinidad— del peregrino. Es importante en esta escena también el comentario final del narrador-focalizador cuando dice que ella «descubría la garganta como una virgen mártir que se dispusiese a morir decapitada». Y, de hecho, en términos ritualísticos, cuando Adega se le entrega al peregrino, ella muere, deja de existir como antes: se convierte en una mujer que con ese acto ha alcanzado un nivel de existencia superior al haberse fusionado con su Señor.[31]

Concluye el cuento con una cuarta sección que comienza con la ida del peregrino y las lágrimas de Adega cuando le ve marcharse (p. 425). En esta sección, enferma una oveja de la ventera: indicio directo en el mundo del cuento de que la maldición del peregrino a los malos cristianos está vigente:

> —Es la maldición del peregrino, señora ama. Aquel Santo era Nuestro Señor. ¡Algún día se sabrá! Era Nuestro Señor que andaba pidiendo por las puertas para conocer dónde había caridad [...].
>
> Su voz estaba ungida de santidad: cantaba profética:
>
> —¡Algún día se sabrá!
>
> Parecía una iluminada llena de gracia saludadora [p. 426].

Implícita en sus palabras finales subyace la idea de que, algún día, será conocido por todos que el peregrino era Dios. Este concepto nunca queda tangiblemente expresado por medio de palabras. A pesar de ello, y debido a la relación carnal entre Adega y el peregrino, se puede suponer que la llegada de un niño hará visible lo que la pastora afirma.[32]

«¡Ah! de mis muertos!...»[33]

Este relato primerizo de Valle-Inclán carece de ciertas características tan típicas en muchos de esos textos suyos de finales del siglo XIX y principios del siglo XX. En este cuento un narrador extradiegético y heterodiegético sostiene, implícitamente, una conversación (que en realidad es un monólogo) con una mujer llamada Mireya en el nivel diegético del texto. Es entonces cuando este narrador promete contarle la historia del tío Veneno y el Chipén, «historieta» que proviene «del repertorio de mi abuela» (p. 189). Dicha historia y la supuesta narración[34] de la mencionada abuela[35] ocurren, a su vez, en dos momentos diferentes dentro del nivel hipodiegético. Es decir, cuando el narrador relata (e identifica) quién le hizo copartícipe de la historia del tío Veneno y del Chipén, este narrador extradiegético ya es un personaje que en el nivel diegético funciona como narrador intradiegético y heterodiegético del nivel hipodiegético. Como narrador intradiegético, esta voz procede a veces a salirse del cuento para interpretar, desde una perspectiva actual, lo que sucede en la historia (por ejemplo, cuando el narrador intradiegético explica el sentido de la frase «¡Ah! de mis muertos!»: «con lo que tal vez querría dar a entender que sus muertos eran más de mil; pero sobre esto, es aventurado cuanto se diga, porque las palabras del Chipén no tuvieron nunca comentaristas como las de otros grandes hombres» [p. 189]).[36]

El narrador intradiegético de «¡Ah! de mis muertos!...» cuenta un incidente en la vida de dos hombres muy diferentes, según se deriva de la caracterización directa de que son objeto ambos. Si bien Veneno y Chipén son gente baja, el uno siempre cumple con su palabra mientras que el otro no es nada fiable. El Chipén era zapatero y le prometió a su compadre —al tío Veneno— que le arreglaría unas polainas en una hora. Pasado este tiempo, el mal zapatero no cumplió su promesa, pues utilizó el dinero que le dio su compadre para emborracharse. Es entonces cuando el tío Veneno viene a reclamar su propiedad y descubre al Chipén aparentando estar muerto por temor a la justicia de su compadre. Este engaño se prolonga por varias horas y concluye en una capilla en el cementerio. Allí, ya muy entrada la noche, penetran unos ladrones famosos de la comarca y comienzan a repartirse su botín. Simultáneamente, el tío Veneno se esconde en las sombras para no ser descubierto, mientras que el Chipén sigue tendido, creyéndole los forajidos un cadáver. Uno de estos ladrones se acerca al supuesto difunto un par de veces y expresa deseos de probar su nuevo puñal en sus carnes. Como resultado, el Chipén se aterroriza y procede a sentarse para evitar ser matado verdaderamente («Él continuaba sin cejar, en alto el brazo, dispuesto a dar el golpe, cuando el Chipén, con los cabellos de punta, se sentó en la caja gritando despavorido» [p. 195]). Al escucharle, los ladrones huyen, pues temen a un muerto que habla y ha resucitado. A la vez, el tío Veneno comprueba que su compadre le estuvo engañando y exige que le devuelva el dinero que le dio por reparar sus polainas. Es entonces cuando regresan los ladrones con gran cautela a recuperar su dinero y otras riquezas y escuchan al tío Veneno decir «¡Aparta mis dos reales, charrán!» (p. 197). Para los delincuentes estas palabras corroboran su temor por los muertos al interpretar que son tantos los difuntos que entre tanta riqueza sólo le corresponde a cada uno «dos reales» (p. 197).

Lo atípico en este texto tan temprano de Valle es la verdadera ausencia de lo sobrenatural, ya que en este relato se es testigo del engaño de que fue objeto el tío Veneno y del malentendido que experimentan los forajidos ante lo que han presenciado. Estas equivocaciones poseen una dimensión fársica al estar el lector implícito en el cuento al tanto de lo que verdaderamente ocurre.[37] Esta interpretación cobra aún más fuerza si se recuerda que la supuesta muerte del Chipén queda vinculada con algo tan poco serio como es un baile: «Amortajaron al Chipén, después de lavarle y rasurarle como si fuese a un baile, tendiéronle en la caja, y pusiéronle un crucifijo entre las manos» (p. 193). La desvirtuación de la muerte y lo sobrenatural de su seriedad usual es algo importante al contradecir muchos textos de don Ramón que exploraron situaciones de este tipo en forma opuesta.

Por último, se observan en «¡Ah! de mis muertos!...» descripciones de los personajes y del ambiente en que todo ocurre: discursos directos que pretenden captar el habla popular de los personajes, discursos indirectos libres donde lo dicho por alguien es presentado por el narrador, y resúmenes no tan diegéticos que aluden al asunto discutido por los personajes.

«Año de hambre»[38]

En este cuento, un narrador extradiegético y homodiegético narra, ya de adulto, el horror del hambre en su pueblo durante un fatídico invierno gallego cuando él era niño. A pesar del sufrimiento experimentado por todos entonces, según el narrador-testigo, todavía había «resignación cristiana [...] para endulzar muchas heridas en el alma del pueblo; ¡pobre alma sencilla, milagrosa y trágica!».

El horror del hambre fue tal que el narrador la humaniza y convierte en una vieja terrible:

> ¡Qué invierno aquél! Aterida, mojada, tísica, temblona, velaba el hambre acurrucada a la puerta del horno, sin que consiguiese aullentarla la cerradura de siete clavos que la mano arrugada de la superstición popular había clavado en todas las puertas. La vieja tirana de la aldea entrechocaba muerta de frío las desdentadas mandíbulas, y tosía llamando al muerto eco del rincón calcinado, negro y frío [...].

La gazuza que prepondera no ocurrió solamente en el pueblo del narrador: la necesidad tocó las aldeas más remotas, según lo documentan las «procesiones de aldeanos hambrientos» que llegaban a la puerta del narrador. Significativamente, y contrastando con la humanización del hambre, estos aldeanos son descritos como «un rebaño descarriado». Es decir, ante la falta de alimentos, el hombre se animaliza.

Además del horror del hambre, este relato pone énfasis en cómo algunos demuestran caridad por los menos afortunados mientras que otros —por ejemplo, su vieja vecina— no hicieron nada por ayudarles. En este año de hambre, agrega el narrador, nadie castigará al indiferente, pues todavía entonces «tales justicias se dejaban a Dios». En el presente de la vida del narrador, sin embargo, los pobres ya no se confían a Dios y amenazan cuando no reciben la caridad a que tienen derecho. Esta actitud es lamentada por el narrador, al ser indicio de que se ha perdido la fe: «¡Pobres almas desnudas, pobres almas ingenuas, que han perdido la fe en la justicia divina, sin hallar la justicia aquí en la Tierra! Las viejas supersticiones, las cándidas virtudes, les han sido arrebatadas por crueles apóstoles».

En «Año de hambre», su autor implícito quiere, simultáneamente, presentar el espanto y la angustia de un instante junto con la evolución de las actitudes del pueblo. Esta combinación, indudablemente, demuestra cuán comprometida es su figura ante la pobreza material circundante. Además, deja ver una preocupación por la pobreza espiritual que destruye al ser humano.[39]

«Babel»[40]

En este relato, un narrador extradiegético y homodiegético que opera como focalizador se refiere a un individuo que conocía —Babel— y con quien tuvo lo que entonces interpretó como un «incidente». A través del texto, parece que el narrador dialoga con sus narratarios o supuestos lectores.

Al comenzar el cuento, este narrador procede a caracterizar de forma directa a Babel, por el que se siente bastante repelido (quizá por ser un hombre feo y bastante afeminado). Añádase que el nombre «Babel» es en realidad un apodo que dicho personaje ha recibido al utilizar constantemente diversas lenguas cuando intenta comunicarse con quienes entablan contacto con él. Es debido a esta y otras características que Babel se convierte en una figura curiosa y en mucho anormal.

Además de la presentación del personaje, el cuento relata un encuentro que el narrador y Babel tuvieron y cómo el narrador entendió muy poco de lo que le decía el extraño personaje. El encuentro entre ambos posee, por tanto, cierta comicidad que resulta de la falta de comunicación entre los dos. Es así que la incomprensión lleva al narrador a creer que Babel podría querer matarle, y, por consiguiente, le echa por tierra para poder escapar de su supuesto enemigo. Implícitamente, el narrador ha comprendido más tarde su error y se siente culpable al haber maltratado a su estrafalario amigo.

Con «Babel» nos da Valle-Inclán una breve escena de poca envergadura conceptual y estética: ello es comprensible si se recuerda que este, posiblemente, sea su primer cuento.[41]

«Un bautizo»[42]

Este relato corresponde, en términos generales, a la Escena Sexta de la Jornada Tercera de *Águila de blasón*, apareciendo por primera vez el año antes de la muy conocida *Comedia bárbara*.[43] Su formato corresponde a la ficción narrativa, a pesar de que se le integra a un texto dramático y ello, junto con su nueva publicación en 1909 y su contenido, justifica que se le estudie en este libro.

La historia es contada por un narrador extradiegético y homodiegético que una noche se ve asediado por dos hombres que le piden su colaboración en un bautizo. Esta ceremonia, según ellos, es necesaria para romper un embrujo, un mal de ojo. Con la figura de este narrador coexiste la de uno de los hombres que le detiene, un viejo que relata cómo fue el pasado de su hija y cómo han decidido que es necesario un bautizo para que ella sea fértil. El anciano es, pues, un narrador intradiegético y homodiegético.

Como es de esperar en un texto que va a convertirse en una obra dramática, el discurso que predomina en el cuento es el diálogo. Esto, a su vez, facilita que la focalización sea variable.

Durante «El bautizo», se sabe que el padrino —el narrador extradiegético— se llama Ramón, dato que ha provocado que se conciba el cuento como, posiblemente, autobiográfico, algo que en nada contribuye a nuestra mejor comprensión del texto.[44]

Concluye el relato con una breve descripción de lo que experimentó el narrador como resultado del bautizo y de la gran devoción de aquéllos que le pidieron que participase en la ceremonia: «yo sentí que en mi alma, falta de fe, brotaba como el agua de una fuente clara el recuerdo cándido, ingenuo y piadoso de la Huida a Egipto». Es decir, cuanto ha presenciado ha facilitado que el narrador actualice sus emociones pretéritas, inexistentes en su presente. He aquí la importancia que todo cuanto ocurre tiene para este narrador-testigo y, simultáneamente, partícipe, ente cuya problemática recuerda a la del narrador en «Mi hermana Antonia».

«¡Caritativa!»[45]

Aparecen en este breve relato personajes y situaciones vinculables a otros textos de Valle-Inclán escritos en la última década del siglo XIX aunque sea éste, claramente, un cuento esencialmente independiente.[46]

En «¡Caritativa!» un narrador extradiegético y heterodiegético, que a veces focaliza, narra la historia del encuentro fortuito que una noche tuvieron Pedro Pondal y Octavia Santino. Junto a la ya mencionada historia, se ofrece una visión del pasado y del temperamento de cada personaje junto con lo que se dicen mutuamente y las historias que ellos mismos narran. En este sentido, los dos pasan a ser, además, narradores intradiegéticos y homodiegéticos, a la vez que operan como focalizadores.

El título del cuento alude a un atributo de Octavia: su caridad por una niña que recogió —Adelina— y por Pedro. Esta característica de ella no sólo se origina en su buen corazón; es algo que resulta también de su temperamento de actriz,[47] de su soledad al sentirse carente de calor humano: «¡Qué tristeza tan grande es la vida, cuando una no tiene a quien querer! [...]» (p. 182).

El cuento comienza con una caracterización directa de Pedro Pondal por parte del narrador (p. 127). Inmediatamente, ocurre algo semejante con «La Santino»:

> Era ella; la célebre cantante de quien se dijo que había gustado las dulzuras del amor de un rey; ¡pero cuán mudada! conservaba el mismo perfil de camafeo helénico; mas la boca contraíase en melancólico pliegue y el rostro había adquirido tonos de cera que hacía otra mujer de la «Alondra de la Basilicata», como le llamara Federico Mistral en una linda endereza.
>
> Con aquel aire teatral, de que nunca, o rara vez, se despojaba, exclamó [...] [p. 173].

En el caso de ella, sin embargo, las percepciones del narrador bien puede que se fusionen con las de Pedro al recordar el personaje la historia de esta mujer. En el caso del joven, éste queda definido como romántico, ingenioso y algo alocado. Ella, por su parte, ha sido una cantante famosa enfrentada a cierta decadencia profesional y física. De suma importancia en Octavia es su marcada teatralidad, rasgo muy común en los personajes de don Ramón.

El encuentro entre Pedro y Octavia es lo que en sí constituye el nivel diegético de la narración, mientras que las historias que ambos narran junto con su pasado en común ocurren en un nivel hipodiegético anterior. La de Pedro es la de una relación amorosa frustrada, igual a tantas otras, que le llevó a dejar a Brumosa en precarias circunstancias económicas. Es decir, la historia de Pedro «parece una novela» (p. 173): es como si el arte le diera realidad y determinase la dirección de una vida al convertirse un ser de «carne y hueso» en un «héroe».

Por su parte, Octavia le relata a Pedro cómo perdió la voz y la historia de Adelina, infeliz niña que al quedar huérfana fue abandonada por todos menos ella. Esta narración la hace ella con «continentes teatrales» (p. 177), algo que hace plausible que Pedro reaccione «con soberano ademán» (p. 177). Ambos, según se observa en varios lugares a través del cuento, son seres que disimulan al desarrollar sus papeles respectivos (algo que en sí recuerda a «La Condesa de Cela»). Es así que, al referirse a Brumosa, ella demuestra interés por esta ciudad sin que dicha curiosidad sea en verdad auténtica:

> Tuvo también un recuerdo para Brumosa, su segunda patria, que decía ella, y preguntaba por éste, y por el otro, confundiendo alguna vez los nombres, y equivocando las personas, pero siempre con interés muy bien fingido [p. 178].

Junto a la artificialidad de los dos, existen cosas cuya cruel realidad se impone a toda teatralidad. En el caso de él, es su odio por una sociedad cerrada, falsa y poco humana:

> Decía que Brumosa no era una ciudad, sino una gran iglesia en donde se reverenciaba el culto de lo Razonable, que tenía por Pontífices unos cuantos sabios idiotizados, con el alma seca, como las polvorientas hojas de un infolio, y momio y amojamado el cerebro, atiborrado de latines bárbaros y de sentencias hueras; hombres incapaces de concebir nada que no fuese a su imagen y semejanza, metódico y vulgar como ellos mismos: producto híbrido de las capas sociales intermediarias, de esa burguesía glotona, tacaña y sensual; vulgo con títulos académicos, gentes que por no ser nada, ni eran pícaros redomados, ni hombres de bien a carta cabal [p. 179].

Para Octavia, por otro lado, la soledad —la falta de amor— es lo que la obsesiona: «Me hallo sola, en medio de tanta gente» (p. 179).

Significativamente, el cuento concluye con una escena que quizá nunca ocurriese: en sus sueños Pedro cree ver a Octavia acercársele en la noche y besándole «en la frente, luego en los ojos y en la boca, murmurando con apasionada ternura y en voz tan baja que apenas se oía: —¡Qué tristeza tan grande es la vida, cuando uno no tiene a quien querer! [...]» (p. 182). De ser cierto cuanto cree percibir Pedro, el relato concluiría con un acto de auténtica comunicación humana, con cierto calor vital. Este supuesto fin estaría cargado de esperanza. Sin embargo, no se puede decir con certidumbre que esto sea lo que sucede, quedando, por tanto, el lector sin conciencia plena de la posible solución a problemas existenciales del ser.[48] Es pues, el final de «¡Caritativa!» marcadamente evasivo, algo que contrasta con ese ambiente tan negativo que prevalece a través del cuento.

«Correo diplomático»[49]

Texto a primera vista vinculable a *La corte de los milagros* y *Viva mi dueño*, «Correo diplomático» es de difícil ubicación en estas obras al contradecir lo que en ellas ocurre,[50] por lo que requiere un breve análisis independiente de las ya aludidas creaciones de Valle-Inclán.[51]

Como bien sustentó Leda Schiavo, Valle-Inclán introdujo muchas «variantes estilísticas» entre las dos versiones de los relatos que nos conciernen, «pero sin cambiar, esencialmente, su estructura ni su contenido».[52] En ambos cuentos, la historia es prácticamente idéntica, y los dos están divididos en catorce secciones no totalmente iguales: en ellos el Conde Blanc llega a Roma en una diligencia y, después de ciertas cortesías donjuanescas (que recuerdan un poco a Bradomín), procede a violentar cartas de Isabel II dirigidas al Papa que contenían información que ponía en entredicho a la reina. Tan pronto sabe el asunto de las cartas, el Conde Blanc decide utilizar estos documentos para mejorar su fortuna. A tal efecto, busca a su antiguo compinche Cósimo, individuo opuesto a la autoridad papal en Italia. Cósimo demuestra, aparentemente, poco interés por las epístolas, aunque le ofrece una cena al Conde Blanc para así poder narcotizarle y robarle los documentos. El último párrafo de ambos textos indica, con variaciones, que las cartas fueron vendidas al duque de Montpensier. Coexistiendo con la historia ya descrita, están las pretensiones del Conde Blanc al trono de España (se declara nieto de Fernando VI en «un bastardo de Narizotas» y su hijo en «Correo diplomático»), la aparente intriga de Monseñor Antonelli y otros para conseguir la abdicación de Isabel II, y la obvia descomposición moral imperante dentro y fuera de España.

Un narrador extradiegético y heterodiegético es quien relata la acción de «Correo diplomático», a la vez que matiza —en un tipo de caracterización directa— el mundo físico donde todo ocurre. De ese modo, la primera sección del cuento nos da una descripción que combina lo puramente físico con lo esencialmente ético, vinculación muy común en los famosos esperpentos valleinclanescos: «Remota, en la tarde agonizante, erigía su curva mole la cúpula del Vaticano: negra, apologética y dogmática sobre el ocaso de sangre» (12-III-1933, p. 7). Obsérvese que en esta cita el narrador también opera, de manera implícita, como focalizador.

En la segunda sección, se es testigo de la llegada de la diligencia a Roma. Significativamente, todo son contrastes en este breve apartado:

> La porta de Popolo, cercada de aduaneros y mendigos, descubría en prolongada incertidumbre el ámbito de una *plaza desierta*. Dando tumbos, *estrepitosa de gritos y cascabeles*, cruzó la diligencia bajo el gran arco dórico que trazó Miguel Ángel. Mendigos y perros la *saludaron con rezos y alharaca*. Desde lejos, desplegada en guerrilla, una turba de chicuelos la *tiroteó* con pellas de barro, *sin respeto* para la *guardia de zuavos franceses que jugaba a la malilla* sobre una manta. *Gritos y clamores* tenían una *anacrónica y turbadora* resonancia en la vastedad de plaza con su *obelisco cubierto de signaturas faraónicas*. El mayoral detuvo el tiro y saltó del pescante a la intimidación de un *aduanero barbudo, con capa y sombrerote tiroles, traza cabal de brigante de ópera* [12-III-1933, p. 7; énfasis mío].

En este pasaje coexisten el implícito silencio de una «plaza desierta» con el ruido de gritos y cascabeles de la diligencia y con el sonido que resulta de mendigos y perros.[53] Simultáneamente, la paz de la plaza desierta es violada por niños que tirotean con pelotas de barro al vehículo, en contradicción con el respeto y mesura que debieran demostrar al encontrarse presente «la guardia de zuavos franceses». Estos mismos soldados, a su vez, ignoran lo que ocurre a su alrededor y juegan a las cartas. Cuanto ocurre —«gritos y clamores»—, añade el narrador, tenía «una anacrónica y turbadora resonancia en la vastedad de la plaza»: este caos rompe, por consiguiente, con la paz inherente en una «plaza desierta» y nos hace testigos de la disrupción de que todo es objeto en el mundo presentado en el cuento. Es decir, las cosas no se ajustan a lo que debieran ser, impresión que aún cobra más fuerza cuando se indica en el relato que en esta plaza ubicada en Roma —capital del mundo católico romano—, se encuentra un «obelisco cubierto de signaturas faraónicas», claro vestigio de un mundo esencialmente pagano. Concluye la cita con la entrada y caracterización de un aduanero que parece más un «brigante [o bandolero] de ópera», oficio esencialmente opuesto al que se asocia con un personaje en un cargo responsable y que administra y recibe derechos sobre las mercancías importadas o exportadas.

La importancia de la segunda sección de «Correo diplomático» es significativa si se la relee después de haber concluido el relato. Sirve esta sección como anticipo —prolepsis— de la corrupción imperante, como un indicio de que en el mundo de «Correo diplomático» las cosas son muy diferentes a como debieran ser. Todo esto despierta en el lector dudas sobre el lugar. Estas dudas, a su vez, obligan al lector a enfrentarse con la posibilidad de que es testigo de una realidad donde es violentado lo normal, donde lo anormal ha pasado a ser lo común y corriente. En este sentido, el lector se ve confrontado con circunstancias que le alertan a lo que se avecina en el texto, hechos que despiertan su curiosidad sobre por qué todo es como es. Y aún más, al ser relatada esta sección por un narrador extradiegético y heterodiegético, entidad que por sus atributos tiende a ser fidedigna, el lector, desde el principio del cuento, ha adquirido una visión autorizada de lo que predomina en el mundo que se deriva de esta historia.

La tercera sección está constituida por las tribulaciones de dos damas irlandesas que acompañaban en la diligencia al Conde Blanc, señoras que han extraviado sus pasaportes. El diálogo que sostienen las dos podría ser concebido como innecesario al no compaginar bien con la historia fundamental de «Correo diplomático» (es decir, con la del Conde Blanc). Esta impresión inicial resulta ser errónea, ya que en su conversación las damas ubican los hechos dentro de un mundo regido por las «tenebrosas maquinaciones» de los carbonarios (12-III-1933, p. 7). De esta forma, la tercera sección funciona como una demora narrativa que pospone el desarrollo de la historia fundamental en el texto, a la vez que obliga al lector a reconsiderar la información que derivó de las primeras dos partes (Rimmon-Kenan, pp. 125-127). No se olvide que todo en un texto se interpreta a la luz de lo que se ha dicho antes y que todo lo que se dice tiende a obligar al lector a reconsiderar —a reevaluar— lo sustentado con anterioridad.

Concluye la tercera sección con la intervención del Conde Blanc en favor de las damas. Al hacerlo, inicia su papel activo en el relato.

En la cuarta sección queda el Conde Blanc definido por medio de una caracterización directa que proviene del narrador. Aquí se dice que es «petulante», «buen mozo», con diversos nombres en distintos lugares, «aventurero» y jugador, mezclado en las intrigas de Monseñor Antonelli, «hacíase pasar por bastardo del rey Fernando VI», en frustradas relaciones con la familia real, perseguido por los usureros en Roma. En esta sección, a través de la omnisciencia del narrador extradiegético, se sabe que al escuchar a las irlandesas referirse a los carbonarios, se le ocurrió al Conde Blanc la posibilidad de vender su correo, escritos que había leído después de haber levantado sus sellos.

Después de la descripción del Hotel de Londres, donde se encuentra ubicado este albergue, continúa la sección V con el examen más cuidadoso del Conde Blanc de los pliegos españoles que llevaba y su salida en busca del señor Cósimo.[54]

Por su parte, la sección VI consiste en la visita que un cortejo hace a Cósimo, personaje supuestamente moribundo. Mucho de lo que ocurre en esta escena rompe con la dignidad que usualmente es asociada con situaciones de esta naturaleza. Es decir, nuevamente se presentan en el cuento circunstancias opuestas a lo que se concibe como lo normal y ello es, por supuesto, indicio del caos ético que prevalece en «Correo diplomático»:

> ¡Adiós, amigo! Es un momento y no cuesta dinero. Palabra de honor, estaba jugando a la lotería; he dejado el cartón cuando tenía terno. Es muy edificante esta ceremonia y no debe perderse [...]. ¡Cósimo! «¿Qué importa que se llame Cósimo? ¡Hay que perdonar! El corazón es de ley. Se bebe y se mea. Hay que perdonar cualquier falta. Se bebe y se mea. Hoy mearemos menos que otros días [...]. Uno es sensible y tiene las lágrimas fáciles. ¡Y lo mismo sería si no se llamase Cósimo! ¡Cósimo ha dicho a la señora! [...] [19-III-1933, p. 7].

La referencia a la lotería y el uso de los verbos «beber» y «mear» en las palabras de la plañidera, según son narradas por un viejo, le restan dignidad a esta escena.[55] Este efecto continúa cuando se llama al enfermo «sacamuelas», cuando las candelillas juegan «corretonas por la tarima», cuando los zapatos intentan bailar y en la forma en que se escondió la ropa debajo de un vulgar «catre». Y es que, ante la solemnidad en que suelen ser presentadas escenas como ésta, surge la vulgaridad de lo que sucede en este cuento, actitud que está captada en la forma en que se describe la labor del clérigo cuando «despachó [...] la ceremonia», acercamiento a lo serio que recuerda ciertas actitudes imperantes en los esperpentos y algunos otros textos tempranos de don Ramón.[56]

Continúa la atmósfera irreverente en la sección VI cuando el aparente desahuciado —«Cósimo el sacramentado»— saca «un pistolón oculto entre el rimero de la almohada» (19-III-1933, p. 7) para protegerse de un presunto intruso, el Conde Blanc. Al hacerlo, es significativa la reacción del cortejo que rezaba junto a su lecho: «Habíase incorporado el piadoso cortejo, persuadido de que toda aquella liturgia encubría un sacrílego simulacro» (19-III-1933, p. 7). La sección VI presenta a continuación la caracterización directa de Cósimo y concluye con una breve historia de cómo el desahuciado y el Conde Blanc sostuvieron relaciones amistosas en el pasado:

> El príncipe [conde] se titulaba entonces marqués de Toledo, y Cósimo Balsena era el «comendatore» Andrea Balduini. Después anduvieron unidos sus nombres cuando la desaparición en un baile de máscaras del collar que lucía la famosa pecadora Marion Brizac.
>
> Cósimo Balsena, vicioso y corrompido, explotador de mujeres fáciles, señalado como tahúr y monedero falso a través de una vida de crápula y procesos, jamás había vendido el secreto de las conjuras revolucionarias, fiel a la gran idea del reino de Italia [19-III-1933, p. 7].

Con una disquisición política sigue el cuento en su octavo apartado. Además de quedar representada la familia real española en términos poco halagadores, es obvia la patente animosidad del narrador por un pueblo que, según dice el Conde Blanc, está bastante corrompido y que no sabe —ni desea saber— seleccionar a sus dirigentes:

> —¿Y el pueblo?
>
> —Tumbado al sol.
>
> —¿Y sus tribunos?
>
> —Allí, al que dice pío lo mandan a un presidio de África.
>
> —¿No crees en el próximo levantamiento de toda España?
>
> —No lo creo.
>
> —Pues está anunciado.
>
> —Ya lo sé.
>
> —¿Tú qué has visto?
>
> —Un pueblo dormido. En España, por mucho tiempo, acaso siglos, las revoluciones no pasarán de merendolas de generales.
>
> —¿Pero los españoles no sienten su oprobio? Esa familia real de prostitutas, afeminados y cretinos, ¿no les da vergüenza? ¡Esa reina!
>
> —Yo creo que se alegran. Me han parecido los españoles unos borregos envidiosos, y he visto que nada les satisface tanto como tener motivo para denigrar a los que descuellan en los puestos preeminentes. Si les fuese posible,

buscarían a sus gobernantes en los presidios sólo para luego poder vejarles. Esperemos que los borregos envidiosos se conviertan alguna vez en lobos envidiosos.

—¿Y qué se sucedería entonces?

—No lo sé... Eso, acaso sea el socialismo que predica el judío Marx [19-III-1933, p. 7].[57]

Indudablemente, el juicio de la sociedad que se da en esta cita corrobora la impresión inicial que el lector implícito derivó a principios del cuento al observar que las cosas eran lo opuesto a lo que debieran ser. Por último, esta sección nos deja ver tres aspectos comunes en muchas creaciones de Valle-Inclán: 1) el desparpajo con que se expresan conceptos de gran envergadura; 2) una preocupación por los detalles que infunde a su prosa una marcada densidad («La señorita Julia, sentada a los pies del catre, escuchaba, cargados los ojos de eléctricas interrogaciones; asomaba entre las almohadas el pistolón del sacramentado, y en la luz de la vela encendía un tabaquillo cavour el bastardo de "Narizotas"», 19-III-1933, p. 7); y 3) la preocupación de don Ramón por las cosas —en este caso un zapato—, al punto de crear la impresión de que son independientes al humanizarlas («Con la punta del pie buscó bajo el catre el chapín en reincidente fuga», 19-III-1933, p. 7).

Por su parte, la sección IX presenta al Conde Blanc y a Cósimo plenamente conscientes de su bajeza y teatralidad en el desarrollo de esos papeles que les ha tocado representar:

—Eres un gran comediante. ¡Superior al viejo Rossi!

—Y tú un gran incrédulo. Te aseguro que estaba en el mejor propósito para irme al otro mundo, y solamente me he quedado en éste para recibir tu visita. ¡Breves momentos, carísimo!

En pernetas, el ex moribundo saltó del catre y empezó a vestirse. El príncipe requirió de nuevo la vela, artimando el tabaquillo:

—Perdona que haya sido tan inoportuno. Y otra vez que decidas morirte no olvides solicitar la bendición «in extremis» de Su Santidad. Un gran pecador como tú no puede ponerse en camino sin ese pasaporte.

El ex moribundo, dándose una palmada en el cogote, sacó la lengua con mueca de caricato:

—Lo tendré presente [19-III-1933, p. 7].

De esta conversación, pasan a discutir el negocio que se trae entre manos el Conde Blanc y la forma en que esta transacción afectaría a aquéllos que desean la unidad de Italia. Como resultado, empieza a interesarse Cósimo por lo que le propone el conde y le invita a cenar con él.

Las secciones X y XI ocurren en la cocina de Cósimo. Suceden varias cosas entre las que se destacan la llegada de un viejo-momia que vende ratoneras; el flirteo del conde con Julia (algo que recuerda el diálogo del Duquesito de Ordax con Rosita Zegri en los jardines del Foreign Club); los apartes entre el viejo y Cósimo en los cuales, aparentemente, traman algo; y el embriagamiento, ataque e inconsciencia del Conde Blanc después de una escena absurda en que se brinda por él como futuro rey de España y donde Julia ofrece ser su reina:[58]

El señor Cósimo se levantó para brindar:

—¡Carísimo, por que te corones rey de España!

La señorita Julia escurría las copas; con insinuaciones de hallarse mareada:

—Me ofrezco de reina.

El señor Cósimo la miró paternal:

—Julieta, debes acostarte.

Lagrimeaba el resueño compadre de la simbólica bufanda:

—¡Oh! ¡Qué delirio de grandezas!

Inclinóse con ampulosa cortesía el bastardo de «Narizotas»:

—¡No una corona; una tiara merece la señorita Julia!

La tarasca corrió a echarle los brazos. Le rodeó el cuello, sofocándole. Los otros compadres también le abrazan. El vejestorio le besuquea, llenándole la cara de babas. Entre los vapores del mosto veletearon los recelos del príncipe. Aturdido, intenta desasirse. Le aprisionaban los brazos, le despojan de sus armas. No pudo gritar. La verde bufanda le caía sobre la boca. Manos de hierro se la apretaban. Entórnale confuso remolino de sombras. Había entrado gente. Le derriban sublevando un estrépito. La mesa volcada; un brillo de puñales. Logra levantarse. Vuelve a caer. Le vendan y le atan. Confusas voces. Muchas manos. Le sofocan la respiración con un pañuelo. Olorosa babel de cristal, de donde surge el ojo tragalón de la tarasca, la gola sensual, plena de gorgoritos. Somnífera babel de cristal. Éter y manzanas. Un tímpano remoto que se prolonga y se extingue y perdura lejano, lejano, lejano [...] [19-III-1933, p. 8].

En las secciones XII y XIII se desmantela la casa de Cósimo, a la vez que «el ex moribundo» se dirige al hotel del conde para conseguir los documentos que comprometen a Isabel II.

El relato concluye con una nota —en sí la sección XIV— donde se hace referencia a la venta de las cartas de Isabel II a Su Santidad Pío IX. Este final recuerda a aquél de la *Farsa y licencia de la Reina Castiza*, donde también han triunfado las fuerzas del mal cuando en ese caso un estudiante es nombrado Obispo de Manila en recompensa por una carta con la que chantajeaba a la decadente reina española.[59] Queda, pues, «Correo diplomático» muy bien ubicado dentro de la literatura de Valle-Inclán.

«La corte de Estell[l]a»[60]

Como ya bien afirmó Eliane Lavaud, este texto no parece un cuento sino un fragmento de una obra más extensa (p. 191). Ello es así, en parte, debido a que cuanto aquí ocurre obviamente encaja en una realidad más amplia sobre la cual es útil que el lector tenga cierta idea si desea comprender verdaderamente este texto. Además, «La corte de Estella» alude a personajes y hechos que en una forma u otra aparecen en otras obras de Valle-Inclán (por ejemplo, en la *Sonata de invierno* y en las novelas de la serie de *La Guerra Carlista*).

El relato ofrece una visión bastante positiva del carlismo al contrastarse los dos campos bélicos debido en parte al desplazamiento que hizo el Conde Soulinake. De los siete apartados que contiene este cuento, dos quedan dedicados a los liberales mientras que cinco se concentran en los carlistas.

En las dos primeras secciones, se ofrece un cuadro de oficiales liberales más preocupados por su orgullo y por disfrutar de la vida que por su causa. Quedan patentes aquí las diferencias entre el Duque de Ordax y Agila en contraste con los carlistas y la forma en que el polaco Conde de Soulinake observa un vacío a su alrededor y ha decidido, por consiguiente, unirse al frente enemigo, a los carlistas.

> El Conde Pedro Soulinake era un emigrado polaco que iba con los húsares desde el comienzo de la campaña. Vivía por igual entre los soldados y entre los oficiales. Ensimismado y exaltado, a todas las cosas les daba un profundo sentido religioso, pero de religiosidad nueva y atea. Había venido a la guerra de los liberales españoles, porque de lejos le pareciera bella como un amanecer. Ahora, al verla de cerca, sentía una tristeza desengañada [...].
>
> —¡Vengo a decirte adiós! Este es un ejército de almas muertas y temo el contagio [p. 6]).

En contraste a lo aseverado por el conde está la actitud de los liberales:

> Jorge y los otros rieron sonoramente a aquella extravagancia. Era una risa hueca, de buenos militares acostumbrados en los cuerpos de guardia a holgarse con vino peleón y lances de mujeres, gente horra de otros conflictos morales [p. 6].

Y es que en los carlistas el conde detecta vitalidad y fuerza, en contraste con la deficiente realidad de los liberales:

> —Yo voy a los carlistas para confortarme, para echar del alma el frío y la tristeza que siento en este ejército. ¡Sois bien extraños los españoles! Aquí todos parecéis viejos de cien años, con el corazón lleno de arrugas, y allá

todos parecen mancebos encendidos y fuertes. ¿Y cómo puede ser, si todos sois unos? [p. 6].

Los siguientes cinco capítulos ocurren en el frente carlista. Allí el conde se encuentra con gente decidida y totalmente identificada con su causa. Entre ellos, destaca Cara de Plata, personaje que demuestra marcado patriotismo, en contraste directo con otros atributos que predominaban en su figura en otras obras de Valle-Inclán (por ejemplo, *Águila de blasón*, *Romance de lobos* y *Cara de Plata*):

> —Hay guerras que son como una regla de convento, y caben en ellas soldados de todo el mundo. A ésta unos vienen por cristianos, otros por leales, los hay desesperados de la vida, y mozos de aventura escapados de la casa de los padres. ¡De los peores era yo! [...]. Pues fue llegar, y sentirme cambiado al besar la mano del Rey. Me pareció que me bendecían, y tuve de la guerra un sentimiento que no tenía. Antes solamente pensaba en pelear por señalarme el primero, y soñaba con ser capitán [...].
>
> Murmuró el polaco:
>
> —¡Es el sueño de todos los soldados!
>
> —En otras guerras, pero en ésta no.
>
> Cuando se acabe nos iremos todos a nuestras casas: el labrador a su labranza, el pastor a su rebaño, el estudiante a su estudio [...] [p. 10].

Concluye el relato con una escena entre el Rey Don Carlos y el Marqués de Bradomín donde aparece el monarca consciente de que sus tropas están perdiendo y, por tanto, muéstrase preocupado por los peligros que pueden acechar a su familia. En esta escena, el rey representa, claramente, las actitudes gloriosas de los de su causa cuando no deja ver preocupación por su seguridad personal pues «Para nosotros, querido Bradomín, no faltará sitio en la fosa del soldado» (p. 14).

Hay en «La corte de Estella» muchos diálogos que se ven intercalados por los comentarios descriptivos del narrador extradiegético y heterodiegético de donde proviene supuestamente el cuento. La focalización en el texto es variable: se escuchan las percepciones del narrador y de varios de los personajes.[61]

«Un cuento de pastores»[62]

La historia de este relato está parcialmente incluida en *Flor de santidad,*[63] novela publicada por primera vez en 1904, y *El Marqués de Bradomín,*[64] obra teatral que se estrenó en 1906. Al publicar su cuento nuevamente en 1913 —nueve años después de su aparición original—, Valle-Inclán insiste, implícitamente, en su autonomía como tal.[65] Esta narración se ocupa del tipo de relatos que interesan a unos sencillos pastores. Estos cuentos, si bien ingenuos, no por ello dejan de despertar gran interés en quienes los escuchan por primera vez y en aquellos que ya los han oído en otras ocasiones. Lo ya dicho queda documentado en «Un cuento de pastores» a través del relato que un viejo pastor hace a sus compañeros. Este narrador intradiegético y homodiegético cuenta la historia de una hechicera reina mora que él conoció. Su voz, al hacerlo, se caracteriza por tener «entonación lenta y religiosa, de narrador milenario» (esto es algo que afirma el narrador extradiegético y heterodiegético por el cual se filtra todo cuanto ocurre).

Además de interesarse por la atracción que los pastores muestran por ciertas sencillas narraciones, en «Un cuento de pastores» —en la historia del viejo pastor— se ejemplifica una gran verdad: el hombre, cegado por la avaricia, comete errores que le destruyen, equivocaciones que su naturaleza no le permite evitar si se aceptan como verídicas las palabras del viejo pastor.

«Una desconocida»[66]

Es ésta la historia de una mujer que el narrador extradiegético y homodiegético conoce en un tren y de la reacción de aquél ante sus mentiras. En el tren él cree que ella viaja con un amante enfermo después de oírla hablar de sus problemas. Más tarde, en este mismo lugar, ella le cuenta al narrador «su vida: una historia novelesca que en nada se parecía a la otra historia que pude colegir, cuando al comienzo del viaje oía su conversación con el adolescente» que la acompañaba (p. 240). Por último, al final del cuento, el narrador tiene acceso a otra historia de ella, lo que le lleva a expresar su inconformidad ante las falsedades que aparentemente ha escuchado de esta mujer. En «Una desconocida» se ofrece, por tanto, un cuadro de cómo un ser humano con el cual se ha tenido cierto contacto puede resultar ignoto debido a su habilidad para crearse la identidad que, dadas sus circunstancias, considera más conveniente.

«Égloga»[67]

En su versión de 1902, este cuento ofrece la historia de una madre y una hija que llevan sus ovejas a un «saludador» para que las cure de una brujería.[68] Si bien este argumento le da su dinámica al relato, simultáneamente se observa un marcado énfasis por parte del narrador extradiegético y heterodiegético en describir un mundo rural con raíces en la antigüedad y donde las cosas parecen poseer vida propia y una cierta humanidad religiosa:

> En la orilla del río, bajo el ramaje de los álamos que parecen de plata *antigua, sonríe* un molino. El agua *salta* en la presa, y la rueda, *fatigada* y *caduca, canta* el *salmo* patriarcal del trigo y la abundancia: su *vieja voz geórgica* se oye por las eras y por los caminos [enfasis mío].

Las palabras «antigua», «sonríe», «salta», «fatigada», «caduca», «canta», «salmo» y «vieja voz geórgica», indudablemente, avalan mi percepción a la vez que compaginan bien con el título del cuento: este relato es un tipo de égloga, una composición poética del género bucólico donde, si bien suceden hechos, todo recae sobre la dimensión pastoril de lo descrito. Como en otras églogas, se imita en este texto —y en prosa— el lenguaje y costumbres de los pastores para cantar la simplicidad y autenticidad de la naturaleza y el campo.[69]

Otros elementos presentes en la narración incluyen la codicia de la madre y del viejo curandero (ambos desean el cordero), la aparente sapiencia del saludador en la cura del mal de ojo y la fe de estas gentes en su supuesta habilidad para sanar a las ovejas. Todo esto está muy vinculado a la presentación de esa realidad pastoril que se quiere expresar a través de «Égloga».

«Su esencia»[70]

A pesar de que partes de este breve relato son asimiladas en la *Sonata de otoño* (1902), su segunda impresión aparece un año más tarde, en 1903. Para Eliane Lavaud, «Su esencia» es un fragmento sacado de la obra más amplia mientras que, en mi opinión, también puede ser leído este texto independientemente, al ser comprensible por sí mismo.[71]

En este cuento, un narrador extradiegético y homodiegético, que focaliza a su vez, reflexiona sobre el efecto que una carta ejerce sobre él y, al hacerlo, recuerda a una joven muerta —Lilí—, a quien tanto amó ya hace tiempo. Se concentra, entonces, la narración en cómo el ayer —según queda condensado en una carta— afecta el estado de ánimo de un hombre que no puede, verdaderamente, disfrutar de su pasado en su presente aunque sí lo puede sufrir todavía, ya que la esencia de su amada perdura ante él con cierta dolorosa imperfección.

«La feria de Sancti Spiritus»[72]

Con el subtítulo «Fragmento del libro *Tierra caliente*, por Andrés Hidalgo», aparece en 1897 «La feria de Sancti Spiritus», relato que está precedido de una nota explicativa indicando que el texto consiste en un fragmento de un manuscrito más extenso que no ha podido ser publicado por un amigo de Andrés Hidalgo, debido a que aquél era desconocido en el mundo editorial español.

Indudablemente, este cuento es claramente vinculable a la *Sonata de estío* (pp. 141-147),[73] aunque lo descrito en una nota al final no se ajuste al argumento de la famosa novela de Valle-Inclán (se indica que Andrés Hidalgo queda arruinado por su amante Lilí y que opta por suicidarse). Otra diferencia concierne al lugar donde ocurre la acción de ambos, el cuento y la novela: el primero tiene lugar en Cuba, mientras que la segunda acontece en México, lo que se deduce no sólo de los lugares mencionados, sino también de sus ambientes respectivos.[74]

En «La feria de Sancti Spiritus» se tiene la historia de parte de un día en la vida de dos enamorados: Lilí y un narrador extradiegético y homodiegético que focaliza lo que cuenta. Este narrador-protagonista se dispone a honrar una promesa que le hizo a Lilí: la llevará a la feria de Sancti Spiritus. El cuento está constituido por la descripción del ambiente físico y humano de la feria, la conversación en la casa de un antiguo esclavo del narrador, el deseo de Lilí de que el narrador le adquiera dos potricas blancas, y la pérdida de Lilí en un juego con un hombre con el que ha apostado sus besos a cambio de dinero. Culmina el relato con una escena tensa, en la que el narrador, cargado de celos, ofrece cubrir las deudas de ella, sufriendo de esta forma una pérdida material que parece ser substancial («¡Te has arruinado por mí!»).

Si bien «La feria de Sancti Spiritus» se concentra en sucesos menores, no deja de constituir un eslabón interesante en la producción de Valle-Inclán. Su mérito recae en los diálogos y, por encima de todo, en la descripción de un mundo bastante primitivo, cuadro que recuerda a obras posteriores de Valle-Inclán:

> Desde que entramos en el Real de la feria, monstruosa turba de lisiados nos cercó clamorante: ciegos y tullidos, enanos y lazarados nos acosaban, nos perseguían, rodan-

> do bajo las patas de los caballos, corriendo a rastras por el camino, entre aullidos y Padrenuestros, con las llagas llenas de polvo, con las canillas echadas a la espalda, secas, desmedradas, horribles [...]. Se enracimaban, golpeándose en los hombros, arrancándose los chapeos, gateando la moneda que les arrojábamos al paso.

En este fragmento predomina lo anormal y lo monstruoso, siendo documentables estos dos atributos en las muchedumbres típicas de otras creaciones de Valle-Inclán.[75]

«Flor de santidad»[76]

En el cuento «Flor de santidad», un narrador extradiegético y heterodiegético describe un ambiente rural donde dos personajes típicos convergen por unos instantes y se desenvuelven según les corresponde idealmente. Es así que la pastora Minia demuestra caridad por un caminante, que le inspira piedad, al ajustarse la percepción del cosmos de la joven a creencias «de la vieja cristiandad». Por su parte, el peregrino es la figura típica del hombre dedicado a Dios que avanza por el mundo esperando que se obedezcan las leyes de hospitalidad del Señor. Ambos ilustran lo que el mundo debería ser, en contraste con lo que aparentemente es, dadas las quejas del peregrino sobre las gentes de la tierra donde encontró a Minia.

Con cierta flexibilidad, corresponde este relato a los capítulos I y II de la Tercera Estancia de la novela *Flor de santidad* (pp. 47-52), sin que ello impida que en esta impresión se exprese una visión del mundo con lógica interna y esencialmente comprensible por sí misma.

«¡Fue satanás!...»[77]

Disponemos, esencialmente, de tres versiones de «¡Fue Satanás!...»: la publicada en 1904 en *El Gráfico*, la incluida en *Jardín Novelesco* y *Flores de almendro*, y, por último, la que en sí constituye las escenas finales de la edición actual de la *Sonata de primavera* (pp. 73-82).[78] La asimilación al texto más amplio de la *Sonata* se asemeja mucho a la segunda y tercera impresión del texto, al ser aquéllas prácticamente idénticas. Este parecido entre las tres últimas ediciones es lo que provoca que me concentre en este estudio en la versión de *El Gráfico*, ya que deseo considerar las características del texto más diferente del que se incluye en la *Sonata de primavera*. Es decir, opto por concentrarme en ese texto en el que, implícitamente, Valle-Inclán hace patente su voluntad creativa de cuentista, al otorgarle independencia de su novela cuando publica ambos en 1904 por separado.[79]

En «¡Fue Satanás!...» se sigue poniendo énfasis en ciertos lugares comunes de los escritos tempranos de don Ramón: el donjuanismo, lo diabólico, lo mundano y sensual (por ejemplo, cuando la protagonista —Isabel— cree ver al demonio en la forma en que actúa el narrador), atmósferas decadentes y sombrías que paralelan los estados anímicos imperantes, y, finalmente, el poder absoluto que muestra el destino al cortar, inesperadamente, la vida de la hija de Isabel cuando este «arcángel» cae al jardín desde una ventana que estaba cerrada. Resultado directo de este accidente es la locura en la que queda sumergida Isabel: de allí en adelante repetirá obsesivamente que «¡Fue Satanás!...» quien provocó la triste muerte de su hija al saberse tentada la dama por un hombre que para ella compartía los atributos del demonio.

El cuento está enmarcado por las reflexiones actuales de un narrador extradiegético y homodiegético que en su hoy (nivel diegético del relato) recuerda su relación pretérita con Isabel (acción que transcurre en un nivel hipodiegético). Este narrador opera como el focalizador más importante del texto cuando interpreta explícita e implícitamente la acción. Al existir en el cuento dos momentos cronológicos diferentes, se puede apreciar que la problemática planteada es no sólo la de la historia de Isabel con el narrador, sino también la del narrador en su presente, al saber que para Isabel él fue responsable de la muerte de su hija:

> —¡*Fue Satanás*...!
>
> Sentí miedo. Bajé la escalinata y, presuroso, atravesé el jardín para salir al camino. Al desaparecer bajo el arco de la puerta, volví atrás los ojos, llenos de lágrimas. En la ventana, siempre abierta, me pareció distinguir una sombra trágica y desolada. ¡Pobre sombra, envejecida, arrugada, miedosa, que vaga todavía por aquellas vastas estancias, y todavía cree verme acechándola en la oscuridad! Me contaron que ahora al cabo de tantos años, ya repite sin pasión, sin duelo, con la monotonía de una vieja que reza:
>
> —¡*Fue Satanás*...!

Obsérvese en esta cita cómo el narrador fusiona lo que vio al dejar la casa de campo de su prima Isabel con lo que cree que todavía ocurre en este lugar a la luz de lo que otros le han contado al respecto. En este sentido, se puede afirmar que en «¡Fue Satanás!...» son identificables varios narradores: el extradiegético que relata su problemática en un nivel diegético años después del accidente de la niña (es decir, su gran impacto sobre su prima Isabel), uno intradiegético que narra la historia de su último encuentro con Isabel y menciona cómo sostuvo una conversación con alguien sobre su prima (ambos en dos momentos diferentes dentro del nivel hipodiegético), y otro narrador intradiegético (cuya identidad se desconoce) que narra un nivel hipohipodiegético donde, después de muchos años, Isabel sigue diciendo cosas en forma obsesiva que, obviamente, responden a su demencia.

«Geórgicas»[80]

Como indica su título, éste es un relato claramente involucrado en lo típicamente bucólico y en la vida del campo, según la reflejan sus habitantes.[81] Al efecto, tres conceptos fundamentales son expresados en el cuento a través de los diálogos entre los personajes y por medio de los comentarios del narrador extradiegético y heterodiegético: 1) en las aldeas ya no hay manos que hagan las labores de siempre (por ejemplo, hilar), lo que provoca sufrimiento en aquéllos que aman el pasado, 2) la gente del campo está preocupada por la naturaleza y su efecto sobre ellos, y 3) los aldeanos se caracterizan por una malicia directa en lo concerniente a las relaciones entre los hombres y las mujeres.[82]

«El gran obstáculo»[83]

Cuando fue publicado por primera vez este texto en 1892, iba acompañado de una nota editorial que indicaba que era parte de una novela más amplia (p. 424). A pesar de ello, «El gran obstáculo» ha sido considerado como «un relato corto íntegro»,[84] posición con la cual estoy, en general, de acuerdo a pesar de la ya mencionada nota y del uso que reciben en el texto los puntos suspensivos. Y es que la historia fundamental de este texto recibe suficiente elaboración como para que pueda ser identificada al estar compuesta por cinco momentos claves que culminan con un final especulativo y, por tanto, enigmático. Estos momentos son: 1) la introducción a la historia de los amores entre Águeda y Pedro Pondal y la oposición de la madre de la joven —Plácida— a esta relación (en gran parte, esta presentación inicial de la problemática del cuento emana de una conversación entre Plácida y su hijo Jaime, diálogo que permite que la obra comience «*in medias res*»); 2) una breve presentación de lo que siente Águeda y de la estrategia de su madre para evitar que consume su amor con Pedro; 3) una descripción de Pedro (incluyendo su temperamento y sentimientos); 4) la narración de un incidente entre Pedro y Plácida donde él se excede y ella le toma aún más miedo al joven enamorado; y 5) una escena entre Plácida y Águeda (aquí la una teme que su hija se le haya entregado a Pedro mientras que Águeda no tiene valor para revelar sus vínculos con él).

Concluye el relato con la marcada frialdad de Plácida hacia Águeda y con la especulación del narrador sobre el porqué de la actitud de la señora ante la aparente salida de su hijo: «¿A qué oculto pensamiento obedecía aquella madre tan amante al desgarrarse así de su hijo?» (p. 429). Con esta especulación se identifica un enigma que no queda resuelto en el texto.[85]

«El gran obstáculo» es contado por un narrador extradiegético y heterodiegético que focaliza en ocasiones de forma externa.[86] Mucho de lo que contiene el relato se manifiesta, de una forma u otra, en otros textos de Valle-Inclán: relación amorosa e ilícita, madre opuesta a las relaciones amorosas de su hija, presencia de un gato maléfico, personaje con leyenda, referencias a otros escritores y al arte, lo infernal en el hombre, nexos entre la religión y la sensualidad, etc.[87] A pesar de la repetición a que he aludido, cuanto contiene «El gran obstáculo» responde a una estética substancialmente diferente a la que predomina en el Valle-Inclán posterior al ser este relato bastante primitivo y al observarse en él una cierta inclinación realista y psicológica.

«Hierbas olorosas»[88]

Este relato fue publicado por primera vez antes que la *Sonata de otoño*, cuya versión original apareció en 1902 y al cual fue asimilado (pp. 7-12).[89] Su estudio como obra independiente queda justificado si se recuerda que fue reeditado como tal en 1908, años después de que la *Sonata de otoño* apareciera y fuese un gran éxito. Es decir, si bien su autor era consciente de los nexos entre ambos textos, ello no le hizo sentirse obligado a abandonar la versión más breve de los dos. Se puede especular, por tanto, que su decisión respondió a que el cuento puede ser leído por sí mismo al expresar una problemática con cierta autonomía.[90]

«Hierbas olorosas» nos da los recuerdos de un narrador extradiegético y homodiegético sobre cómo supo que su madre estaba cerca de la muerte y de parte de su viaje a donde ella agonizaba. En general, la focalización que predomina es la de este narrador, aunque, a veces, al escucharse las percepciones de otros personajes, se sea testigo de cómo focalizan ellos también.

Durante su viaje, el narrador se detiene en un viejo molino. Allí predomina una actitud muy de pueblo —tradicional— hacia la realidad circundante, tendencia que queda contrapuesta a la implícita nobleza y más amplios horizontes culturales del narrador. Este ambiente culmina cuando, a finales del cuento, la «pobre mujer» del molino se le acerca al narrador:

> Así, arrebujada, parecía una sombra milenaria. Temblaba su carne, y los ojos fulguraban calenturientos bajo el capuz del mantelo. En la mano traía un manojo de hierba. Me las entregó con un gesto de sibila y murmuró en voz baja:
>
> —Cuando se halle con la señora mi condesa, póngale, sin que ella lo vea, estas hierbas bajo la almohada. Con ellas sanará. Las almas son como los ruiseñores, todas quieren volar. Los ruiseñores cantan en los jardines, pero en los palacios del rey se mueren poco a poco [...].
>
> Levantó los brazos, como si evocase un lejano pensamiento profético, y los volvió a dejar caer [pp. 245-246].

Todo esto lo hace la vieja «llena de misterio» (p. 245), y sus actos permiten que el narrador comulgue brevemente con las creencias del pueblo gallego cuando asevera:

> Yo sentí, como un vuelo sombrío, pasar sobre mi alma la superstición, y tomé en silencio aquel manojo de hierbas mojadas por la lluvia. Las hierbas olorosas, llenas de santidad, las que curan la saudade de las almas y los males de los rebaños, las que aumentan las virtudes familiares y las cosechas [...]. ¡Qué poco tardaron en florecer sobre una sepultura, en el verde y oloroso cementerio de San Clemente de Brandeso! [p. 246].[91]

«La hueste»[92]

Este texto fue publicado por primera vez el mismo año en que apareció *Romance de lobos*, obra teatral cuya Escena Primera contiene, con algunas modificaciones, la narración que nos ocupa.[93]

La historia de «La hueste» es, claramente, la de un cuento. Consiste en el encuentro entre un hidalgo borracho —don Juan Manuel Montenegro— y un conjunto de voces que le recriminan por sus maldiciones. Estas voces son las de unas almas en pena que peregrinan en grupo y que le piden a don Juan Manuel que se les una. Como es lógico, el hidalgo reacciona con horror: es por ello que «siente erizarse los cabellos en su frente» (p. 236). En este encuentro, los fantasmas declaran a don Juan Manuel su hermano al ser todos los hombres «hijos de Satanás» (p. 236). Y añaden estas voces:

> OTRA VOZ.—¡El pecado es sangre y hace hermanos a los hombres como la sangre de los padres!
>
> OTRA VOZ.—¡A todos nos dio la leche de sus tetas peludas la Madre Diablesa!
>
> MUCHAS VOCES.—¡La madre coja, coja y bisoja que rompe los pucheros! ¡La madre morueca que hila en su rueca los cordones de los frailes putaneros, y la cuerda del ajusticiado que nació de un bandullo embrujado! ¡La madre bisoja, bisoja, corneja, que se espioja con los dientes de una vieja! ¡La madre tiñosa, tiñosa raposa, que se mea en la hoguera y guarda el cuerno del carnero en la faltriquera, y del cuerno hizo el alfiletero! ¡Madre bruja, que con la aguja que lleva en el cuerno cose los virgos en el Infierno, y los calzones de los maridos cabrones! [p. 236].

Inmediatamente después, Montenegro se siente llevado por los aires junto a un río donde, en una orilla, se produce un aquelarre de brujas mientras que en la otra se detiene un entierro. Las brujas proceden entonces a construir un puente para que el entierro pueda cruzar el río que le separa de un sitio claramente infernal.[94] Implícitamente, no consiguen su objetivo al acercarse el día y dejar caer las brujas la última piedra del puente. Como resultado, el entierro retorna a «la aldea», lugar de donde aparentemente vino la procesión fúnebre. Es entonces cuando «el caballero, como si despertase de un sueño, se halla tendido en medio de la vereda» (p. 237) junto al cementerio. De allí va a su casa donde se encuentra con el cadáver de su concubina, «moza con quien vivía en pecado mortal» (p. 237). Es decir, en su visión sobrenatural, Montenegro fue, aparentemente, testigo de la procesión fúnebre de su amante.

La historia de «La hueste» no responde a patrones reales al hacer referencia a lo sobrenatural. Asimismo, existe la posibilidad de que todo cuanto ocurre sea resultado directo del estado de embriaguez de Montenegro. De hecho, hasta cierto punto, ambas posibilidades interpretativas resultan plausibles dentro del texto sin que la una excluya necesariamente a la otra, ya que un beodo bien puede ser testigo directo de sucesos sobrenaturales. Recuérdese que en este relato no se pretende explicar exhaustivamente lo que ocurre.

Sin lugar a dudas, la historia de «La hueste» se desdobla en términos esencialmente dramáticos. Los pasajes descriptivos, por ejemplo, sirven para colocar en ambientes específicos lo que sucede y para caracterizar a Montenegro. Ambos atributos recuerdan las acotaciones en las obras teatrales. Agréguese que por todo el texto estas descripciones de don Juan Manuel coexisten con los discursos de Montenegro, y con voces desconocidas y de brujas, parlamentos típicos también en el teatro. Lo dramático en el cuento es sumamente efectivo al actualizar el horror de la muerte y el fin que espera a los pecadores como resultado de sus actividades previas.

En términos narratológicos, todo es relatado por un narrador extradiegético y heterodiegético que focaliza y que permite que a través de él se expresen los personajes en sus comentarios.[95] Es decir, a pesar de su concepción dramática, «La hueste» puede considerarse un texto narrativo (de hecho, en algunas de sus características, nos recuerda a la «Tragedia de ensueño»).

«Iván el de los osos»[96]

Cuento de la escasez y la barbarie, «Iván el de los osos» pinta un cuadro de un hombre carente de recursos que canaliza su hostilidad en una bestia que le acompaña y con la cual pretende ganarse la vida. Casi al haber concluido la narración, este oso se revela contra su amo y le mata violentamente.

El relato es contado por un narrador extradiegético y heterodiegético que funciona también como focalizador. Coexisten en él pasajes descriptivos de Iván y del mundo en que se desenvuelve junto con discursos directos propios y de las gentes que le rodean. Es éste, claramente, un texto primitivo de don Ramón y, por tanto, no contiene prácticamente nada del Valle-Inclán posterior.[97]

«Juventud militante. Autobiografías. Valle-Inclán»[98]

Según era costumbre en la revista *Alma Española*, se publican en ella autobiografías de figuras literarias del momento. Entre estos escritos aparece uno de Valle-Inclán, texto que tiene mucho más de ficción narrativa que de autobiografía al constituir una clara invención de su autor. Es decir, partiendo de un ser real —él mismo—, escribe Valle un relato que se ajusta muy poco a la historia de su vida.[99]

Como todo texto autobiográfico, el que ahora nos concierne es relatado por un narrador extradiegético y homodiegético.[100] En el presente en que se expresa —en el nivel diegético—, este narrador reflexiona sobre su pasado. De este presente se sabe poco: el narrador se ve acompañado por penas y desengaños, tiene poco entusiasmo y es escéptico. Además, es aquí donde queda el Marqués de Bradomín identificado como un tío del narrador.

Gran parte del relato se centra, en un nivel hipodiegético, en el supuesto pasado de Valle-Inclán. Pasado en el que el narrador dice haber sido «hermano converso en un monasterio de cartujos, y soldado en tierras de la Nueva

España», viaja a México, asesina a Sir Roberto Yones, desembarca en Veracruz, etc.

A través del texto, todo es focalizado por el narrador, quien concluye dándole libertad a «Santillana» para finalizar su relato como más le guste.

«Lis de plata»[101]

Como bien dice Eliane Lavaud, en «Lis de Plata» se nos da un cuadro de cómo era la esposa de don Juan Manuel Montenegro, el protagonista de las *Comedias bárbaras* (p. 139).[102] Esta obra, si bien vinculable a dichas *Comedias*, no está incluida en ellas y, por tanto, reclama un estudio individual. De hecho, su reaparición en 1910 —cuatro años después de su publicación original y con posterioridad a *Águila de blasón* (1907) y *Romance de lobos* (1908)— implica que para don Ramón poseía cierta independencia.

La figura de María de la Soledad es delineada por un narrador extradiegético y heterodiegético que focaliza a su vez.[103] Este personaje sugiere una santa cuyo nombre evoca su condición de mujer abandonada por el esposo y su gran soledad existencial. En contraste con ella, aparece la figura despótica de don Juan Manuel, «mayorazgo mujeriego». Si él es la arrogancia, ella es el ejemplo vivo de la resignación en este relato. La caracterización de ambas figuras es directa. Simultáneamente, esta caracterización no se limita al presente de los personajes ya que se identifican circunstancias pretéritas en sus vidas, llegándose a intuir a mediados del texto que lo narrado responde a un intento de definir la vida de doña María de la Soledad retrospectivamente, después de su muerte («Fue su vida como un cuento [...]», frase que se repite en dos ocasiones). Esta visión totalizadora de una existencia quizá ya conclusa es sólo insinuada y puede que constituya un tipo de prolepsis. Por último, concluye el relato con un tipo de caracterización directa al vincularse poéticamente a la dama —su alma— con «aquella flor de lis que el mayorazgo tenía en su blasón ¡Lis de plata en campo celeste! y las almas en flor aroman siempre sus recuerdos con el perfume de la leyenda [...]».

«¡Malpocado!»[104]

Con «¡Malpocado!» recibe Valle-Inclán el segundo premio en un concurso de cuentos que fue convocado por *El Liberal* en 1902. Lo ganó debido «a la sencillez artística y pureza de estilo que lo avaloran».[105] De él se hacen diversas impresiones con pequeños cambios entre 1902 y 1936, algunas de las cuales se publican después de su integración en *Flor de santidad* (1904).[106] Esta insistencia en que aparezca el relato por sí mismo, a pesar de ser usado en otros textos, es uno de los factores que motivan su breve examen aquí.[107]

«¡Malpocado!» es la historia de un pobre niño —y de allí su título en gallego— que a pesar de tener sólo nueve años comprende que tendrá que separarse de su abuela para ganarse el pan. Del niño poco se sabe directamente en el cuento: lo que de él se conoce emana fundamentalmente de su triste condición, de lo que su abuela le dice y de lo que otros personajes comentan sobre su circunstancia. La situación del niño queda condensada por la abuela cuando afirma al final de la narración: «¡Malpocado, nueve años y gana el pan que come! [...] ¡Alabado sea Dios! [...]» (p. 9). Otro indicio lo ofrece el narrador extradiegético y heterodiegético del relato cuando, después de escucharse varias veces la respuesta del niño a la vieja («Sí, señora, sí [...]»), concluye que «la soledad del camino hace más triste aquella salmodia infantil, que parece un voto de humildad, de resignación y de pobreza hecho al comenzar la vida» (p. 8), a la vez que describe cómo «el nieto llora y tiembla de frío: va vestido de harapos» (p. 8). En este contexto, y debido en parte al uso del giro «salmodia», las palabras del niño a su abuela se convierten en la oración del pobre que, desde la perspectiva del lector implícito, acepta resignado su triste e injusta suerte. Sus palabras y la búsqueda de un amo para el joven en San Amedio (o sea, la conversación con el ciego) son, implícitamente, parte de un tipo de rito de iniciación dentro de un mundo adulto cargado de miseria.[108]

«El mendigo»[109]

Curioso relato donde un narrador extradiegético y homodiegético cuenta, ya de adulto, lo que sintió de joven por la figura de un mendigo que le provocaba horror y lo que todavía hoy despierta en él dicha imagen.[110] Este narrador, desde su presente adulto, dice no comprender plenamente el porqué de su temor por este mendigo, sobre el que se contaban «mil cosas espantosas» (p. 87), «pavorosos relatos que de noche y en la oscuridad me asaltaban insistentes y me hacían ver al viejo, unas veces alargando las manos para agarrarme, amenazándome otras con el nudoso palo, y siempre espantable» (p. 87). Explícito en lo aseverado por este narrador es que otros se expresaban sobre el mendigo. Es decir, sobre éste sabe el narrador lo que observó directamente y lo que otros —unos narradores intradiegéticos— sustentaron de esta siniestra figura.

En «El mendigo» se percibe, aunque sólo sea brevemente, la existencia de varios momentos cronológicos que responden, implícitamente, a diferentes niveles narrativos. Entre ellos figura ese hoy del narrador cuando admite no saber con certeza por qué sentía lo que sentía por el mendigo. Este nivel de incertidumbre es el nivel diegético del relato, que enmarca hasta cierto punto el texto al ocurrir a principios y a finales del cuento. Al comienzo, cuando el narrador menciona sus dudas actuales (p. 87) y, al final, cuando, introspectivamente y en forma algo filosófica, concluye que «el mendigo había desaparecido, y sobre él cayeron, como la losa de un sepulcro, las sombras que a perpetuidad oscurecen aquellos abismos» (p. 91), aquellas incógnitas que todavía hoy perturban al narrador en lo concerniente a la figura de ese mendigo que tanto le impresionó.

Otro nivel narrativo —el hipodiegético— es en el que se obtiene una visión de cómo era la figura del mendigo que el narrador conoció. Al hacerlo, pasa a ser un narrador intradiegético. Es en ese pasado cuando, aparentemente, otros contaron historias sobre el mendigo, historias que estarían ubicadas en el nivel hipohipodiegético. Estos otros narradores son, a su vez, intradiegéticos. Fundamental en todo esto es que el mendigo desapareciese y que el narrador principal del texto se ve afectado por ello: «Y todas estas visiones me turbaron durante mucho tiempo, lejos de desvanecerse, crecieron con la misteriosa y trágica desaparición del mendigo [...]» (p. 87).

Los primeros tres párrafos del cuento identifican brevemente al mendigo y proceden a ubicar al narrador ante esta figura (es decir, sus sentimientos por el mendigo). A partir del cuarto párrafo, se narra la historia de cómo el mendigo fue testigo de un asesinato y cómo después de este crimen el mendigo y los dos asesinos desaparecieron. Esta historia ocupa tres páginas (pp. 88-90) y está separada tipográficamente de la conclusión retrospectiva con que termina el cuento (p. 91), texto en que, como al principio del relato, se vuelve a percibir la figura del narrador. Es decir, en la historia del crimen desaparece la figura del narrador como alguien que especula y trata de interpretar a una persona —al mendigo— y unos sucesos. En este sentido, se observa un cambio en el cuento al no quedar identificado claramente el filtro por el cual pasa la historia del crimen, algo que sí se podría hacer en el prólogo y el final del cuento en la figura de un narrador que en su hoy intenta poder comprender su pasado. Lo que asevero es que si bien se percibe la figura de un narrador en la historia del crimen que presenció el mendigo, este narrador no ha quedado identificado con precisión como aquel otro que comenzó y que concluyó el cuento.[111] Dicho de otra forma, en el relato nunca se establece si un narrador testigo es quien narra la historia del crimen. Esta imprecisión es lógica, ya que no se dispone de datos que le coloquen dentro de una escena en la que, aparentemente, sólo participaron el asesinado, los dos asesinos y el mendigo (este último como testigo y por casualidad). A pesar de ello, esta imprecisión pone en entredicho la figura del narrador-testigo como fuente del relato y tiende a contradecir las premisas narrativas con que comienza y termina el cuento.[112]

Como ya he sustentado, en la historia del crimen se percibe la figura de un narrador que comenta la acción y que opera, por tanto, como focalizador. Por su parte, el mendigo también funciona como focalizador cuando en esta sección del relato se enfatiza que él fue testigo directo de un crimen y se percibe la realidad que le circunda a través de sus sentidos.[113]

Concluye la sección del crimen con una escena que si bien es comprensible resulta algo ilógica. Después del asesinato, el mendigo permite que los asesinos sepan que lo ha presenciado todo y les dice: «¡Vaya que la habéis hecho buena! —y añadió en el mismo tono: —¡Con tal que me apartéis mi quiñón!» (p. 90). Estas palabras implican cierta crítica de los asesinos y el deseo que tiene el mendigo de compartir el presunto botín que resultará del asesinato. A pesar de esta impresión, el mendigo procede a huir a la vez que se siente perseguido por los bandoleros, aunque de ellos nunca se escucha nada amenazante. Esta huida y persecución del mendigo es lo que le permite regresar al relato al narrador-adulto que lo comenzó. Al hacerlo, especula sobre «¿Qué había sido del mendigo?» (p. 91) y conecta directamente con esa incertidumbre que, según el narrador, aumentó su temor por el mendigo. Por consiguiente, es debido a estos nexos algo forzados por lo que se percibe una cierta falta de acoplamiento entre los diversos apartados de este texto.

«La niña Chole»[114]

Decidir si se debía o no estudiar «La niña Chole» en este libro no ha sido nada fácil, por diversas razones. En primer lugar, es un texto que, en general, constituye un antecedente directo a la primera parte de la *Sonata de estío* (1903)[115] y ello hace pensar inicialmente que sólo dentro de esa novela debe ser analizada esta narración. Por otra parte, sin embargo, este relato es reproducido en *Historias perversas* (1907) de manera casi idéntica a la que apareció en *Femeninas* (1895). Dicho de otra forma, al reeditar este relato en 1907, sin seguir sus características en la *Sonata de estío*, Valle-Inclán afirma, implícitamente, que puede existir por sí mismo, que posee cierta autonomía conceptual y estética.[116] Y es que en la publicación de 1907 se opta por mantener las características fundamentales de *Femeninas*, lo que no ocurre con *Historias de amor* (1909) ni con la antología titulada *Cuentos, estética y poemas* (1919). En las dos últimas, los relatos están divididos en nueve secciones que, bastante fielmente, reflejan el contenido de los primeros nueve segmentos de la *Sonata de estío*.

A la luz de las características de «La niña Chole» y de su evolución histórica, he decidido analizar este relato valiéndome de su edición en *Flores de almendro*. Al hacerlo, me concentro en un texto que, al mismo tiempo, tiene antecedentes en su versión de *Femeninas* y en otra que fue incluida —de forma algo modificada— por Valle-Inclán en *Historias perversas*,[117] elementos que me permiten afirmar que las tres publicaciones son muy parecidas. Claro está, simultáneamente mantengo en mente esas otras versiones esencialmente incompletas que aparecieron en revistas y periódicos, la *Sonata de estío* y las ediciones de 1909 y 1919.[118] En un estudio como éste, que se concentra en los relatos breves de don Ramón, mi decisión me parece justificable y necesaria si no se van a ignorar textos que circularon durante la vida de Valle y que por sus elementos constituyentes resultan comprensibles por sí mismos sin que ello invalide otros acercamientos que los enfoquen como parte de obras más amplias.[119]

En «La niña Chole» predominan las percepciones de un narrador extradiegético y heterodiegético que, desde un presente impreciso —ya en edad mayor—, recuerda su viaje a México en el buque *Dalila* después de «unos amores desgraciados» (p. 247). En sus evocaciones, este narrador tiende a actualizar sus percepciones pretéritas en un tipo de focalización interna donde predomina una tendencia a describir seres y escenas —prácticamente pintarlos— no sólo dando sus características, sino también, por medio de su contraposición con imágenes que para el narrador-protagonista son típicas de lo que desea captar. Estas imágenes en las que contrasta lo que describe provienen de varios ámbitos con base esencialmente cultural. Es así que el protagonista narra su viaje en una canoa desde el buque *Dalila* a un puerto de Yucatán como una experiencia terrible, con cierta semejanza al viaje que al infierno hacían los antiguos:

> Por huir el enojo que me causaba la compañía de los yanquis, decidíme a desembarcar. No olvidaré nunca las tres horas mortales que duró el pasaje desde el *Dalila* a la playa. Aletargado por el calor, voy todo este tiempo echado en el fondo de la canoa de un negro africano, que mueve los remos con una lentitud desesperante. A través de los párpados entornados veía erguirse y doblarse sobre mí, guardando el mareante compás de la bogada, aquella figura de carbón, que unas veces me sonreía con sus abultados labios de gigante, y otras silba esos aires cargados de hipnótico y religioso sopor, una tonada compuesta solamente de tres notas tristes, con que los magnetizadores de algunas tribus salvajes adormecen a las grandes culebras. Así debía ser el viaje infernal de los antiguos en la barca de Caronte: sol abrasador; horizontes blanquecinos y calcinados; mar en calma, sin brisas y murmullos; y en el aire todo el calor de las fraguas de Vulcano [p. 250].

Además de mencionar un mundo mitológico en la expresión de sus experiencias en una canoa, el narrador vincula al negro que rema y la melodía que silba con figuras típicas que hechizan con su música a las serpientes.

Ejemplos del uso de escenas con antecedentes culturales para expresar las experiencias del narrador-protagonista abundan en el relato. Por ejemplo, la niña Chole es descrita como ejemplo del exotismo de la raza india, de su dimensión litúrgica, de su semejanza con las serpientes, y como una Venus:

> Allí, en el comedor del hotel, he visto por vez primera una singular mujer, especie de Salambó, a quien sus criados indios, casi estoy por decir sus siervos, llamaban dulcemente la niña Chole [...]. [E]lla, una belleza bronceada, exótica, con esa gracia extraña y ondulante de las razas nómadas; una figura a la vez hierática y serpentina, cuya contemplación evocaba el recuerdo de aquellas princesas hijas del sol, que en los poemas indios resplandecen con el doble encanto sacerdotal y voluptuoso [...] y la niña Chole tenía esas bellas actitudes de ídolo; esa quietud estática y sagrada de la raza maya; raza tan antigua, tan noble, tan misteriosa, que parece haber emigrado del fondo de la India [p. 251].

Al evocarla, el narrador depende parcialmente de esa imagen que según él se deriva de los poemas indios. Dicho de otra manera, una visión estereotipada de la realidad da forma a sus recuerdos. Esta visión responde a la sensibilidad artística del narrador y a sus conocimientos de pintura, geografía, literatura, mitología, la naturaleza humana, etc. Los siguientes fragmentos ilustran lo ya dicho:

> A los tres días de viaje, el *Dalila* hizo escala en un puerto de Yucatán. Recuerdo que fue a media mañana, bajo un sol abrasador que resecaba las maderas y derretía la brea, cuando dimos fondo en aquellas aguas de bruñida plata. Los barqueros indios, verdosos como antiguos bronces, asaltan el vapor por ambos costados, y del fondo de sus canoas sacan exóticas mercancías: cocos esculpidos, abanicos de palma y bastones de carey que muestran, sonriendo como mendigos, a los pasajeros que se acodan sobre la borda. Cuando levanto los ojos hasta los peñascos de la ribera, que asoman la tostada cabeza entre las olas, distingo grupos de muchachos desnudos que se arrojan desde ellos [...]; otros descansan sentados en las rocas con los pies en el agua, o se encaraman, para secarse al sol que ya decae, y los ilumina de soslayo, gráciles y desnudos como figuras de un friso del P[a]rtenón. Visto con ayuda de los gemelos del Capitán, Progreso recuerda pai-

sajes de caserío inverosímil que dibujan los niños precoces; es blanco, azul, encarnado; de todos los colores del iris [p. 249].

En medio de aquel ambiente encendido, bajo aquel cielo azul, donde la palmera abre su rumoroso parasol, la fresca música del agua recordábame de un modo sensacional y remoto las fatigas del desierto, y el deleitoso sestear en los oasis [p. 250].

En las descripciones del narrador es importante notar también cierta tendencia a la exageración, como cuando describe hiperbólicamente el efecto que en él causan los pasajeros del *Masniello* durante su primer viaje en ese buque:

> Había gente de toda laya: tahúres que parecían diplomáticos; cantantes con los dedos cubiertos de sortijas, comisionistas barbilindos, que dejaban un rastro de almizcle, y generales americanos, y toreros españoles, y judíos rusos, grandes señores ingleses. ¡Una farándula exótica y pintoresca, cuya algarabía causaba vértigo y mareo! [...] [p. 248].

Esta tendencia a ponderar cuanto le rodea (algo relacionado a su abuso de la conjunción «y») facilita que se comprenda la marcada afectación del personaje cuando decide no asociarse con los restantes pasajeros del *Dalila* por ir «herido de mal de amores» (p. 247), para acto seguido admitir que lo hacía por «aquello de ser yanqui el pasaje, y no parecerme tampoco muy divertidas las conversaciones por señas» (p. 247). Dicho de otra forma, su aparente actitud extrema —su alienación— con los restantes pasajeros no está motivada por lo que el narrador-protagonista sustenta sobre sí mismo al pintarse como alguien con profundas convicciones: su actitud responde, sin lugar a dudas, al hecho práctico de que no se puede comunicar bien con los yanquis. ¿Por qué, entonces, insiste el narrador en proyectar una imagen que no se ajusta totalmente a la realidad? Lo hace, según creo, debido a su inclinación a adoptar poses que reflejan cómo cree que debían ser las cosas a la luz de lo que le ha ocurrido:

> Mi corazón estaba muerto, ¡tan muerto, que, no digo la trompeta del juicio; ni siquiera unas castañuelas le resucitarían! Desde que el pobrecillo diera las boqueadas, yo parecía otro hombre: habíame vestido de luto; y en presencia de las mujeres, a poco lindos que tuviesen los ojos, adoptaba una actitud lúgubre, de poeta sepulturero y doliente, actitud que no estaba reñida con ciertos soliloquios y discursos que me hacía harto frecuentemente, considerando cuán pocos hombres tienen la suerte de llorar una infidelidad a los veinte años! [...] [p. 248].

Es de capital importancia que el narrador-protagonista adopte falsas actitudes para proyectar la imagen de sí mismo que prefiere, ya que es indicio de cuán indignas de confianza son sus percepciones sobre el mundo que ha decidido compartir con el narratario de este relato.[120]

A través del cuento, el breve y fortuito encuentro entre el narrador-protagonista y la niña Chole en una fonda ejerce sobre él un impacto extraordinario, efecto que aumentará cuando coincida con ella en el *Dalila*: no sólo queda el narrador impresionado por la figura de la mexicana, sino que también su imagen revitaliza en él otras escenas y seres pretéritos que en su momento afectaron profundamente su sensibilidad («Los ojos de la niña Chole habían removido en mi alma tan lejanas memorias, tenues como fantasmas; blancas como bañadas por luz de luna», p. 254). La niña Chole provoca que cobren vida ante el protagonista los rasgos de Lilí —ese amor frustrado que provocó su viaje a México—, los de una mujer que entrevió «cierta madrugada entre Cádiz y Sevilla», cuando su padre le había enviado a la universidad de esta última ciudad (p. 253), y los de Nieves Agar, esa amiga de su madre en cuyo regazo se dormía el narrador durante su niñez (p. 253). En este sentido, al rememorar su encuentro inicial con la niña Chole, el narrador descubre un nexo entre ella y otras figuras femeninas que, también en el pasado, le impresionaron: constituyen estas mujeres un tipo básico de lo que para él es lo femenino por excelencia, aquello que le ha atraído a través de la vida. Y es que el recuerdo de la sonrisa de la niña Chole enciende en su «sangre tumultuosos deseos» y en su «espíritu ansia vaga de amor» (p. 254).[121]

Además de lo que la niña Chole provoca en el narrador, su sensibilidad se exalta también al saber que en su viaje llega a lugares cuyos primeros visitantes europeos fueron españoles. En este sentido, el narrador se maravilla al verse pisando la tierra que los conquistadores visitaron mucho antes, allí donde se desarrolló la antigua y poderosa civilización azteca (pp. 261-262). Añádase que esta agitación que el narrador demuestra ante el «Nuevo Mundo» se funde con sus sentimientos por la niña Chole: ambos —ella y la costa mexicana— despiertan enardecimiento en él, al ser todo esto parte de «la noche americana de los poetas» (p. 263), porque los dos son enigmas para el narrador-protagonista que sabe que son esencialmente factores alienantes de su propia realidad.

Es, pues, «La niña Chole» un relato que enfatiza las actitudes personales de un hombre ante una mujer y un lugar, actitudes esencialmente subjetivas. La reacción de este individuo es la propia de quien posee cierta cultura y se ve enfrentado a realidades primitivas que le atraen y que son explicables en términos de sus conocimientos humanísticos previos. Agréguese que lo ya dicho se expresa en este cuento por medio de las percepciones que el narrador-focalizador y protagonista hace de circunstancias que ocurrieron hace tiempo en su vida. En este sentido, el texto se convierte en un tipo de elucidación, consciente o inconsciente, de un momento en la existencia de un hombre.

«Octavia»[122]

La historia de Octavia Santino y Pedro Pondal es la de un amor entre un hombre joven —«un niño triste y romántico», p. 140— y una mujer madura que está a punto de morir debido a una enfermedad. A través del relato se pone énfasis en la inmadurez de Pedro y en cómo el amor de ella tiene una dimensión maternal (p. 137).

Como es lógico, Pedro Pondal sufre al observar la debilidad física de Octavia, mientras que ella padece al detectar desesperación en él. Ante el dolor de Pedro, Octavia dice estar dispuesta a sacrificarse si ello aliviase la tristeza de su amante: «¡Qué no haría yo para que no me llorase mi pobre pequeño! [...]» (p. 141). Muy probablemente, esta abnegación de ella se manifiesta con posterioridad en el relato con su confesión de que no le fue fiel a Pedro (p. 144), acto con el que quizá esté provocando la ira del joven para que sienta menos su muerte.[123] Sin embargo, es imposible atribuirle exclusivamente este sentido a la declaración de Octavia, ya que es también probable que en verdad ella le fuera infiel y que cuando le informa de ello responda a su deseo de no morir engañándole.[124] De hecho, es concebible la coexistencia de ambas interpretaciones a la luz de cuanto ocurre en el cuento, texto que ejemplifica ese tipo de narración con un doble sentido.[125]

Resultado directo de la confesión de Octavia es el ataque de ira de Pedro: sentirse engañado le ha «enloquecido» haciéndole sufrir, implícitamente, aún más que cuando la veía morirse creyendo que ella le era fiel. A este respecto, son muy significativas las últimas frases que pronuncia Pedro en el cuento: «¿Por qué? ¿Por qué quisiste ahora ser buena?» (p. 145). Al decir esto, el joven recrimina a Octavia por su bondad, atributo que muy probablemente responda a su honestidad final o a que ha tratado de minimizar el dolor de Pedro. Nuevamente, se es testigo de un posible doble sentido.

«Octavia» es relatado por un narrador extradiegético y heterodiegético que a veces focaliza y que en otras ocasiones permite que lo hagan los dos protagonistas a través de él. En términos de estrategias narrativas, se detecta en el cuento el uso de omisiones que provocan suspenso en el lector implícito. Las omisiones a que me refiero son hermenéuticas: es decir, debido a ellas detecta el lector implícito un enigma en lo que se dice y, por tanto, intenta localizar pistas que le permitan desarrollar una hipótesis final que explique la narración. En «Octavia», estas omisiones ocurren cuando la protagonista insinúa que ni aun curándose, podrían ser los dos amantes felices (p. 139), o cuando ella misma dice que tiene algo que confesarle a Pedro (frase que comienza a pronunciar y que no concluye), ya que no desea que él sufra:

> —¡Qué no haría yo para que no me llorase mi pobre pequeño! [...] [p. 141].
> —Después te confesaré todo [...]. No quiero que mi muerte te haga sufrir [p. 142].
> —¡Virgen María, no me abandones! [p. 142].[126]
> —¡No puedo! ¡No puedo! [...]. Me remuerde [...] [p. 143].

Por último, otro recurso técnico de cierta importancia en «Octavia» es la densidad de acción que caracteriza dos pasajes en el relato:

> Ha quedado estirada, rígida, indiferente [...]. Pondal permanecía en pie, irresoluto [...]. Allá abajo se oía el perpetuo sollozo de la fuentecilla del patio, unas niñas jugaban a la rueda, y los vendedorcillos de periódicos pasaban pregonando las últimas noticias de un crimen misterioso. La habitación empezaba a quedarse completamente a oscuras, y Pondal se levantó para entornar los postigos del balcón que estaban cerrados. Era la tarde de esas adustas e invernales, de barro y de lloviznas, que tan triste aspecto prestan a la vieja ciudad. Siniestras ráfagas plomizas y lechosas pasaban lentamente ante los cristales que la ventisca azotaba con furia. Dos aguadores sentados sobre sus cubas aguardaban la vez, entonando una canción de su país. Pedro Pondal no entendía la letra, que tenía una cadencia lánguida y nostálgica, pero, con aquella música sentía poco a poco penetrar en su alma supersticioso terror [pp. 143-144].
> Nublóse la luna, cuya luz blanquecina entraba por el balcón, agonizó el fuego de la chimenea, y el lecho, que era de madera, crujió [...] [p. 145].

En ambos fragmentos se pone énfasis en que lo que ocurre en la habitación de Octavia forma parte de una realidad más amplia, ámbito que llega a reflejar la deplorable situación final de la «historia amorosa» de Octavia Santino y Pedro Pondal.[127]

«¿Para cuándo son las reclamaciones diplomáticas?»[128]

En su concepción dramática, este relato recuerda a «Tragedia de ensueño». En ambos casos, todo es contado por un narrador extradiegético y heterodiegético que focaliza y permite que a través de él se expresen directamente los personajes en sus diálogos. A su vez, las descripciones intercaladas en los dos textos sirven para ubicar en ambientes específicos lo que sucede en ellos y para caracterizar directamente a los personajes cuando ello es oportuno. Como ya ocurrió con «Tragedia de ensueño», la naturaleza dramática de «¿Para cuándo son las reclamaciones diplomáticas?» no invalida que sea considerada como una manifestación de ficción narrativa a pesar de cómo ya ha sido interpretado este cuento por otros críticos.[129]

El protagonista del relato es don Herculano Cacodoro. Su nombre de pila resulta algo ridículo cuando se contrastan las características de este personaje con aquellas del más célebre de los héroes de la mitología griega, Hércules. Al mismo tiempo, su apellido, Cacodoro, resulta muy significativo ya que el giro «caco» alude a un hombre tímido y cobarde mientras que «doro» hace referencia implícita al concepto de «don» (o gracia). En este sentido, el personaje se convierte en alguien con «un don de cobardía» («Cacodoro» también se presta a otras asociaciones: «caco» significa, además, «ladrón», mientras que el apellido completo es vinculable al concepto «caca de oro», con lo cual el personaje queda convertido en un héroe [Hércules] de caca). Es decir, el apellido de don Herculano le resta dignidad a su figura, algo que se corrobora a través del texto por medio de acciones tales como la comparación de España y Alemania en sus asesinatos de figuras públicas, su poca preocupación por la verdad en ensayos periodísticos, que favorecen que se le atribuya a, por ejemplo, doña Concepción Arenal creencias que no tenía y, por último, ante su marcada estupidez al no saber lo que quiere decir un «hombre del Renacimiento».[130]

«¿Para cuándo son las reclamaciones diplomáticas?» constituye una crítica a la prensa, a otras instituciones y a actitudes españolas de la época y, por tanto, recuerda a *Luces de bohemia*, obra teatral cuya primera versión fue publicada en la revista *España* dos años antes, en 1920. Como es el caso en el famoso esperpento, se expresa la displicencia de Valle ante la realidad circundante usando descripciones donde, por medio de contrastes, queda en evidencia la bancarrota ética e intelectual de la sociedad española:

> Estantería con *ramplonas* encuadernaciones catalanas. Retratos de *celebridades*: *políticos, cupletistas y toreros*. Los *pocos que saben firmar* han dejado su autógrafo. El de don Antonio Maura tiene una cruz [...]. Sobre un casco prusiano con golpes de latón, destellan dos sables *virginales* [p. 8, énfasis mío].

En este pasaje, es significativa la palabra «ramplonas». Así mismo, es muy curioso el hecho de que se considere celebridades a seres tan dispares como lo son «políticos, cupletistas, y toreros», algunos de los cuales ni siquiera saben escribir (en esta situación se nos dice se encuentra don Antonio Maura, figura pública que ya fue atacada por Max Estrella en *Luces de bohemia*). Además, resulta muy importante que los sables en el despacho de don Herculano sean «virginales», claro indicio de la falsedad imperante en este lugar. Por último, es esencialmente absurdo que un país imite —plagie— a otro en sus asesinatos y que se acuse a otra nación —a Inglaterra— por no hacerlo. Es decir, la creencias de don Herculano responden a una lógica bastante deficiente, y ello le es perceptible al lector implícito de este relato.

«Un retrato»[131]

Al parecer inspirado en un retrato «del célebre bandido Mamed Casanova» que fue publicado en *ABC*, este texto es en sí un breve relato donde se describen los atributos heroicos de un criminal idealizado por un narrador extradiegético y heterodiegético que focaliza.[132] Este narrador, a su vez, se queja de cómo en el presente en que escribe hay pocas almas como la de este personaje y, lo que aún es peor, cómo el mundo no da verdadera cabida a seres que en su opinión son extraordinarios:

> Yo confieso que admiro a estos bandoleros que desdeñan la ley, que desdeñan el peligro y que desdeñan la muerte. Tienen para mí una extraña fascinación moral [...]. ¡Es triste ver cómo los hermanos espirituales de aquellos tercios de Flandes y de aquellos aventureros de América, no tienen ya otro destino que el bandolerismo caballeresco!

Y es que, en este cuento, se caracteriza directamente a un personaje que de haber vivido en otras épocas, se nos dice que habría sido una figura fundamental en la historia de cualquier nación, debido a que su instinto es semejante a ése que «en otro tiempo [sirvió] para perpetuar las dinastías».

En «Un retrato» se ofrece un cuadro estereotípico de un tipo de persona según es percibida por el narrador de este relato. Simultáneamente, el mismo narrador desea desvirtuar al supuesto criminal de esa dimensión estereotípica y esencialmente negativa que usualmente caracteriza a figuras de tal naturaleza. Dicho de otra forma, para el narrador lo estereotípico sólo es válido en el caso de Mamed Casanova, cuando ello enfatiza lo esencialmente positivo en este hombre y no cuando se concentra en sus aspectos menos valiosos (por ejemplo, el narrador asevera que nada en el rostro de Mamed le «delata» como un asesino, ya que sus facciones son iguales a las de cualquier ser humano).[133]

«Santa Baya de Cristamilde»[134]

Ofrece este relato un cuadro típico de diversos enfermos que van a la romería de Santa Baya de Cristamilde. Entre ellos, destacan las endemoniadas, seres que son llevados a la ermita de la Santa para escuchar una misa a medianoche y junto al mar. Esta ceremonia va acompañada por la forzada inmersión de las desnudas endemoniadas en el océano, acto con el que se espera se las libere de «los malos espíritus» y salven sus almas «de la cárcel oscura del infierno».

Fundamental en la presentación de la tradición a que se ha hecho referencia es que quien lo cuenta todo es un joven cuya tía, según él, estaba poseída por los demonios, pobre «vieja histérica» que después de participar en este rito de purificación deja de estar endemoniada y muere unos días más tarde. Además, el cambio en esta señora se convierte para sus sobrinas, según el narrador extradiegético y homodiegético, en un tipo de milagro edificante que recuerdan todavía cuando el narrador cuenta la historia de la dama.[135] Indiscutiblemente, el elemento autobiográfico del relato da gran fuerza vital a lo que allí se describe y narra.

«Una tertulia de antaño»[136]

Si bien «Una tertulia de antaño» no fue reeditada en vida de don Ramón, cuantos conocen su literatura descubren en este texto ambientes y circunstancias vinculables a otras obras suyas.[137]

Como bien dijo Emma Susana Speratti-Piñero, este cuento «aunque tiene también abundantes rasgos del estilo de las *Sonatas*, es evidente que tono e intención lo colocan en la línea de las grandes obras esperpénticas y, lo que es más, la situación general y varios personajes se incorporan a *La corte de los milagros*» (p. 249).

«Una tertulia de antaño» está dividida en dieciséis secciones que recuerdan por su funcionalidad las escenas de una obra dramática. Esta semejanza no es, en mi opinión, fortuita, ya que en este texto se es testigo de una representación de lo que es una noche de tertulia en un ambiente cortesano, en la casa de la Duquesa de Ordax. De allí que predomine tanto el diálogo a través del relato junto con comentarios descriptivos del narrador extradiegético y heterodiegético, afirmaciones que recuerdan bastante a las acotaciones en las obras dramáticas.

Para mí, mucho de lo que contiene este cuento constituye un tipo de «ensalada mixta» —pastiche, si se quiere— donde se contraponen diversos personajes y asuntos que coexisten necesariamente al ocurrir todo en una misma tertulia. En este sentido, el texto nos da en un «microcosmos» una visión de lo que es el «macrocosmos» de una España tan poco encomiable para Valle-Inclán. Lo ya dicho cobra fuerza si se recuerda la diversidad de asuntos tratados en esta narración (por ejemplo, el horror a la vejez y a la muerte, la decadencia de Bradomín —figura donjuanesca—, la presencia de amores juveniles y de fanfarronería militar, el anhelo heroico de un joven, la influencia de lo teatral en la vida y el vacío retórico imperante, la presencia de diversas actitudes políticas —los antirrepublicanos, los carlistas, y los propríncipe Alfonso—, la ignominia de un cerco policíaco y la indignación que ello provoca aparentemente, la proclamación del Rey Alfonso XII y la chabacanería imperante cuando a dicho monarca se le da la bienvenida con una guitarra, etc.).

Todo esto y más queda documentado en «Una tertulia de antaño» a través de una focalización variable —del narrador y los personajes— que nos hace testigos del desparpajo que predomina, de la corrupción política y ética que prevalece en un país donde las gentes actúan como animales:

> —Chulín, o como sea, necesitamos un rey. Un pueblo sin rey es como una mujer sin marido. ¡Una cosa tonta! [Sección II].
>
> —Usted me perdonará [...]. La disciplina existe en todas partes, lo mismo en los salones que en los cuarteles.

Era necesario corregir una falta que entraña un insulto para todos los generales españoles.

La Duquesa repuso un poco de desabrida:

—Sobre todo, cuando es verdad.

—¡La verdad no puede decirse siempre, Duquesa!

María Dolores le interrumpió con una risa seca:

—La verdad no sabe oírse siempre. En el Congreso, cuando algún loco quiere decirla, los cuerdos desgarran sus vestiduras. A todas las vergüenzas nacionales le han puesto la hoja de parra. Yo me figuro a los sacristanes de casa y boca, con una palmatoria en la mano y un puchero de engrudo, pegando por la noche las hojas caídas durante el día.

El general murmuró un poco intimidado por el genio adusto de la dama coja:

—Creo que exagera usted, María Dolores.

—¿Que exagero? ¡Si hasta en las tabernas se vende hoy la hoja de parra del patriotismo! [Sección X].

Hablaban de París, se abanicaban, y reían sin motivo. Entendíase la voz de todas, como en una selva tropical el grito de las monas. En rigor, ninguna hablaba. Sus labios pintados de carmín lanzaban exclamaciones y desgranaban esas frases triviales consagradas en todas las conversaciones, animándolas con gestos, con golpes de albanico, con zalemas [Sección VI].

Por lo ya afirmado se puede asegurar que «Una tertulia de antaño» es un relato muy bien ubicado en la producción literaria de don Ramón: de hecho, este texto constituye un claro adelanto de sus obras más maduras.[138]

«Tula Varona»[139]

La protagonista de este cuento, Tula Varona, ha sido interpretada por la crítica como un ser narcisista, obsesionado con su poder de seducción y su belleza, mujer que con sus encantos hace que un hombre sucumba ante sus artificios femeninos.[140] Si bien todo esto es cierto, los atributos de ella no constituyen, necesariamente, una censura del temperamento femenino y sí una crítica del donjuanismo, vinculado usualmente con el sexo masculino.

Desde los comienzos del relato, Tula es descrita por un narrador extradiegético y heterodiegético como alguien con «risa hombruna» y que usa un sombrero típico de los hombres (p. 125), características que cobran aún más fuerza si se recuerda que su apellido también pone énfasis en lo típicamente masculino.[141] Tiene ella un «cierto aspecto andrógino» (p. 125), y es persona en la que coexisten los dos sexos al mismo tiempo. Dicho de otra forma, junto a la indudable belleza con que se describe a Tula —atributo esencialmente femenino— coexiste juguetonamente la petulancia típicamente masculina, algo que al poseerlo también Ramiro Mendoza lleva al coprotagonista de la narración a decirle galanterías a Tula, haciendo alarde de su ingenio:[142]

> ¡Figúrese usted, que unos indígenas me dicen que anda por los alrededores un perro rabioso!
>
> Ramiro procuró tranquilizarla:
>
> —¡Bah! No será cierto. Si lo fuese, crea usted que le viviría reconocido a un perro tan amable [...].
>
> Al tiempo que hablaba, sonreía de ese modo fatuo y cortés, que es frecuente en labios aristocráticos. Quiso luego poner su galantería al alcance de todas las inteligencias, y añadió:
>
> —Digo esto, porque de otro modo quizá no tuviese...
>
> Ella interrumpió, saludando con una cortesía burlona:
>
> —Sí, ya sé... De otro modo, quizá no tuviese usted el alto honor de acompañarme [p. 125].

En el fragmento citado, no sólo es fatuo Ramiro; además, se cree obligado a explicarle a Tula sus palabras, lo que ella no necesita teniendo como tiene, según reza en la obra, un temperamento masculino como el de él.

Sin embargo, si Ramiro es fatuo, algo parecido manifiesta acerca de Tula el narrador cuando informa de que «jugaba, bebía y tiraba del cigarrillo turco, con la insinuante fanfarronería de un colegial» (p. 127). Es decir, los dos comparten ciertas cualidades, lo que evita que sus deficiencias sean vinculables exclusivamente con uno u otro sexo al responder, por encima de todo, a sus imperfectos temperamentos.

Indudablemente, la figura de Tula es muy semejante a la del don Juan tradicional. Esta impresión cobra fuerza cuando el narrador interpreta sus actos afirmando que «conocíase que quería hacer la conquista del buen mozo, y adoptaba con él aires de coquetería afectuosa, pero en el fondo de sus negras pupilas temblaba de continuo una risa burlona» (p. 128). Y es que Tula comparte esa inclinación donjuanesca típica en muchos hombres[143] y, al hacerlo, es tan cruel como ellos, al no estar sus actos motivados por una auténtica emoción amorosa:

> Tula le veía temblar, sentía el roce de sus labios, oía sus palabras llenas de ardimiento y experimentaba un placer cruel al rechazarle tras de haberle tentado. Arrastrada por esa coquetería peligrosa y sutil de las mujeres galantes, placíale despertar deseos que no compartía. Pérfida y desenamorada hería con el áspid del deseo, como hiere el indio sanguinario, para probar la punta de sus flechas [pp. 133-134].

Si bien en el pasaje citado parece que los actos de Tula responden a su naturaleza femenina, esta impresión inicial desaparece cuando se comprende que, de serle factible, Ramiro actuaría de la misma forma, según se desprende de cómo la trata cuando la cree débil y vulnerable ante sus encantos masculinos:

> —¡Yo sería su esclavo, Tula!
>
> Y ella replicaba con la melancolía de los treinta años, una melancolía de rosa en la sombra de un jardín:
>
> —Una hora lo sería usted, y el resto de la vida lo sería yo.
>
> Y las manos tenían una suave presión. El duquesito acercaba su rostro al rostro de la criolla y abría los ojos con intento de fascinarla, como había visto a un moro magnetizador de serpientes. La boca roja le tentó con la tentación de la sangre, y de pronto se inclinó sobre la divina flor de pecado, la besó y la mordió. El cuerpo de la

criolla le palpitó entre los brazos, y sintió toda la curva armoniosa revelársele. Pero bajo su peso la boca roja sólo tuvo un grito:

—¡Déjeme usted! [p. 135].

En «Tula Varona» encontramos a una mujer que actúa como tradicionalmente lo hace un hombre (por ejemplo, cruzándole la cara a alguien con un florete [p. 135]), en un típico caso de inversión de papeles: «[...] ella, en vez de huirle, acerada, erguida, con la cabeza alta y los ojos brillantes, como vivorilla a quien pisan la cola, le azotó el rostro una y otra vez, sintiendo a cada golpe esa alegría depravada de las malas mujeres cuando cierran la puerta al querido que muere de amor y de celos [...]» (pp. 135-136). Que sea mujer poco importa, opine lo que opine el narrador: lo central es que carece de humanidad y experimenta placer al conquistar y vejar al sexo opuesto:

> Sus ojos brillan, sus labios sonríen, hasta sus dientecillos blancos y menudos parecen burlarse alineados en el rojo y perfumado nido de la boca. Siente en su sangre el cosquilleo nervioso de una risa alegre y sin fin que, sin asomar a los labios, se deshace en la garganta y se extiende por el terciopelo de su carne como un largo beso. Todo en aquella mujer canta al diabólico poder de la hermosura triunfante. Insensiblemente empieza a desnudarse ante el espejo; se recrea largamente en la contemplación de los encantos que descubre, experimenta una languidez sexual al pasar la mano sobre la piel fina y nacarada del cuerpo. Tiene dos llamas en las mejillas, y suspira voluptuosamente entornando los ojos, enamorada de su propia blancura, blancura de diosa tentadora y esquiva [...].
>
> ¡El duquesito, bien ajeno al símbolo de aquel nombre, la había llamado Diana cazadora! [p. 136].

El sentido de la última oración es muy significativo. Sin verdaderamente entenderlo, Ramiro llamó Diana a Tula (p. 125): ella —Tula— no puede ser Diana, pues esta deidad del mundo clásico ha aparecido en el arte como ejemplo del ideal de la sobriedad en la belleza femenina, como diosa virgen que encarna, según José Antonio Pérez

Rioja, «el justo equilibrio de la belleza moral y física» (pp. 164-165 y 179).[144]

A pesar de ser extradiegético y heterodiegético, el narrador de «Tula Varona» es, a menudo, indigno de confianza, ya que la bajeza que atribuye a las mujeres no es algo imprescindible en ellas, según se deduce de la totalidad del texto (más específicamente, del carácter de Ramiro).[145] En este narrador no puede confiar el lector implícito del relato, ya que sus creencias no compaginan con la conciencia que rige la obra en su totalidad y a la vista de sus elementos constituyentes (es decir, del autor implícito).

NOTAS

1. Algunos de estos textos fueron reunidos en *Flores de almendro* (Madrid, Librería Bergua, 1936), obra que apareció después de la muerte de don Ramón. Otros han sido reimpresos como curiosidades en las últimas décadas (por ejemplo, en *Femeninas. Epitalamio* [Madrid, Espasa-Calpe, 1978] y en *Publicaciones periodísticas de Don Ramón del Valle-Inclán anteriores a 1895*, edición, estudio preliminar y notas William L. Fichter [México, El Colegio de México, 1952]).

2. Más adelante, cada vez que se estudie uno de estos textos, se hará referencia a su evolución a la vez que se incluye información bibliográfica sobre cada uno.

3. Referencia a estas asimilaciones será hecha en este estudio cuando ello sea oportuno.

4. No se puede olvidar que en la obra de Valle-Inclán se detecta una tendencia a la repetición de frases iguales o muy parecidas en diferentes textos. Este tipo de reproducción no será considerado en este volumen, siendo ello más apropiado en un estudio del vocabulario y otros aspectos de la obra de don Ramón. Es decir, en un análisis de la intratextualidad en su obra. Un paso preliminar en esta dirección fue dado por Jacques Fressard, «Por quién funden las campanas: reiteración y variación en un motivo de Valle-Inclán», en *Leer a Valle-Inclán en 1986* (Dijon, Hispanistica XX, Centre d'Études et de Recherches Hispaniques du XXème siècle, Université de Dijon, 1896, pp. 37-47). Allí

asevera este crítico, entre otras cosas, que muchos de los personajes de Valle-Inclán son «hechos de un mosaico común de rasgos o semas reiterados, constituyendo éstas verdaderas series paradigmáticas cuyo sentido se construye tanto por la variación como por la mera repetición» (p. 43).

5. Bien conocida es la precaria situación económica de don Ramón durante gran parte de su vida. Esta escasez de recursos le obligó a publicar para tener fondos que cubrieran sus necesidades cotidianas. Sobre este asunto se expresó, entre otros, Melchor Fernández Almagro, *Vida y literatura de Valle-Inclán* (Madrid, Taurus, 1966).

6. Por ejemplo, «El miedo» sigue apareciendo en *Jardín Umbrío* a pesar de ser incluido en *La cara de Dios*; en *El Marqués de Bradomín*, por su parte, se incluyen trozos de «Eulalia», narración que todavía está dentro de *Corte de amor*.

7. Nótese que no es posible descartar la eventual aparición de relatos de Valle que son desconocidos hasta la fecha, textos que potencialmente hacen que este ensayo tenga que ser incompleto. Curioso en todo esto es cómo M. Casás Fernández, *Páginas de Galicia. Notas históricas y literarias* (Santiago de Compostela, Sucesores de Galí, 1950, p. 186), se refiere a una colección de cuentos escrita por don Ramón —*Escenas gallegas*— premiada en Concurso Literario celebrado en Pontevedra en 1891. Este libro, que a primera vista resulta ser desconocido (Casás Fernández llega a mencionar el título de cinco relatos: «Magosto», «El Fiadoiro», «La noche de San Juan», «La meiga» y «Manoliño el Tato»), es aquél que el hermano mayor de don Ramón, Carlos, publicara en 1894. Sobre este volumen se expresa Eliane Lavaud, *Valle-Inclán: du journal au roman (1888-1915)* ([París], Klincksieck, 1979 [1980], p. 238).

8. Shlomith Rimmon-Kenan, *Narrative Fiction: Contemporary Poetics* (Nueva York, Methuen, 1983, pp. 86-87).

9. *La Correspondencia de España*, 15, 880, 28 de julio (1901).

10. *Los Lunes de El Imparcial*, 23 de septiembre (1901).

11. Las referencias a la *Sonata de otoño* provienen de su 6.ª ed. (Madrid, Espasa-Calpe, 1969). Emma Susana Speratti-Piñero, *De «Sonata de otoño» al esperpento* (Londres, Tamesis Books Limited, 1968, p. 31), observa cierta independencia en «Don Juan Manuel», posición con la que no estoy de acuerdo.

12. Por ejemplo, *Ecos de Asmodeo, Estampas isabelinas. La Rosa de oro, Cartel de feria, Otra castiza de Samaria, Vísperas de la Gloriosa, Fin de un revolucionario* y *El trueno dorado*. La exclusión de los dos últimos títulos resultó más difícil pues, como

ya ha explicado Leda Schiavo, *Historia y novela en Valle-Inclán. Para leer «El Ruedo ibérico»* (Madrid, Castalia, 1980, pp. 230-234 y 244-250), por diversas razones ambos poseen marcada independencia. Además del trabajo de la profesora Schiavo, son fundamentales al estudio de *El ruedo ibérico* las percepciones críticas de Harold L. Boudreau, *Materials Toward an Analysis of Valle-Inclán's «Ruedo ibérico»*, tesis doctoral (The University of Wisconsin, 1966), Harold Boudreau, «The Metamorphosis of the *Ruedo ibérico*», en *Ramón del Valle-Inclán. An Appraisal of His Life and Works*, ed. Anthony N. Zahareas, Rodolfo Cardona y Sumner Greenfield (Nueva York, Las Américas Publishing Co., 1968, pp. 758-776), Speratti-Piñero, pp. 243-327, y Alison Sinclair, *Valle-Inclán's «Ruedo ibérico»* (Londres, Tamesis Books Limited, 1977).

13. Un relato vinculado a *El ruedo ibérico*, «Correo diplomático», es analizado en este capítulo. Creo que mi posición al respecto quedará justificada en esa oportunidad.

14. El término intratextualidad no lo limito en esta oportunidad a los elementos constituyentes de un solo texto como hacen, desde diversos ángulos, Sylvie Debevec Henning («Samuel Beckett's *Film* and *La Dernière Bande*: Intratextual and Intertextual Doubles», *Symposium*, 35 [1981], pp. 131-153) y Charles F. Altman («Intratextual Rewriting: Textuality as Language Formation», en *The Sign in Music*, ed. Wendy Steiner [Austin, University of Texas Press, 1981, pp. 39-51]) por sólo mencionar dos ejemplos. Lo intratextual en mi estudio queda circunscrito a toda la obra literaria de don Ramón (es decir, la concibo como un cuerpo de cierta coherencia en el cual se estudiarán solamente algunas de sus partes sin ignorarse su vinculación con las restantes).

15. Véanse: *Revista Nueva*, 6-9, 5, 15 y 25 de abril y 15 de mayo (1899), pp. 255-259, 305-310, 343-347, y 425-428; *La cara de Dios* (Madrid, Taurus, 1972, pp. 117-124 y, hasta cierto punto, pp. 125-132) —partes del cuento son asimiladas a la novela mientras que se observa además una evolución en la figura del peregrino cuando en el texto más amplio participa en acciones sin precedente en el cuento, nótese que la novela apareció por primera vez alrededor de 1900—, y *Electra*, 5, 13 de abril (1901), pp. 151-153. Esta última impresión concluye con la palabra «Continuará», indicándose así que es un fragmento. Por su parte, el texto publicado bajo el título de «Adega» en *Flores de almendro* (1936, pp. 268-328), es una reproducción de *Flor de santidad*, algo que ya fue explicado por Lavaud, p. 268.

16. Se utiliza en este ensayo la siguiente versión de esta no-

vela: *Flor de santidad. La media noche* (Madrid, Espasa-Calpe, 1978[6]).

17. Por ejemplo, «Flor de santidad», «¡Malpocado!», «Égloga», «Año de hambre», «Santa Baya de Cristamilde», «Un cuento de pastores» y «Geórgicas». Todos estos relatos serán estudiados por separado en este capítulo.

18. El 15 de octubre de 1904 publica *Los Lunes de El Imparcial* un fragmento de *Flor de santidad*, obra que, según este periódico, «acaba de ser publicada [en su totalidad], por el notable literato Sr. Valle-Inclán».

19. Se han expresado sobre *Flor de santidad*, entre otros, Rosa Seeleman, «Folkloric Elements in Valle-Inclán», *Hispanic Review*, 3 (1935), pp. 103-118, Ramón J. Sender, *Valle-Inclán y la dificultad de la tragedia* (Madrid, Gredos, 1965, pp. 97-128), Donald McGrady, «Elementos folclóricos en tres obras de Valle-Inclán», *Thesaurus*, 25 (1970), pp. 55-57, Verity Smith, *Ramón del Valle-Inclán* (Nueva York, Twayne Publishers, 1973, pp. 118-122), Americo Bugliani, «Nota sulla struttura di *Flor de santidad*», *Romanische Forschungen*, 87 (1975), pp. 97-100, Adrián G. Montoro, «*Flor de santidad*: arquetipos y repetición», *MLN*, 93 (1978), pp. 252-266, Lavaud, pp. 451-469 y 475-523, y Ricardo Gullón, *La novela lírica* (Madrid, Cátedra, 1984, pp. 69-77). En estos ensayos se puede encontrar bibliografía crítica adicional de *Flor de santidad*: de todos he aprendido, aunque a veces no concuerde con sus percepciones sobre la novela, obra que no será estudiada como tal en este libro. Entre estos estudios destacan los de los profesores Montero y Gullón. El acercamiento del segundo, aunque valioso, no es el que utilizo al analizar los cuentos; el del primero coincide en mucho con mis percepciones sobre la presencia de lo arquetípicamente perfecto en varios textos tempranos de don Ramón (por ejemplo, *Augusta* y «Eulalia»). Sobre «Adega», léanse también los comentarios de Juan Antonio Hormigón, *Valle-Inclán. Cronología. Escritos dispersos. Epistolario* (Madrid, Fundación Banco Exterior, 1987, pp. 139-141).

20. Por supuesto, no trato de imponerle inflexiblemente lo sustentado por la Santa de Ávila en *Las moradas* a *Flor de santidad*. Sin embargo, en un sentido muy amplio de cómo interpretar la forma en que se expresan ambos textos —y no tanto en sus ideas mismas—, para mí la obra de Valle —en su división en «estancias» y debido al proceso ascendente que se observa en ellas— da esas etapas en la vida de Adega que ilustran cómo se vincula progresivamente más y más, en un tipo de unión mística, con Dios (e incluyo en todo esto el misterio de la Encarna-

ción). Soy el primero en admitir que estas percepciones mías requieren un estudio independiente. Recuérdese, sin embargo, el parecido semántico entre los giros «morada» y «estancia» (al efecto, véase el *Diccionario de la lengua española* de la Real Academia, 2 vols. [Madrid, Espasa-Calpe, 1984[20]]). Sobre la mística ya se ha expresado con marcada efectividad Ángel L. Cilveti, *Introducción a la mística española* (Madrid, Cátedra, 1974, especialmente las pp. 13-68 y 201-218).

21. Citas y referencias a «Adega» provienen de la impresión publicada en *Revista Nueva* en 1899.

22. Significativamente, la venta es descrita como un edificio más tétrico que el que le precedió antes de quemarse. O sea, lo nuevo es concebido como menos atractivo que lo antiguo (pp. 255-256).

23. Otras veces, con la palabra «leyenda» se hace referencia a la vida de los Santos.

24. José Antonio Pérez-Rioja, *Diccionario de símbolos y mitos* (Madrid, Tecnos, 1971[2], pp. 272-273).

25. No se olvide que sus ojos son violeta, como esas flores que simbólicamente ejemplifican la «modesta humildad» (Pérez-Rioja, p. 418).

26. Curiosamente, el único que niega el milagro es el ventero, personaje que en el cuento carece de estatura moral como para comprender las cosas de Dios (p. 308).

27. En *Flor de santidad*, antes de las visiones de Adega y después de la historia de su pasado, se inserta un capítulo (el IV) que narra cómo los venteros no le dieron alojamiento al peregrino y cómo él y ella durmieron juntos una noche en el establo. En el cuento, sin embargo, todo esto sucede en la sección III.

28. Según Pérez-Rioja, al lobo se le han atribuido sentidos simbólicos a veces contradictorios (p. 274).

29. La escena del mastín recuerda aquella narrada por La Curandera en *Águila de blasón* (Madrid, Espasa-Calpe, 1976[4], pp. 47-48). Allí se narra cómo los canes lamieron los pies del Señor. Nuevamente, se observa un paralelo entre el peregrino y la deidad.

30. En términos simbólicos, resulta apropiado en esta escena el nexo entre las manos de Adega y «dos palomas asustadas». Entre otras, la figura de la paloma es asociable al amor, la pureza y la paz. «Evoca la idea de la espiritualidad, como los demás animales alados», y «significa la inocencia» en la Biblia. Todo esto es atribuible a Adega en su relación con el peregrino. Véase: Pérez-Rioja, p. 334.

31. Lo que Adega hace aquí es ajustarse a un modelo celestial con antecedentes en la historia de la Virgen María en la doctrina cristiana. En el mundo clásico-pagano, otro ejemplo lo ofrece el mito de Leda y Zeus. Sobre cómo operan los mitos, léanse los comentarios de Mircea Eliade, *The Myth of the Eternal Return*, trad. Willard R. Trask (Princeton, Princeton University Press, 1954). Nótese que no estoy de acuerdo con Giovanni Allegra, *El reino interior. Premisas y semblanzas del Modernismo en España*, trad. Vicente Martín Pintado (Madrid, Encuentro, 1986, p. 272), para quien Adega fue violentada por el falso peregrino.

32. Todo esto es más evidente en la escena final de *Flor de santidad*, obra donde opera el misterio de la Encarnación con más claridad.

33. Véase: *El Universal*, 3 de julio (1892); reproducido con pequeñas «correcciones» estilísticas por William L. Fichter en *Publicaciones periodísticas de Don Ramón del Valle-Inclán anteriores a 1895*, pp. 189-197. Se utiliza aquí la segunda impresión al resultar más accesible. Como bien dice Fichter, este texto no fue publicado nuevamente por don Ramón (p. 25).

34. Es también significativo el hecho de que para el narrador, el cuento que va a narrarle a Mireya les permitirá a los dos volver «a ser niños durante algunos minutos» (p. 189). En este sentido, la ficción, se puede especular, despierta la imaginación en los adultos al retornarles a su juventud y constituye un tipo de relato autoconsciente.

35. La abuela es mencionada también en relación a lo que ella creía sobre el Chipén (p. 190).

36. La focalización en el cuento es variable al dársenos las cosas según son percibidas por el narrador, los dos protagonistas y los forajidos.

37. Sobre la farsa ya se han expresado Theodore W. Hatlen, *Orientation to the Theater* (Nueva York, Appleton-Century-Crofts, 1962, pp. 129-140), y George R. Kernodle, *Invitation to the Theater* (Nueva York, Harcourt, Brace and World, Inc., 1967, p. 250). Sobre este género, léanse mis comentarios en «Farsa y tragedia en *El señor de Pigmalión*: una reconsideración», en *El teatro de Federico García Lorca y otros ensayos sobre literatura española e hispanoamericana* (Lincoln, Society of Spanish and Spanish-American Studies, 1980, pp. 197-212). Ya Manuel Bermejo Marcos, *Valle-Inclán: introducción a su obra* (Salamanca, Anaya, 1971, p. 38), sustentó que en el cuento se observa «humor, misterio y escalofriantes aventuras —aunque por lo exageradas resulten muy cómicas». Por su parte, José F. Montesinos, en su

reseña de *Publicaciones periodísticas de Don Ramón del Valle-Inclán...*, *Nueva Revista de Filología Hispánica*, 8 (1954), p. 97, cree que este cuento «es un esperpento *avant la lettre*». Finalmente, Donald McGrady, «Elementos folclóricos en tres obras de Valle-Inclán», pp. 49-55, indica que este relato proviene de una tradición popular conocida.

38. Véase: *Heraldo de Madrid*, 4.757, 28 de noviembre (1903). Una versión substancialmente diferente de este relato fue publicada bajo el título de «Lluvia» en *Almanaque de Don Quijote* (1897), pp. 10-12. Este primer texto comienza con una sección bastante poética dedicada a la lluvia y al invierno que no está incluida en la segunda. Esta última se vale de la primera libremente y, por tanto, la altera con frecuencia a la vez que ofrece una historia mucho más elaborada y completa. Sobre los dos textos, léanse los comentarios de Eliane Lavaud, pp. 452-454 y 464, y Hormigón, pp. 139 y 142 (en las pp. 145-146 reproduce el texto de «Lluvia»).

39. En *Flor de santidad*, segmentos de este cuento son utilizados en el Capítulo III de la Primera Estancia (pp. 18-20) como parte de la descripción del triste pasado de Adega. En ambas obras, estos pasajes ilustran dos formas de concebir la problemática humana en un determinado lugar. Por su parte, hay ecos en *Romance de lobos* —en Montenegro— de la nueva actitud hacia la justicia que presenta este relato.

40. *Café con Gotas*, 3.ª época, 2 de noviembre (1888). No he podido examinar esta versión del cuento y me valgo de la transcripción que hizo Simone Saillard, «Le premier conte et le premier roman de Valle-Inclán», *Bulletin Hispanique*, 57, 4 (1955), pp. 423-424. El texto es reproducido nuevamente por Hormigón, pp. 81-83 (también lo comenta en la p. 79).

41. Ya Clara Luisa Barbeito, *Épica y tragedia en la obra de Valle-Inclán* (Madrid, Fundamentos, 1985, p. 23), indica que ésta es una obra de «apenas un interés histórico». Algo semejante fue aseverado por Saillard (p. 421).

42. Véanse: *El Liberal*, 281, 3 de septiembre (1906), *La Correspondencia Gallega*, 27 de noviembre (1906), *Galicia*, 15 de diciembre (1906, pp. 3-5), *La Gaceta de Galicia*, 16 de marzo (1909), y *La Correspondencia Gallega*, 27 de marzo (1909). Todas las versiones son esencialmente iguales. Hormigón reproduce el cuento en las pp. 164-166 de su libro.

43. *Águila de blasón*, pp. 91-97.

44. Eliane Lavaud sustenta que «el cuento está escrito en primera persona y la aventura nos es presentada como si le hu-

biese ocurrido al autor» (p. 140) y especula, más adelante, sobre si Valle fue o no testigo de una ceremonia como la descrita en este cuento (p. 143). Hormigón, por su parte, afirma que el caballero que aquí aparece «es el propio escritor» (p. 159). Si bien curioso, todo esto tiende a mezclar realidad y ficción y a fusionar, peligrosamente, las figuras del autor real y del narrador.

45. Véase: *El Universal*, 19 de junio (1892, p. 3). William L. Fichter, *Publicaciones periodísticas de Don Ramón del Valle-Inclán...*, pp. 172-182, lo reproduce con cambios menores (es ésta la versión que utilizo al ser más accesible).

46. Obsérvese cómo después de su subtítulo —«Novela Corta»— aparece un número romano, I. Ello hace pensar que éste es un capítulo dentro de un texto más amplio, aunque sea comprensible por sí mismo y no aparezcan otros números romanos en él. Indudablemente, el cuento tiene nexos con «Octavia», «La confesión» y «El gran obstáculo». Esto último ya lo indicó Eliane Lavaud, pp. 176-179, a la vez que asevera que «¡Caritativa!» es una continuación con cambios de «El gran obstáculo». Véase también Fichter, «Estudio preliminar», p. 24, y Manuel Bermejo Marcos, pp. 36 y 47 (el segundo considera este texto como uno de los primeros esperpentos de Valle). Por su atmósfera y la naturaleza de los diálogos entre Pedro y Octavia, este cuento recuerda también a *Rosita*.

47. «Al fin, con esa impresionabilidad que caracteriza a la gente de teatro, y más bien es signo de percepción artística, que de amor al prójimo, la actriz concluye por condolerse del héroe [...]» (p. 174).

48. Con anterioridad, Pedro creyó escuchar a Octavia arrastrar un mueble para garantizar que él no entrara en su alcoba (p. 181). No debe olvidarse que Pedro posee una fértil imaginación cuando duerme:

> Hundido en el sillón y más dormido que despierto, Pedro Pondal veíala preparar la cama en una esquina. La sombra de la italiana adquiría en la pared la traza de una vieja; se alargaba y encogía como visión de pesadilla aplastándose en el techo, dislocándose en los ángulos con ritmo funambulesco que tenía algo diabólico y recordaba los saltos caprichosos de las ideas en noches de insomnio y calentura [p. 180].

49. Originalmente apareció este relato bajo el título de «Un bastardo de Narizotas» en *Caras y Caretas*, 5 de enero (1929) y con el subtítulo de «Página histórica». Más tarde es publicado

con el título «Correo diplomático» en *Ahora*, 12 de marzo (1933) [p. 7] y 19 de marzo (1933) [pp. 7-8]. Existen diferencias entre ambas versiones y aludiremos a ellas cuando sea necesario. Se utiliza en este ensayo la segunda versión. Ambos textos son reproducidos por Hormigón (pp. 205-230) y por Javier Serrano Alonso (*Artículos completos y otras páginas olvidadas de Ramón de Valle-Inclán* [Madrid, Istmo, 1987, pp. 352-391]).

50. Sobre los vínculos entre «Correo diplomático» y *La corte de los milagros* y *Viva mi dueño*, se han expresado Emma Susana Speratti-Piñero, *De «Sonata de otoño» al esperpento*, pp. 295-312 (publicado originalmente en *Nueva Revista de Filología Hispánica*, 15, 3-4 [1961], pp. 589-604; Sperattti-Piñero se expresa sobre «Correo diplomático» y da una transcripción de este texto), Harold L. Boudreau, «The Metamorphosis of the *Ruedo Ibérico*», pp. 770-773, y Eliane Lavaud, pp. 144-147 (esta última también discute cómo se relaciona este relato a su versión original, «Un bastardo de Narizotas»). Véanse también los comentarios de Hormigón, pp. 195-196, y Serrano Alonso, pp. 43-44 y 350-351.

51. Leda Schiavo, pp. 234-242, discute los parecidos y las diferencias entre ambos textos y *El ruedo ibérico*. Esta crítica concluye confirmando que «lo único evidente es que cuando Valle-Inclán escribía episodios que luego no integraba, por alguna razón, en las novelas, decidía de todos modos publicarlos como escenas autónomas para placer y atolladero de los críticos» (p. 242). Véase también su «Sobre "Un bastardo de Narizotas" de Valle-Inclán», *Ínsula*, 363, febrero (1977), p. 3.

52. *Historia y novela en Valle-Inclán*, p. 240.

53. Nótese que en «Un bastardo de Narizotas» no se menciona la plaza desierta.

54. De aquí en adelante, este personaje se llamará Cósimo en «Correo diplomático».

55. Este viejo funciona como un narrador intradiegético de lo que fue dicho por Julia.

56. Recuérdese el «¡Viva la bagatela!» de Bradomín en la *Sonata de invierno* y el «Me aburre lo serio» de Rosita en la novelita de ese mismo título.

57. En «Un bastardo de Narizotas», el ataque a la familia real es menos violento quizá debido a que el texto fue publicado en 1929, antes de la segunda República.

58. Nuevamente, dicho absurdo es vinculable al que prevalece en *Rosita* y posee, como es el caso en este otro texto, una dimensión lúdica:

—¡Yo soy un hombre galante, señorita!
—Caballero, usted parece ser un amigo de mi tío, y eso basta.
—¿No está usted ofendida conmigo?
—¡De ninguna manera!
—¿Quiere usted darme la mano?
—¿Por qué no?
—¿Me permite usted que se la bese?
—Cuando las tenga lavadas.
—¿Ahora no?
—Ahora huelen a guisado.
—¿Permite usted que me cerciore?
—De ninguna manera. Luego creería usted que se cenaba mis manos [19-III-1933, p. 8].

Más adelante, el narrador nos informa que Julia se resistía al Conde Blanc como «una ultrajada Lucrecia». El nombre Lucrecia aparece con anterioridad en *Rosita* en un contexto semejante: allí, el Duquesito le dice a Rosita que ella se siente Lucrecia cuando rechaza el acoso de él. Claramente, esta referencia vincula el espíritu de dos obras escritas en extremos diferentes en la vida de Valle-Inclán (*Rosita* en 1899 y «Correo diplomático», en su versión original, en 1929). En ambos casos, se alude a la patricia romana Lucrecia, la cual ejemplificó la virtud en las mujeres. Al respecto, véase F. Codino, «Lucrecia», en *Diccionario literario de obras y personajes de todos los tiempos y todos los países* (vol. 11, ed. González Porto-Bompiani [Barcelona, Montaner y Simón, 1960, p. 588]). Referencias a *Rosita* provienen de *Corte de amor* (Madrid, Espasa-Calpe, 1979[6]).

59. «Farsa y licencia de la Reina Castiza», en *Tablado de marionetas* (Madrid, Espasa-Calpe, 1970[2], p. 237).

60. Véase: *Por Esos Mundos*, 11, 180, enero (1910), pp. 4-14.

61. Discuten este texto Lavaud, pp. 545-546, Hormigón, pp. 175 y 177-178 (también lo reproduce en las pp. 178-189), y Javier Serrano Alonso, pp. 42-43 y 331-332 (reimprime el relato en las pp. 332-346).

62. Véanse: *Los Lunes de El Imparcial*, 19 de septiembre (1904) y *La Correspondência Gallega*, 25 de enero (1913). Esta última versión se titula «De pastores». Las dos son prácticamente idénticas.

63. Parte del cuento es incluida en el Capítulo VI de la Tercera Estancia de *Flor de santidad* (pp. 63-65).

64. Madrid, Espasa-Calpe, 1961[3], pp. 147-148.

65. De hecho, la utilización de este texto en dos obras diferentes complica aún más el poder afirmar con marcada preci-

sión crítica que una narración breve es o no independiente de aquellas obras en que don Ramón la asimila (recuérdese la sección inicial de este capítulo). Hormigón resuelve este problema indicando que en su libro sólo recoge «relatos que tienen entidad propia» (p. 97; nótese que en la p. 142 discute «Un cuento de pastores»).

66. Véanse: *Extracto de Literatura*, 27, 8 de julio (1893), pp. 6-7 —bajo el título de «X...»—, *El País*, IX, 2.942, 19 de julio (1895) —también con el título «X...»—, *La Correspondencia Gallega*, 27 de mayo (1903) —titulado «Por Tierra Caliente»—, *La Ilustración Artística*, 1.211, 13 de marzo (1905), p. 172, *La Correspondencia Gallega*, 21 de julio (1905), *Jardín Novelesco* (Barcelona, Maucci, 1908, pp. 202-210), y *Flores de almendro* (1936, pp. 238-241) (esta última impresión es la que utilizo). Existen alteraciones entre las diversas versiones. Además, las de 1893 y 1903 son muy parecidas: contienen fragmentos descriptivos de la campiña mexicana con claros antecedentes en «La niña Chole» que faltan en las restantes versiones (estas últimas, si bien resultan ser menos descriptivas, tienen también frases que provienen de «La niña Chole»). Ya en la impresión de 1895, aparecen los elementos fundamentales del texto a la luz de la versión de 1936. Obsérvese que para Lavaud, p. 264, muy probablemente Valle-Inclán dejó de incluir este cuento en las colecciones posteriores a 1908 debido a que era inferior a sus otros relatos. Por último, Hormigón discute y publica «X» (pp. 94, 97-99).

67. Véanse: *Los Lunes de El Imparcial*, 10 de febrero (1902) y *Jardín Novelesco* (1908), pp. 191-202. Existen diferencias entre ambos textos. Tampoco son iguales a la versión incluida en *Flor de santidad* (Capítulo III, Segunda Estancia, pp. 36-40). Léase mi explicación al estudiar «Adega» sobre por qué analizo un relato de este tipo por sí mismo.

68. Utilizo esta impresión ya que en la siguiente las dos mujeres están cambiadas, reflejando la identidad que recibieron en *Flor de santidad*. Dicho de otra forma, el texto que uso me parece el más auténtico para explorarlo como cuento.

69. J.E. Congleton, «Eclogue», en *Princeton Encyclopedia of Poetry and Poetics*, ed. Alex Preminger (Princeton, Princeton University Press, 1965, p. 212).

70. Véanse: *La Correspondencia de España*, 9 de febrero (1902) y *La Correspondencia Gallega*, 10 de septiembre (1903). Las dos versiones son idénticas.

71. Lavaud, pp. 375-376. Hormigón comenta e incluye una versión del cuento en su libro (pp. 96 y 107).

72. Véase: *Apuntes*, 1 de enero (1897). Reproducido y comentado por Hormigón, pp. 95, 100-104.

73. En este estudio se utiliza la siguiente edición: *Sonata de primavera. Sonata de estío* (Madrid, Espasa-Calpe, 1969[7]).

74. Hasta cierto punto, son muy parecidas las razones que justifican el estudio independiente de «La feria de Sancti Spiritus» y «La niña Chole», relatos que, de una forma u otra, son utilizados en la *Sonata de estío*. Al respecto, véanse mis comentarios en este libro al estudiar «La niña Chole». Por su parte, Jorge Campos, «Tierra Caliente (La huella americana en Valle-Inclán)», *Cuadernos Hispanoamericanos*, 199-200 (1966), pp. 422-425, detecta unidad y tanto argumento en «La feria...» como en otros cuentos publicados en *Femeninas*.

75. Por ejemplo, *Voces de gesta* y *El embrujado*.

76. Véase: *Los Lunes de El Imparcial*, 3 de junio (1901).

77. Véanse: *El Gráfico*, 31, 13 de julio (1904) y 32, 14 de julio (1904), *Jardín Novelesco* (1908, pp. 165-179), y *Flores de almendro*, pp. 229-234.

78. Esta novela fue publicada por primera vez en 1904: existen modificaciones entre esta versión y la definitiva que circula en nuestros días.

79. Por supuesto, he mantenido en mente a través de mi estudio todas las versiones del texto, aunque en este caso ello no resulte importante. Obsérvese que ya Lavaud (pp. 260-261) se ha referido a ciertas diferencias entre las diversas impresiones de este relato. Por último, nótese cómo en el texto que utilizo, Isabel es una mujer casada que ha sido abusada por su esposo. La niña que muere en el cuento es su hija. En otras palabras, existen diferencias substanciales entre Isabel y la protagonista de los otros cuentos y la de *Sonata de primavera*, María Rosario.

80. Véanse: *Los Lunes de El Imparcial*, 15 de agosto (1904), *Jardín Novelesco* (1905, pp. 243-254), *Jardín Novelesco* (1908, pp. 155-164), *Galicia*, 15 de diciembre (1908, pp. 460-461), *Cervantes*, 1, 5 (1916, pp. 26-31), y *Flores de almendro* (1936, pp. 225-228) (utilizo esta última impresión).

81. Por su título, el relato recuerda el poema bucólico *Las geórgicas* del poeta latino Virgilio. Por su contenido, sin embargo, ambos textos son muy diferentes. A pesar de ello, es curioso que en dos de sus versiones el cuento esté dividido en cuatro partes como ocurre en la obra de Virgilio.

82. En general, este cuento sirve de base al Capítulo II de la Segunda Estancia de *Flor de santidad* (pp. 32-35). El argumento no es igual y ello queda reflejado en algunos de los personajes.

Léanse los comentarios de Hormigón sobre este relato (pp. 142-143).

83. Publicado por primera vez en el *Diario de Pontevedra*, 2.458, 3 de febrero (1892) y 2.459, 4 de febrero (1892). Es reproducido por Simone Saillard, «Le premier conte et le premier roman de Valle-Inclán», *Bulletin Hispanique*, 57, 4 (1955), pp. 424-429, Valentín Paz-Andrade, *La anunciación de Valle-Inclán* (Buenos Aires, Losada, 1967, pp. 143-149), y Hormigón, pp. 86-90 (este último también lo comenta, pp. 80-81). Se utiliza aquí la impresión de Saillard, la cual contiene varias correcciones menores.

84. Ruth Whittredge, «Los libros de cuentos de Valle-Inclán. Estudio bibliográfico», *Grial*, 32 (1971, p. 218), Saillard (p. 422) y Paz-Andrade (p. 80) consideran que es parte de un texto más amplio. Si bien ello es posible, yo creo que el relato puede ser estudiado por sí mismo y, además, nos da un buen ejemplo del arte embrionario de don Ramón.

85. Se puede especular que Plácida ya sabe que su hija sostuvo relaciones con Pedro y que desea evitar un conflicto entre tan gran espadachín y su hijo. No se olvide que, con anterioridad (p. 428), ella demuestra cierto temor debido a una aparente amenaza que Pedro le hace a Jaime durante una conversación con Plácida.

86. También focalizan Plácida, Jaime, Pedro y Águeda.

87. Ya Saillard (p. 422) y Paz-Andrade (p. 80) mencionan que este texto contiene material que aparece en otros escritos de don Ramón.

88. Este texto fue publicado originalmente bajo el título de «Hierba Santa»: *Juventud*, vol. 1, 1, 1 de octubre (1901) y *La Ilustración Artística*, vol. 22, 1.132 (1903), pp. 587-588. Ambas versiones son casi iguales: sólo quedan alteradas algunas palabras; a veces, la división de párrafos es diferente y el comienzo del cuento es distinto en ambos casos. Las siguientes dos impresiones son prácticamente idénticas a las anteriores. Es a partir de ellas cuando aparece el cuento con el título de «Hierbas Olorosas». Véanse: *Jardín Novelesco* (1908), pp. 211-220, y *Flores de almendro*, pp. 242-246 (en este ensayo se utiliza esta última impresión).

89. En esta novela, el narrador no es reclamado por su madre y sí por su amada Concha. Ya Lavaud (p. 262) mencionó la relación entre el cuento y la novela.

90. En su primera impresión, el texto indicaba, en un tipo de subtítulo, que lo que contenía era un «*Fragmento*» de *Las memo-*

rias del Marqués de Bradomín (en la segunda, la palabra «fragmento» desapareció, mientras que las restantes carecen del ya mencionado subtítulo).

91. En todas, menos en la versión de 1903 —incluso en la *Sonata de otoño*—, se utiliza la palabra «saudade». En esa, el giro es traducido al castellano con la palabra «añoranza». Significativamente, Valle-Inclán retorna al término gallego al poseer éste un sentido especial en contraste a su equivalente en castellano: «Esperanza de un bien futuro que se anhela y se juzga irrealizable. Deseo vehemente y atormentado de lo imposible e indefinido [...]. La saudade, en realidad, es un sentimiento inexplicable, y no se sabe de dónde viene, ni se alcanza a dónde va, ni se comprende lo que persigue [...]. Esta imprecisión es precisamente lo que caracteriza la saudade.» (Eladio Rodríguez González, *Diccionario enciclopédico gallego-castellano*, vol. 3 [Vigo, Galaxia, 1961, pp. 319-320]).

92. Véanse: *Jardín Novelesco* (1908), pp. 181-190, y *Flores de almendro*, pp. 235-237. Se utiliza aquí la segunda impresión; ambas son idénticas.

93. *Romance de lobos* apareció originalmente en 1908. Véase su versión moderna (Madrid, Espasa-Calpe, 1980[7], pp. 9-13). La relación entre el cuento y la pieza teatral ya fue mencionada por Carlos Batal Batal, *Las primeras narraciones de Valle-Inclán*, tesis doctoral (Universidad Complutense de Madrid, 1980, p. 128), y Lavaud, p. 261.

94. Este río recuerda a la laguna Estigia que rodea al infierno en la mitología clásica griega.

95. Claro está, cuando las voces se expresan sobre algo, ellas están focalizando a su vez.

96. *Blanco y Negro*, 5, 238, 23 de noviembre (1895). Fue publicado nuevamente en esta misma revista el 7 de mayo de 1966 (2.818, pp. 54-55). Este relato apareció por primera vez con el título de «Zan el de los osos», *El Universal*, 8 de mayo (1892) y fue reproducido por William L. Fichter en *Publicaciones periodísticas de Don Ramón del Valle-Inclán...*, pp. 96-103. Existen diferencias substanciales entre ambas versiones: la primera resulta ser más rudimentaria, menos pulida (por ejemplo, se escucha al narrador expresarse directamente).

97. Sobre este relato se han expresado William L. Fichter, «Estudio Preliminar», *Publicaciones periodísticas...*, pp. 18-19, y Manuel Bermejo Marcos, p. 36. Inexplicablemente, para Bermejo Marcos existe en este texto algo de la animalización tan común en el esperpento (p. 41).

98. *Alma Española*, año I, 8, 27 de diciembre (1903), p. 7.

99. El texto es, entonces, un tipo de narración histórica que no sigue a la historia misma. Obsérvese cómo para Hormigón ésta es una «fantástica» autobiografía (p. 36), mientras que Carol S. Maier indica que es un texto «highly fictionalized» («Literary Re-Creation, the Creation of Readership, and Valle-Inclán», *Hispania*, 71 [1988], p. 219). Ambos reconocen, por tanto, su dimensión imaginativa, ficticia. Véanse también Gonzalo Díaz Migoyo, *Guía de «Tirano Banderas»* (Madrid, Fundamentos, 1985, pp. 49-54), y Robert Lima, *Valle-Inclán. The Theatre of His Life* (Columbia, University of Missouri Press, 1988, p. 49).

100. Este relato nos permite comprobar la distancia que hay entre un autor real y un narrador.

101. *Los Lunes de El Imparcial*, 16 de julio (1906), *La Correspondencia Gallega*, 20 de julio (1906), *El Diario de Pontevedra*, 23 de julio (1906), y *La Correspondencia Gallega*, 6 de octubre (1910). Todas las versiones son prácticamente idénticas. Me valgo en este ensayo, principalmente, de la más reciente. Hormigón reproduce la primera (pp. 159-160).

102. Para Lavaud, este texto fue escrito cuando Valle redactaba *Águila de blasón*.

103. En ocasiones la focalización del narrador se mezcla, implícitamente, con la de la protagonista.

104. Véanse: *El Liberal*, 30 de noviembre (1902), *La Correspondencia Gallega*, 3 de diciembre (1902), *Jardín Umbrío* (Madrid, Viuda de Rodríguez Serra, 1903, pp. 15-24), *Jardín Novelesco* (1905, pp. 13-23), *Jardín Novelesco* (1908, pp. 7-14), *La Gaceta de Galicia*, 21 de septiembre (1911), *La Gaceta de Galicia*, 20 de julio (1912), *Suevia*, 15 de febrero (1918, pp. 7-9), *A Nosa Terra*, 6 de enero (1919) —en gallego—, *Jardín Umbrío* (1928, pp. 22-26), y *Flores de almendro* (1936, pp. 221-224). En este estudio, se utiliza la versión de 1918. Obsérvese además cómo dos fragmentos del relato fueron publicados bajo el título «Mendigos» en *La Gaceta de Galicia*, 12 de marzo (1910) y *La Correspondencia Gallega*, 17 de agosto (1910). Estas dos impresiones corresponden al último tercio del cuento original y contienen cambios menores.

105. José Echegaray, Eugenio Sellés y José Nogales, «Concurso de Cuentos de *El Liberal*. Carta del Jurado», *El Liberal*, 30 de noviembre (1902). El primer premio quedó desierto al no haber, en opinión del tribunal, relato entre los ochocientos diecisiete sometidos con mérito suficiente como para recibirlo. Sobre este concurso y su efecto sobre don Ramón se han expresado

Juan R. Jiménez, «*Jardín Umbrío*, por don Ramón del Valle-Inclán», *Helios*, 7 (1903), p. 118, Joaquín de Entrambasaguas, *Las mejores novelas contemporáneas*, tomo II (Barcelona, Planeta, 1968[4], p. 366), Melchor Fernández Almagro, p. 87, Mariano Tudela, *Valle-Inclán. Vida y milagros* (Madrid, Vassallo de Mumbert, 1972, p. 111), y Lavaud, p. 252.

106. Con ciertos ajustes lógicos —por ejemplo, no hay referencia a Adega—, el cuento aparece, básicamente, en los Capítulos I y III de la Cuarta Estancia de esta novela (pp. 67-76). También fueron utilizadas partes de él en *El Marqués de Bradomín*, pp. 114-116. Obsérvese que para Hormigón «Malpocado» no fue escrito como un episodio de la senda argumental de «Adega» (p. 141).

107. Véanse los argumentos que di al analizar «Adega». A la bibliografía crítica mencionada allí hay que añadir también el ensayo de Leif Sletsjoe, «El cuento ¡Malpocado!: sobre temas y personajes en la obra de Ramón del Valle-Inclán», *Cuadernos Hispanoamericanos*, 301 (1975), pp. 195-211.

108. Sobre los ritos de iniciación se ha expresado Mircea Eliade, *Myths, Rites, Symbols: A Mircea Eliade Reader*, ed. W. Beane y William Doty, tomo I (Nueva York, Harper & Row, 1975, pp. 164-168).

109. Véase: *El Heraldo de Madrid*, 7 de junio (1891). Se usa aquí la reimpresión que de este texto hizo Eliane Lavaud, «Un cuento olvidado de D. Ramón del Valle-Inclán: El mendigo», *Papeles de Son Armadans*, 69, 205, abril (1975), pp. 87-91. Hormigón también lo reproduce (pp. 83-86).

110. Para Lavaud, en su breve introducción a este cuento, don Ramón nos da «el argumento de este cuento como un recuerdo de su niñez y ése es un recurso que usara muchas veces en adelante» (p. 86). Como ya he discutido con anterioridad en este libro, la fusión de Valle-Inclán con el narrador de un texto suyo no es aceptable en términos narratológicos, al ser el autor real y el narrador dos voces diferentes en el proceso de comunicación que caracteriza a todo relato.

111. Por supuesto, todo texto tiene narrador. Esta verdad queda corroborada en la historia del crimen con frases como «y este hombre atravesaba a buen paso la espesura de Framil, *que todos saben el siniestro renombre que tiene*» (p. 88, énfasis mío). Aquí se intenta guiar al lector en su comprensión del texto. En este sentido, estas frases son indicio de cómo focaliza el narrador, figura cuyas percepciones conocemos al principio y al final del cuento.

112. Se carece de transición entre la historia del crimen y lo que le precede y sigue.

113. Frases como «oyó decir el mendigo» (p. 89) y «lo poco que de su atavío podía verse» (p. 89) corroboran mi percepción sobre el mendigo como focalizador.

114. Véanse: *Femeninas* (1895, pp. 107-158) —impresión moderna (1978, pp. 109-135)—, *Historias perversas* (1907, pp. 85-114), *Historias de amor* (1909, pp. 25-63), *Cuentos, estética y poemas* (1919, pp. 79-113), y *Flores de almendro* (1936, pp. 247-267). Sobre estas versiones y las que aparecen en revistas y periódicos me expresaré más adelante.

115. Pp. 83-104.

116. En ambos, *Femeninas* e *Historias perversas*, la narración se subtitula «Del libro *Impresiones de Tierra Caliente* por Andrés Hidalgo». Implícitamente, claro está, queda sentado que este texto es parte de uno más amplio. A pesar de ello, lo que contiene este relato es comprensible y, por tanto, analizable. Otro texto con un subtítulo parecido es «La feria de Sancti Spiritus», *Apuntes*, 1 de enero (1897), cuento que también es estudiado por separado a pesar de que mucho en él es utilizado en la *Sonata de estío*.

117. Evito aquellas ediciones que reflejan los cambios que sufrió el cuento debido a su integración en la *Sonata de estío*.

118. Véanse:

1) «Bajo los trópicos (Recuerdos de México)», *El Universal*, 16 de abril (1892), versión moderna en *Publicaciones periodísticas de Don Ramón del Valle-Inclán...*, pp. 168-171. Corresponde a la llegada a Veracruz del buque *Dalila* y a la reacción del narrador en primera persona en este sitio (lo que aquí se narra tiene su equivalente en las pp. 261-263 de *Flores de almendro*).

2) «Páginas de Tierra Caliente (Impresiones de viaje)», *Extracto de Literatura*, 33, 20 de agosto (1893), pp. 5-6. Este texto tiene características muy parecidas a las de *El Universal*.

3) «Tierra Caliente (De las memorias de André Hidalgo)», *El Imparcial* (México), VII, 1.137, 30 de octubre (1899), p. 2. Se concentra el relato en la escena del negro y los tiburones en forma muy parecida a las pp. 263-266 del cuento en *Flores de almendro*.

4) «Tierra Caliente. Los tiburones», *La Ilustración Artística*, 1.071, 7 de julio (1902), pp. 444-446. Contiene el inicio del cuento y el pasaje de los tiburones en «La niña Chole».

Todos estos fragmentos de «La niña Chole» son interpretables dentro del cuento más amplio en el que aparecen, todos contienen pequeños cambios; los cuatro pasaron a ser parte, además, de la *Sonata de estío*.

Hay otros fragmentos adicionales:

1) «Tierra Caliente», *La Correspondencia de España*, 8 de junio (1902). Concierne el encuentro violento entre el narrador y el indio ladrón. En una nota inicial se explica que proviene de *Sonata de estío*.

2) «Tierra Caliente. Una jornada», *Los Lunes de El Imparcial*, 18 de marzo (1901). La realidad descrita no corresponde a los hechos específicos que contiene «La niña Chole» y sí a la *Sonata de estío*.

3) «Tierra Caliente», *La Correspondencia de España*, 3 de agosto (1902). Está constituido por la escena —algo modificada— de jugadores en la *Sonata de estío* (pp. 131-133), suceso sin precedente en «La niña Chole».

Estas tres últimas narraciones deben ser estudiadas en el contexto más amplio de esa otra obra donde están asimiladas.

119. Sobre «La niña Chole» y sus vínculos con otros textos, se han expresado William L. Fichter, «Estudio preliminar», en *Publicaciones periodísticas...*, pp. 23-24, William L. Fichter, «Sobre la génesis de la *Sonata de estío*», *Nueva Revista de Filología Hispánica*, 7 (1953), pp. 526-535, Jorge Campos, pp. 422-425, Emma Susana Speratti-Piñero, *De «Sonata de otoño» al esperpento*, p. 56, Lavaud, pp. 179-180, 185-186, y Hormigón, pp. 91-96 (este crítico reimprime también algunos de estos textos).

120. ¿A qué otra cosa que no sea a la creación de una imagen que le resulte agradable se puede atribuir el alarde de un narrador que, ya maduro, describe sus poderes sexuales?: «hoy, después de haber pecado tanto tengo las mañanas triunfantes, como dijo el poeta francés» (p. 247). De igual forma, tampoco resulta muy verosímil la narración del encuentro violento entre el protagonista y el indio ladrón (pp. 254-257): el narrador sale triunfante —de hecho, ileso— a pesar de que el indio está muy capacitado para hacerle daño. Es decir, no se explica el triunfo del narrador, siendo posible que cuanto ha dicho responda a un intento de continuar proyectando esa imagen que más le agrada (al efecto, recuérdese cómo al comenzar su combate con el indio, se detiene a ajustarse las gafas, indicio implícito de su valor y de la artificialidad que caracteriza lo relatado: «Me afirmé los quevedos, requerí el palo, y con gentil compás de pies, como diría un bravo de ha dos siglos, adelanté hacia el ladrón [...]» (p. 256). La tendencia a asumir poses responde a una inclinación por lo dramático —lo teatral— en el narrador. Sobre este

asunto, al discutir una o varias *Sonatas*, se han expresado, entre otros, Alonso Zamora Vicente, *Las Sonatas de Valle-Inclán* (Madrid, Gredos, 1966[2]), y Sumner M. Greenfield, «Bradomín and the Ironies of Evil: A Reconsideration of *Sonata de primavera*», *Studies in Twentieth Century Literature*, 2 (1977), pp. 23-32.

Lo explicado con anterioridad es indicio de cuán indigno de confianza es el narrador de la *Sonata de estío*. Esta impresión cobra fuerza cuando se estudian otros pasajes en el texto más amplio, labor que no es posible hacer aquí. No olvidemos que esta obra es una confesión, y que las confesiones esconden, casi siempre, estrategias que facilitan que su autor aparezca como menos responsable de sus actos, algo comprensible en el caso de Bradomín en las *Sonatas* debido a sus muchas deficiencias.

121. En su libro sobre el exotismo en la literatura entre 1880 y 1913, Lily Litvak discute figuras como la niña Chole. Véase *El sendero del tigre* (Madrid, Taurus, 1986).

122. Véanse: *El Universal*, 10, 3 de julio (1892) —bajo el título de «La confesión»—, *El Globo*, 10 de julio (1893) —bajo el título de «La confesión»—, *Extracto de Literatura*, 43, 28 de octubre (1893), pp. 2-5, *Femeninas* (Pontevedra, Imprenta y Comercio de A. Landín, 1895, pp. 81-104) —véase la reproducción moderna en *Femeninas. Epitalamio*, pp. 95-107—, *Por Esos Mundos*, 114 (1904), pp. 30-34 —bajo el título de «La confesión»—, *Historias perversas* (Barcelona, Maucci, 1907, pp. 117-130), *Historias de amor* (París, Garnier, 1909, pp. 7-22), *Cofre de sándalo* (Madrid, Librería General de Victoriano Suárez, 1909, pp. 676-691), La novela corta, III, 156 (28 de diciembre de 1918), *Flores de almendro*, pp. 137-145 (esta última es la versión que utilizo en este estudio). Algunas de estas impresiones aparecen con el título de «Octavia Santino». Como es común en otras narraciones de Valle, se detectan cambios entre sus diversas versiones. Obsérvese, además, que el argumento de este cuento fue utilizado como fuente de inspiración en *Cenizas* (Madrid, Bernardo Rodríguez, 1899), pieza teatral que a su vez se convirtió en *El yermo de las almas* (incluida en *Obras Escogidas*, tomo I [Madrid, Aguilar, 1976[5], pp. 905-959]). Ambos dramas constituyen ampliaciones del cuento. Por su parte, «Drama vulgar», *Por Esos Mundos*, 164, septiembre (1908), pp. 227-230, corresponde a los comienzos de *El yermo de las almas*, sin que lo que allí ocurre se encuentre en «Octavia». Léase además «Drama vulgar», *Historias de amor* (1909, pp. 95-121) (corresponde, en general, al Primer Episodio de *El yermo de las almas*). La aparición en *Historias de amor* de una versión narrativa y otra dramática de «Octavia» es

indicio de que para Valle cada una constituía una obra independiente.

Sobre uno o más de.estos textos se ha expresado William L. Fichter, «Estudio preliminar», en *Publicaciones periodísticas de Don Ramón del Valle-Inclán...*, p. 25, O.E. Jack Roberts Jr., *Definition and Contrast of Love in the «Corte de amor» and the «Sonatas» of Ramón del Valle-Inclán*, tesis doctoral (Louisiana State University, 1965, pp. 37-42), Ruth Whittredge, p. 220, Manuel Bermejo Marcos, p. 36, Sumner M. Greenfield, *Valle-Inclán: anatomía de un teatro problemático* (Madrid, Fundamentos, 1972, pp. 39-43), Susan Kirkpatrick, «From "Octavia Santino" to *El yermo de las almas*: Three Phases of Valle-Inclán», *Revista Hispánica Moderna*, 37 (1972-1973), pp. 56-62 y 66-72, Francisco Ruiz Ramón, *Historia del teatro español. Siglo XX* (Madrid, Cátedra, 1977[3], pp. 94-97), Eliane Lavaud, pp. 176-179, 186-188 y 247-248, John Lyon, *The Theatre of Valle-Inclán* (Cambridge, Cambridge University Press, 1983, p. 31), Pilar Bellido Navarro, «Las cenizas del yermo (sobre dos obras de Valle-Inclán)», *Segismundo*, 41-42 (1985), pp. 243-268, Juan Carlos Esturo Velarde, *La crueldad y el horror en el teatro de Valle-Inclán* (La Coruña, Gráficas do Castro, 1986), y Juan Antonio Hormigón, p. 400.

123. No se olvide que con anterioridad ella le pidió a él que le jurase que no la dejaría morir sola (p. 141). En este sentido, podría pensarse que Octavia si bien no quiere que su amante sufra por su muerte, tampoco desea fenecer sin tenerle junto a sí. Dicho de otra forma, el juramento de Pedro le dará fuerza a ella para declararse culpable ante él.

124. Para Kirkpatrick, p. 57, y Lourdes Ramos-Kuethe, «El concepto del libertinismo en la narrativa temprana de don Ramón del Valle-Inclán», *Hispanic Journal*, 4 (1983), pp. 52-53, Octavia le mintió a Pedro para que no sufriera por su muerte. Por su parte, Roberts, pp. 40-42, opinó que en verdad ella traicionó al joven.

125. Shlomith Rimmon, *The Concept of Ambiguity-The Example of James* (Chicago, The University of Chicago Press, 1977, pp. 12-14).

126. Aquí bien puede estarle pidiendo fuerza a la Virgen para declararse culpable ante Pedro. El lector implícito, sin lugar a dudas, capta la ambivalencia de sus palabras: se comprende que es un claro indicio de algo que se avecina, información que si bien queda insinuada está todavía omitida.

127. En la versión publicada en *El Globo*, este cuento se subtitulaba «Historia amorosa».

128. Véase: *España*, 329, 15 de julio (1922), pp. 8-9. Fue reproducido por J.M. Blecua, «Valle-Inclán en la revista *España*», *Cuadernos Hispanoamericanos*, 199-200 (1966), pp. 522-529.

129. Blecua, p. 522, Juan Antonio Hormigón, *Ramón del Valle-Inclán: la política, la cultura, el realismo y el pueblo* (Madrid, Alberto Corazón, 1972, pp. 380-385).

130. Nótese cómo el cuento concluye con el monólogo amoroso de don Herculano con alguien que aparentemente es su amante y que le escucha por teléfono. Sus frases en este instante le restan dignidad al personaje, algo que explica por qué don Serenín se retira sonriendo al ver a su jefe haciendo tan triste papel.

131. Véase: *El Liberal*, 25, 7 de febrero (1903). El texto es reproducido por Hormigón (*Cronología...*, pp. 299-300) y Serrano Alonso (pp. 217-219).

132. Eliane Lavaud ubica lo descrito en este texto dentro de su época (pp. 299-300). Mamed Casanova se llamó en verdad Toribio Mamed Casanova. El *Heraldo de Madrid*, 4 de septiembre (1925) informa que ha cumplido su condena perpetua por los delitos que cometió años antes.

133. Si bien este texto ha sido concebido como un ensayo (por ejemplo, por Hormigón, pp. 270-272), yo creo que cuanto contiene le convierte en ficción narrativa. Al efecto, ya Javier Serrano Alonso lo denomina una «recreación literaria de la imagen de un famoso bandido gallego de la época» (p. 39).

134. Véase: *Los Lunes de El Imparcial*, 26 de septiembre (1904). Reproducido por Hormigón (pp. 146-148).

135. En el Capítulo IV de la Quinta Estancia de *Flor de santidad* aparece gran parte de este cuento (pp. 94-96). Por supuesto, se le ajusta allí a las necesidades de la novela.

136. El cuento semanal, III, 121 (Madrid, José Blass, 23 de abril de 1909).

137. Son varios los críticos que han aludido a estas semejanzas a la vez que enfatizan las innegables diferencias entre este relato y las *Sonatas* y pasajes en *El Ruedo Ibérico*. A menudo, estos críticos identifican también aspectos esperpénticos presentes en «Una tertulia de antaño». Al respecto, véanse Harold L. Boudreau, «The Metamorphosis of the *Ruedo Ibérico*», pp. 249-255, Manuel Bermejo Marcos, pp. 141-146, Eliane Lavaud, pp. 542-544, y Juan Antonio Hormigón, pp. 196-197. En el caso de Speratti Piñero, ella identifica, entre otros, la influencia goyesca, la presencia potencial de máscaras y muñecos, la teatralería. Véase también Carlos Seco Serrano, *Sociedad, literatura*

y política en la España del siglo XIX (Madrid, Guadiana, 1973, pp. 319-349).

138. En vista de lo que otros críticos ya han discutido sobre esta narración, no es necesario entrar aquí a definir su contenido de forma más detallada.

139. Véanse: *Femeninas*, pp. 51-78 —impresión moderna de *Femeninas. Epitalamio* (1978, pp. 79-93)—, *Historias perversas*, pp. 45-60, *Historias de amor*, pp. 205-222, *Cofre de sándalo*, pp. 27-65, Los contemporáneos, 478 (1918), y *Flores de almendro*, pp. 124-136 (esta última versión es la que se utiliza en este ensayo). A partir de *Cofre de sándalo*, queda dividido el relato en secciones y se añade al texto las quejas de Tula después de ser besada.

140. Roberts, pp. 43-49, y Ramos-Kuethe, pp. 59-60.

141. «Varona» es definida en el *Diccionario de la lengua española* de la Real Academia Española, tomo 2 (Madrid, Espasa-Calpe, 1984[20], p. 1.368), como «mujer varonil».

142. La atmósfera de juego en «Tula Varona» fue identificada de pasada y en otro contexto por Ramos-Kuethe, p. 60. Esta atmósfera recuerda bastante a la que prevalece en *Rosita* (no se olvide que Ramiro, como el protagonista de *Rosita*, es Duque de Ordax). Otra semejanza entre ambos relatos se encuentra en el primer párrafo de la quinta sección de «Tula Varona» (p. 127) al detectarse aquí una gran densidad de acción, peculiaridad que ya identifiqué al estudiar *Rosita*.

143. Otra manifestación de su masculinidad la ofrecen las clases de esgrima que toma, actividad no común en las mujeres, según se deduce del relato (p. 131). Sobre la figura de don Juan en la literatura, el lector es referido a Víctor Said Armesto, *La leyenda de don Juan* (Madrid, Espasa-Calpe, 1968[2]), P. Portabella Durán, *Psicología de don Juan* (Barcelona, Zeus, 1965), María C. Dominicis, *Don Juan en el teatro español del siglo XX* (Miami, Universal, 1978), Carlos Feal, *En nombre de don Juan (Estructura de un mito literario)* (Amsterdam/Filadelfia, John Benjamins Publishing Company, 1984), y Julia Kristeva, *Historias de amor* (Madrid, Siglo Veintiuno, 1987 [publicado originalmente en 1983], pp. 171-185). No se me escapa que lo donjuanesco en «Tula Varona» no responde necesariamente a los diversos matices que estos especialistas observan en don Juan y sí a ciertas creencias populares al respecto.

144. Sobre Diana o Artemisa, léanse los comentarios de Charles Mills Gayley, *The Classic Myths in English Literature and in Art* (Nueva York, Blaisdell Publishing Company, 1911, pp. 29-

31), y Jessie M. Tatlock, *Greek and Roman Mythology* (Nueva York, Appleton-Century-Crofts, 1917, pp. 80-90). Por su parte, Ramos-Kuethe, p. 60, en un breve y algo obscuro comentario, identificó un paralelo entre Tula y Diana, nexo que creo es refutado por el texto de esta narración. Obsérvese, además, que no se puede saber con certeza quién focaliza esta última oración: puede que sea el narrador o Tula misma.

145. Los narradores extradiegéticos y heterodiegéticos son usualmente fidedignos. Sobre los narradores fidedignos y los que no lo son, léanse los comentarios de Rimmon-Kenan, pp. 100-103.

CONCLUSIÓN SINTÉTICA E IMPERFECTA

«¡Al fin estoy terminando este libro!», se dirá todo aquel cuyo interés por la materia y cuya paciencia con el crítico se lo permitan. ¿Cómo entonces pretender ante ese lector sintetizar con cierta profundidad y en unas pocas páginas aquello que ha tomado muchas más? Tratar de hacerlo me recuerda las palabras del escritor argentino Ernesto Sábato: «No podría resumir en cien palabras lo que he dicho en trescientas mil, porque entonces habría en esa novela [ensayo, en este caso] doscientas noventa mil novecientas palabras de más. Tampoco podría hacerlo con simples conceptos, pues las vigencias que he tratado de dar en la obra no son reductibles a esa clase de abstracciones».[1] Y es que en su concepción global, y a pesar de sus innumerables deficiencias, este libro ha tratado de ofrecer un análisis detallado de cincuenta y tres narraciones breves de Valle-Inclán, sin olvidar los cientos de versiones disponibles de estos textos y los muchísimos estudios críticos que sobre ellos y otros aspectos de la obra de don Ramón se han escrito hasta la fecha. Todo esto es lo que no hace factible la presencia de una verdadera conclusión en este volumen. Sirva, pues, lo que sigue como otra exploración —en este caso sintética— de la materia que nos concierne.[2]

Como bien ha dicho Robert C. Spires, «la ficción no crea realidad; da ilusiones por medio de imágenes verbales».[3] Es en parte por ello por lo que en este estudio de las narraciones breves de Valle he evitado buscar la vida del gran gallego en sus obras, es por ello por lo que me he concentrado en estos textos examinando sus elementos constituyentes al objeto de identificar la marcada riqueza conceptual que los caracteriza a la vez que se consideran las estrategias narrativas que permiten su funcionalidad. Todo esto intento hacerlo sin ser dogmático, pues, como hace poco afirmó John M. Ellis mientras comentaba la crítica moderna, «el objetivo de la buena crítica no puede recaer en su descubrimiento del sentido de un texto; usar ese criterio sería retornar a las verdades unitarias de la ciencia».[4]

A través de este libro, ha quedado documentado cuán plurifacética fue la carrera de Valle-Inclán como escritor de relatos breves. Así, en estos textos se observan, entre otros, ejemplos de la extraordinaria influencia que una realidad milagrera ejerce sobre el individuo y de ese individuo como ente responsable de sus actos, de la belleza sensorial como objetivo último en la presentación de las cosas y de dicha belleza como algo con base estética en términos filosóficos, del uso de un lenguaje en ocasiones marcadamente vulgar mientras que resulta bastante sofisticado, de la tendencia a la presentación de dilemas más bien locales en términos esencialmente universales, de lo que las cosas son y su contraposición en lo que deberían ser, de la coexistencia de lo claramente serio con lo esencialmente lúdico en términos conceptuales (éticos, si se quiere) y estéticos, de la preocupación por lo folklórico gallego y por una Galicia transcendente que arquetípicamente permite que se vislumbre en ella lo genuino (aquello que hace factible que la deficiente circunstancia imperante quede subordinada). Todo esto y más se consigue a través de un arte a veces enigmático, que muy a menudo enfatiza la deshumanización del ser en textos donde se observa una variedad de narradores y focalizadores que poseen una marcada funcionalidad en la expresión de la problemática de cada relato.

Como el gran escritor que fue, Valle-Inclán consigue darnos una visión superior del cosmos, una visión que no se deriva necesariamente de él, ya que es inventada, una visión que supera a otras aparentemente más objetivas en un sentido semejante al sustentado por Ernesto Sábato al expresarse sobre la literatura: «Y no es el pensamiento puro el que nos descubre la realidad profunda de un pueblo, sino el mito y la ficción».[5] Esto lo consigue la literatura de Valle-Inclán al expresar su desilusión ante la bajeza y mediocridad ética, estética y espiritual del mundo moderno en el que le tocó vivir.

En la ficción breve de Valle, encontramos a menudo textos autoconscientes en el sentido de que se percibe en ellos una conciencia de su poder expresivo y de su efectividad en la comunicación de atmósferas nada concretas, ficción que responde, con cierta frecuencia, a recuerdos que se prestan a curiosas manipulaciones. Es común en esta literatura que se enfatice implícitamente su «literariedad», que se recuerde que es un artificio. En este sentido, estos relatos, a pesar de su temprana fecha, comparten aspectos de la modernidad que según Michael Ugarte tipifican la literatura hispánica moderna.[6] Es decir, Valle-Inclán, hijo de una nación agotada —la España de la Restauración—, encauza sus preocupaciones en la literatura cuando se vale de parodias intertextuales que demuestran una conciencia literaria muy desarrollada; esto le convierte en uno de los grandes renovadores del siglo XX en lo concerniente a textos breves, que a veces resultan valiosos como creaciones artísticas y que son un claro anticipo de aspectos importantes de su producción posterior.[7] Todo esto ha sido discutido en este libro a la vez que se estudian los códigos hermenéuticos imperantes en cada texto y sus elementos narratológicos. Al final, el lector decidirá sobre la validez de mis percepciones teniendo como tiene la última palabra.

NOTAS

1. *El escritor y sus fantasmas*, en *Obras. Ensayos* (Buenos Aires, Losada, 1970, p. 472).

2. Hasta cierto punto, el capítulo introductorio de este tomo también pretende identificar algunos de los principales conceptos que se exploran en él.

3. *Transparent Simulacra. Spanish Fiction, 1902-1926* (Columbia, University of Missouri Press, 1988, p. VII).

4. *Against Deconstruction* (Princeton, Princeton University Press, 1989, p. 154).

5. *Heterodoxia* (Madrid, Alianza, 1983[3], p. 176).

6. «Juan Goytisolo's Mirrors: Intertextuality and Self-Reflection in «*Reivindicación del Conde Don Julián* and *Juan sin tierra*», *Modern Fiction Studies*, 26 (1980-1981), p. 613. Véase también su libro *Trilogy of Treason. An Intertextual Study of Juan Goytisolo* (Columbia, University of Missouri Press, 1982).

7. Todo esto encaja con la siguiente aseveración de Robert Spires: «Comenzando muy dramáticamente en 1902 y culminando, al menos artísticamente, en 1926, la ficción española estuvo inspirada por un esfuerzo por desenmascarar la ilusión de que la palabra es el objeto al cual se refiere, que el mundo imaginario de la ficción es de algún modo real» (p. VII).

BIBLIOGRAFÍA CONSULTADA

A. **Textos de Valle-Inclán**

1. *Libros*

Águila de blasón, Madrid, Espasa-Calpe, 1976, Austral.

Artículos completos y otras páginas olvidadas (ed. Javier Serrano Alonso), Madrid, Istmo, 1987.

Augusta, Madrid, El cuento galante, I, 10, 12 de junio de 1913.

Baza de espadas. Fin de un revolucionario, Madrid, Espasa-Calpe, 1978[3], Austral.

Beatriz, Madrid, El cuento decenal, I, 15, 31 de mayo de 1913.

La cara de Dios, Madrid, Taurus, 1967.

Cartel de feria, Madrid, Publicaciones Prensa Gráfica, La novela semanal, año V, 183, 10 de enero de 1925.

Cenizas, Madrid, Bernardo Rodríguez, 1899.

Cofre de sándalo, Madrid, Librería General de Victoriano Suárez, 1909. Contiene: «Prólogo» por M. Murguía, «Tula Varona», «Octavia», «Mi hermana Antonia», «La Generala» y «La Condesa de Cela».

La Condesa de Cela, Madrid, La novela corta, III, 133, 20 de julio de 1918.

Corte de amor: Florilegio de honestas y nobles damas, Madrid, Imprenta de Antonio Marzo, 1903. Contiene: «Envío», *Rosita*, «Eulalia», *Augusta* y «Beatriz».

Corte de amor: Florilegio de honestas y nobles damas, Madrid, Imprenta de Balgañón y Moreno, 1908. Contiene: «Envío», «Breve noticia acerca de mi estética cuando escribí este libro», *Rosita*, «Eulalia», *Augusta* y «Beatriz».

Corte de amor. Florilegio de honestas y nobles damas. Opera Omnia, vol. XI, Madrid, Perlado, Páez y Compañía, Editores, Imprenta Helénica, 1914. Contiene: «Envío», «Breve noticia acerca de mi estética cuando escribí este libro», *Rosita*, «Eulalia», *Augusta* y «Beatriz».

Corte de amor. Florilegio de nobles y honestas damas. Opera Omnia, vol. XI, Madrid, Sociedad General Española de Librería, 1922. Contiene: «Nota», «Prólogo» por M. Murguía, *Rosita*, «Eulalia», *Augusta*, «La Condesa de Cela» y «La Generala».

Corte de amor. Florilegio de nobles y honestas damas, Buenos Aires, Espasa-Calpe Argentina, 1942, Austral. Contiene: «Prefacio» por Carlos Luis del Valle-Inclán», «Nota», «Prólogo» por M. Murguía, *Rosita*, «Eulalia», *Augusta*, «La Condesa de Cela» y «La Generala».

Corte de amor. Florilegio de honestas y nobles damas, Madrid, Espasa-Calpe, 1979^{6}, Austral. Contiene: «Nota», «Prólogo» por M. Murguía, *Rosita*, «Eulalia», *Augusta*, «La Condesa de Cela» y «La Generala».

La corte de los milagros, Madrid, Espasa-Calpe, 1979^{4}, Austral.

Cuentos, estética y poemas (nota y selecc. Guillermo Jiménez), México, Cultura, 1919. Contiene: «Eulalia», «Rosarito» y «La niña Chole».

Ecos de Asmodeo, Madrid, La novela mundial, año I, 41, 23 de diciembre de 1926.

El embrujado. Retablo de la avaricia, la lujuria y la muerte, Madrid, Espasa-Calpe, 1975^{3}, pp. 71-150, Austral.

Epitalamio, Madrid, Imprenta de Antonio Marzo, 1897.

Eulalia, Madrid, La novela corta, II, 73, 26 de mayo de 1917.

Farsa y licencia de la Reina Castiza. Tablado de marionetas, Madrid, Espasa-Calpe, 1970^{2}, Austral.

Femeninas (Seis historias amorosas), Pontevedra, Imprenta y Comercio de A. Landín, 1895. Contiene: «A Pedro Seoane», «Prólogo» por M. Murguía, «La Condesa de Cela», «Tula Varona», «Octavia Santino», «La niña Chole», «La Generala» y «Rosarito».

Femeninas. Epitalamio, Madrid, Espasa-Calpe, 1978, Selecciones Austral.

Fin de un revolucionario, Madrid, Prensa Moderna, Los Novelistas, año 1, 1, 15 de marzo de 1928.

Flor de santidad. La media noche, Madrid, Espasa-Calpe, 1978[6], Austral.

Flores de almendro, Madrid, Librería Bergua, 1936. Contiene: «Juan Quinto», «La adoración de los Reyes», «El miedo», «Tragedia de ensueño», «Beatriz», «Un cabecilla», «La misa de San Electus», «El rey de la máscara», «Mi hermana Antonia», «Del misterio», «A medianoche», «Mi bisabuelo», «Rosarito», «Comedia de ensueño», «Milón de la Arnoya», «Un ejemplo», «Nochebuena», «Tula Varona», «Octavia», «La Condesa de Cela», *Rosita*, «Eulalia», *Augusta*, «La Generala», «¡Malpocado!», «Geórgicas», «Fue Satanás», «La hueste», «Una desconocida», «Hierbas olorosas», «La niña Chole» y «Adega».

La Generala, Madrid, La novela corta, III, 156, 9 de diciembre de 1918.

Historias de amor, París, Garnier Hermanos, Libreros-Editores [1909]. Contiene: «Octavia Santino», *Rosita*, «La Condesa de Cela», «Drama vulgar», «La niña Chole (Memorias del marqués de Bradomín)», «Rosarito», «Tula Varona» y «Eulalia».

Historias perversas, Barcelona, Maucci [1907]. Contiene: «La Condesa de Cela», «Tula Varona», «Beatriz», «La niña Chole», «Octavia Santino», «La Generala», «Rosarito» y *Augusta*.

Jardín Novelesco. Historias de santos: de almas en pena: de duendes y de ladrones, Madrid, Tipografía de la Revista de Archivos, Bibliotecas y Museos, 1905. Contiene: «Jardín Novelesco», «¡Malpocado!», «La adoración de los Reyes», «El miedo», «Tragedia de ensueño», «Un cabecilla», «La misa de San Electus», «El rey de la máscara», «Don Juan Manuel», «Un ejemplo», «Del misterio», «A media noche», «Comedia de ensueño», «Nochebuena», «Geórgicas» y «Oración».

Jardín Novelesco. Historias de santos: de almas en pena: de duendes y ladrones, Barcelona, Maucci [1908]. Contiene: [Nota], «¡Malpocado!», «La adoración de los Reyes», «El miedo», «Tragedia de ensueño», «Un cabecilla», «La misa de San Electus», «El rey de la máscara», «Un ejemplo», «Del misterio», «A media noche», «Comedia de ensueño», «Nochebuena», «Geórgicas», «Fue Satanás», «La hueste», «Égloga», «Una desconocida», «Hierbas olorosas» y «Oración».

Jardín Umbrío, Madrid, Viuda de Rodríguez Serra - Imp. Marzo, 1903 (Biblioteca Mignon XXXIII). Contiene: «Jardín Umbrío», «¡Malpocado!», «El miedo», «Tragedia de ensueño», «El rey de la máscara» y «Un cabecilla».

Jardín Umbrío. Historias de santos: de almas en pena: de duendes y ladrones. Opera Omnia, vol. XII, Madrid, Perlado Páez y Compañía - Imp. de José Izquierdo, 1914. Contiene: [Nota], «Juan Quinto», «La adoración de los Reyes», «El miedo», «Tragedia de ensueño», «Un cabecilla», «La misa de San Electus», «El rey de la máscara», «Rosarito», «Del misterio», «A media noche», «Mi bisabuelo», «Comedia de ensueño», «Milón de la Arnoya», «Un ejemplo», «Nochebuena» y «Oración».

Jardín Umbrío. Historia de santos, de almas en pena, de duendes y ladrones. Opera Omnia, vol. XII, Madrid, Sociedad General de Librería Española, 1920. Contiene: [Nota], «Juan Quinto», «La adoración de los Reyes», «El miedo», «Tragedia de ensueño», «Beatriz», «Un cabecilla», «La misa de San Electus», «El rey de la máscara», «Mi hermana Antonia», «Del misterio», «A media noche», «Mi bisabuelo», «Rosarito», «Comedia de ensueño», «Milón de la Arnoya», «Un ejemplo», «Nochebuena» y «Oración».

Jardín Umbrío. Historia de santos [,] *de almas en pena* [,] *de duendes y ladrones* (ed. Paul Patrick Rogers), Nueva York, Henry Holt and Company [1928]. Contiene: [Nota], «Juan Quinto», «Tragedia de ensueño», «¡Malpocado!», «La misa de San Electus», «El rey de la máscara», «Nochebuena», «Mi hermana Antonia», «Del misterio», «A media noche», «Mi bisabuelo», «La Generala», «Comedia de ensueño» y «Oración».

Jardín Umbrío. Historias de santos, de almas en pena, de duendes y de ladrones, Madrid, Espasa-Calpe, 1979^{5}, Austral. Contiene: [Nota], «Juan Quinto», «La adoración de los Reyes», «El miedo», «Tragedia de ensueño», «Beatriz», «Un cabecilla», «La misa de San Electus», «El rey de la máscara», «Mi hermana Antonia», «Del misterio», «A media noche», «Mi bisabuelo», «Rosarito», «Comedia de ensueño», «Milón de la Arnoya», «Un ejemplo», «Nochebuena» y [«Oración»].

Jardín Umbrío. Historias de santos, de almas en pena, de duendes y ladrones, Madrid, Espasa-Calpe, 1986^{6}, Austral.

La lámpara maravillosa, Madrid, Espasa-Calpe, 1960^{2}, Austral.

Luces de bohemia, Madrid, Espasa-Calpe, 1983^{4}, Clásicos Castellanos.

El Marqués de Bradomín, Madrid, Espasa-Calpe, 1961^{3}, Austral.

Mi hermana Antonia, Madrid, El cuento galante, I, 2, 17 de abril de 1913.

Mi hermana Antonia, Madrid, Los contemporáneos, X, 447, 21 de febrero de 1918.

Obras Completas, 2 vols., Madrid, Plenitud, 1952[2].
Obras Escogidas (pról. Ramón Gómez de la Serna), 2 vols., Madrid, Aguilar, 1976.
Octavia, Madrid, La novela corta, III, 156, 28 de diciembre de 1918.
Otra castiza de Samaria, Madrid, Atlántida, La novela de hoy, VIII, 392, 15 de diciembre de 1929.
Publicaciones periodísticas de Don Ramón del Valle-Inclán anteriores a 1895 (ed., estudio preliminar y notas William L. Fichter), México, El Colegio de México, 1952. Contiene: «A media noche», «El rey de la máscara», «Zan el de los osos», «Bajo los trópicos», «¡Caritativa!», «El canario», «¡Ah, de mis muertos!», «La confesión» y «Un cabecilla».
Romance de lobos, Madrid, Espasa-Calpe, 1980[7], Austral.
La Rosa de oro, Madrid, La novela mundial, II, 58, 21 de abril de 1927.
Rosarito, Madrid, La novela corta, III, 108, 26 de enero de 1918.
Rosita, Madrid, La novela corta, II, 93, 13 de octubre de 1917.
Sonata de primavera. Sonata de estío, Madrid, Espasa-Calpe, 1969[7], Austral.
Sonata de otoño. Sonata de invierno, Madrid, Espasa-Calpe, 1969[6], Austral.
Una tertulia de antaño, Madrid, El cuento semanal, III, 121/José Blass, 23 de abril de 1909.
Tirano Banderas (ed., introducción y notas de Alonso Zamora Vicente), Madrid, Espasa-Calpe, 1978, Clásicos Castellanos.
El trueno dorado, Madrid, Nostromo Editores, 1976[2].
Vísperas de la Gloriosa, Madrid, Atlántida, La novela de hoy, IX, 418, 16 de mayo de 1930.
Viva mi dueño, Madrid, Espasa-Calpe, 1976[3], Austral.
Voces de gesta. Cuento de abril, Madrid, Espasa-Calpe, 1973[4], Austral.
El yermo de las almas. Obras Escogidas, vol. I, Madrid, Aguilar, 1976[5], pp. 905-959.

2. *Textos sueltos*

«A medianoche», *La Ilustración Ibérica* (Barcelona), 7, 317, enero (1889), pp. 59 y 62.
«A medianoche», *El Globo* (Madrid), 30 de julio (1891).
«A medianoche», *La Ilustración Artística* (Barcelona), 1.058, 7 de abril (1902), p. 238.

«A medianoche», *La Ilustración Española y Americana* (Madrid), XLIX, IX, 8 de marzo (1905).
«Adega (Historia milenaria)», *La Revista Nueva* (Madrid), 6-9 (1899), pp. 255-259, 305-310, 343-347 y 425-428.
«Adega», *Electra* (Madrid), 5, 13 de abril (1901), pp. 151-153.
«La adoración de los Reyes», *Los Lunes de El Imparcial* (Madrid), 6 de enero (1902).
«¡Ah! de mis muertos!...», *El Universal* (México), 3 de julio (1892).
«Antes que te cases...», *Colección de frases y refranes en acción* (texto ordenado por Juan Cuesta y Díaz), Madrid, Librería de Bailly-Baillière e Hijos, 1904, pp. 3-20.
«Año de hambre», *Heraldo de Madrid* (Madrid), 4.757, 28 de noviembre (1903).
«Babel», *Café con Gotas* (Santiago de Compostela), 3.ª época, 2 de noviembre (1888).
«Bajos los trópicos (Recuerdos de México)», *El Universal* (México), 16 de abril (1892).
«Un bastardo de Narizotas», *Caras y Caretas* (Buenos Aires), 5 de enero (1929).
«Un bautizo», *El Liberal* (Madrid), 28, 3 de septiembre (1906).
«Un bautizo», *La Correspondencia Gallega* (Pontevedra), 27 de noviembre (1906).
«Un bautizo», *Galicia* (Madrid), 15 de diciembre (1906), pp. 3-5.
«Un bautizo», *Gaceta de Galicia* (Santiago de Compostela), 16 de marzo (1909).
«Un bautizo», *La Correspondencia Gallega* (Pontevedra), 27 de marzo (1909).
«Beatriz», *Electra* (Madrid), 2, 23 de marzo (1901), pp. 44-50.
«Beatriz», *Nuestro Tiempo* (Madrid), III, 25, enero (1903), pp. 63-72.
«Beatriz», *La Correspondencia Gallega* (Pontevedra), 8 de enero (1910).
«Un cabecilla», *Extracto de Literatura* (Pontevedra), 37, 16 de septiembre (1893), pp. 5-7.
«Un cabecilla», *El Globo* (Madrid), 6.533, 29 de septiembre (1893).
«Un cabecilla», *El País* (Madrid), 2.889, 27 de mayo (1895).
«Un cabecilla», *Don Quijote* (Madrid), 13 de septiembre (1895).
«Un cabecilla», *La Ilustración Artística* (Barcelona), 1.018 (1901), p. 430.
«Un cabecilla», *Los Lunes de El Imparcial* (Madrid), 1 de junio (1903).

«Un cabecilla», *Gaceta de Galicia* (Santiago de Compostela), 218, 10 de septiembre (1911).
«Un cabecilla», *A Nosa Terra* (La Coruña), 25 de enero (1919), p. 4.
«Los caminos de mi tierra», *El Universal* (México), 22 de junio (1892).
«El canario», *El Universal* (México), 26 de junio (1892).
«¡Caritativa!», *El Universal* (México), 19 de junio (1892).
«Comedia de ensueño», *Por Esos Mundos* (Madrid), 135 (1906), pp. 339-342.
«Comedia de ensueño», *Revista Moderna de México* (México), 6, mayo (1906), pp. 162-165.
«La confesión», *El Universal* (México), 10 de julio (1892).
«La confesión», *El Globo* (Madrid), 10 de julio (1893).
«La confesión», *Por Esos Mundos* (Madrid), 114 (1904), pp. 30-34.
«Correo diplomático», *Ahora* (Madrid), 12 de marzo (1933), p. 7 y 19 de marzo (1933), pp. 7-8.
«Corte de amor», *Los Lunes de El Imparcial* (Madrid), 9 de marzo (1903).
«La corte de Estell[l]a», *Por Esos Mundos* (Madrid), 11, 180, enero (1910), pp. 4-14.
«¿Cuento de amor?» *La Correspondencia de España* (Madrid), 15.880, 28 de julio (1901).
«Un cuento de pastores», *Los Lunes de El Imparcial* (Madrid), 19 de septiembre (1904).
«De pastores», *La Correspondencia Gallega* (Pontevedra), 25 de enero (1913).
«Del camino», *El Imparcial* (Madrid), 22 de abril (1906).
«Del camino», *La Correspondencia Gallega* (Pontevedra), 30 de mayo (1906).
«Del misterio», *El Imparcial* (Madrid), 5 de abril (1906).
«Una desconocida», *La Ilustración Artística* (Barcelona), 1.211, 13 de marzo (1905), p. 172.
«Una desconocida», *La Correspondencia Gallega* (Pontevedra), 21 de julio (1905).
«Don Juan Manuel», *Los Lunes de El Imparcial* (Madrid), 23 de septiembre (1901).
«Drama vulgar», *Por Esos Mundos* (Madrid), 164, septiembre (1908), pp. 227-230.
«Égloga», *Los Lunes de El Imparcial* (Madrid), 10 de febrero (1902).
«Un ejemplo», *El Liberal* (Madrid), 13 de marzo (1906).

«Su esencia», *La Correspondencia de España* (Madrid), 9 de febrero (1902).
«Su esencia», *La Correspondencia Gallega* (Pontevedra), 10 de septiembre (1903).
«Eulalia», *Los Lunes de El Imparcial* (Madrid), 18 y 25 de agosto, 8, 15 y 22 de septiembre (1902).
«La feria de Sancti Spiritus», *Apuntes* (Madrid), 1 de enero (1897).
«Final de amores», *Por Esos Mundos* (Madrid), 126 (1905), pp. 26-30.
«Flor de santidad», *Los Lunes de El Imparcial* (Madrid), 3 de junio (1901).
«Flor de santidad», *Los Lunes de El Imparcial* (Madrid), 15 de octubre (1904).
«¡Fue Satanás! . . .», *El Gráfico* (Madrid), 31, 13 de julio (1904) y 32, 14 de julio (1904).
«Geórgicas», *Los Lunes de El Imparcial* (Madrid), 15 de agosto (1904).
«Geórgicas», *Galicia* (Madrid), 15 de diciembre (1908), pp. 460-461.
«Geórgicas», *Cervantes* (Madrid), 1, 5 (1916), pp. 26-31.
«El gran obstáculo», *Diario de Pontevedra* (Pontevedra), 2.458, 3 de febrero (1892) y 2.459, 4 de febrero (1892).
«Hierba santa», *Juventud* (Madrid), vol. 1, 1, 1 de octubre (1901).
«Hierba santa», *La Ilustración Artística* (Barcelona), vol. 22, 1.132 (1903), pp. 587-588.
«Iván el de los osos», *Blanco y Negro* (Madrid), 5, 238, 23 de noviembre (1895).
«Iván el de los osos», *Blanco y Negro* (Madrid), 5, 2.818, 7 de mayo (1966), pp. 54-55.
«Jardín Umbrío», *Los Lunes de El Imparcial* (Madrid), 18 de enero (1915).
«Opiniones», *Julio Romero de Torres*, Madrid, Tipografía Artística, s.a.
«Juan Quinto», *Los Lunes de El Imparcial* (Madrid), 11 de mayo (1914).
«Juventud militante. Autobiografías. Valle-Inclán», *Alma Española* (Madrid), I, 8, 27 de diciembre (1903), p. 7.
«Una lección», *El Globo* (Madrid), 6 de abril (1903).
«Lis de Plata», *Los Lunes de El Imparcial* (Madrid), 16 de julio (1906).
«Lis de Plata», *La Correspondencia Gallega* (Pontevedra), 20 de julio (1906).

«Lis de Plata», *El Diario de Pontevedra* (Pontevedra), 23 de julio (1906).
«Lis de Plata», *La Correspondencia Gallega* (Pontevedra), 6 de octubre (1910).
«Lluvia», *Almanaque de Don Quijote* (Madrid) (1897), pp. 10-12.
«¡Malpocado!», *El Liberal* (Madrid), 30 de noviembre (1902).
«¡Malpocado!», *La Correspondencia Gallega* (Pontevedra), 3 de diciembre (1902).
«¡Malpocado!», *Gaceta de Galicia* (Santiago de Compostela), 21 de septiembre (1911).
«¡Malpocado!», *Gaceta de Galicia* (Santiago de Compostela), 20 de julio (1912).
«¡Malpocado!», *Suevia* (Santiago de Compostela), 15 de febrero (1918), pp. 7-9.
«¡Malpocado!», *A Nosa Terra* (La Coruña), 6 de enero (1919).
«El mendigo», *El Heraldo de Madrid* (Madrid), 7 de junio (1891).
«Mendigos», *Gaceta de Galicia* (Santiago de Compostela), 12 de marzo (1910).
«Mendigos», *La Correspondencia Gallega* (Pontevedra), 17 de agosto (1910).
«Mi bisabuelo», *Por Esos Mundos* (Madrid), 16, enero (1915), pp. 7-11.
«El miedo», *Los Lunes de El Imparcial* (Madrid), 27 de enero (1902).
«El miedo», *La Voz de Galicia* (La Coruña), 3 de enero (1910).
«El miedo», *La Correspondencia Gallega* (Pontevedra), 19 de enero (1910).
«El miedo», *Gaceta de Galicia* (Santiago de Compostela), 5 de marzo (1910).
«El miedo», *Gaceta de Galicia* (Santiago de Compostela), 8 de octubre (1911).
«El miedo», *La Correspondencia Gallega* (Pontevedra), 30 de septiembre (1913).
«El miedo», *Ideas y Figuras* (Madrid), 1 de mayo (1918).
«La misa de San Electus», *Los Lunes de El Imparcial* (Madrid), 6 de febrero (1905).
«La misa de San Electus», *La Correspondencia Gallega* (Pontevedra), 13 de febrero (1905).
«Modernismo», *La Ilustración Española y Americana* (Madrid), 22 de febrero (1902).
«Nochebuena», *El Imparcial* (Madrid), 24 de diciembre (1903).
«O medo», *A Nosa Terra* (La Coruña), 15 de enero (1919).

«Octavia Santino», *Extracto de Literatura* (Pontevedra), 43, 28 de octubre (1893), pp. 2-5.
«Páginas de Tierra Caliente (Impresiones de viaje)», *Extracto de Literatura* (Pontevedra), 33, 20 de agosto (1893), pp. 5-6.
«¿Para cuándo son las reclamaciones diplomáticas?», *España* (Madrid), 329, 15 de julio (1922), pp. 8-9.
«Por Tierra Caliente», *La Correspondencia Gallega* (Pontevedra), 27 de mayo (1903).
«La reina de Dalicam», *La Vida Literaria* (Madrid), 15, 20 de abril (1899), p. 244.
«La reina de Dalicam», *Revista Ibérica* (Madrid), I, 1, 15 de julio (1902), pp. 9-17.
«El rey de la máscara», *El Globo* (Madrid), 20 de enero (1892).
«El rey de la máscara», *Germinal* (Madrid), 24 de mayo (1897).
«El rey de la máscara», *Revista Moderna* (Madrid), 184, 22 de septiembre (1899).
«El rey de la máscara», *Gaceta de Galicia* (Santiago de Compostela), 28 de octubre (1911).
«Un retrato», *El Liberal* (Madrid), 25, 7 de febrero (1903).
«Rosarito», *La Ilustración Española y Americana* (Madrid), XLVII, XL y XLI, 30 de octubre y 8 de noviembre (1903), pp. 263 y 275-279.
«Rosita Zegri», *Los Lunes de El Imparcial* (Madrid), 14 de julio (1902).
«Santa Baya de Cristamilde», *Los Lunes de El Imparcial* (Madrid), 26 de septiembre (1904).
«Prólogo», *Sombras de vida*, por Melchor de Almagro San Martín, Madrid, Imprenta de Antonio Marzo, 1903.
«Tierra Caliente», *La Correspondencia de España* (Madrid), 8 de junio (1902).
«Tierra Caliente», *La Correspondencia de España* (Madrid), 3 de agosto (1902).
«Tierra Caliente. Una jornada», *Los Lunes de El Imparcial* (Madrid), 18 de marzo (1901).
«Tierra Caliente (De las memorias de Andrés Hidalgo)», *El Imparcial* (México), VII, 1.137, 30 de octubre (1899), p. 2.
«Tierra Caliente. Los tiburones», *La Ilustración Artística* (Barcelona), 1.071, 7 de julio (1902), pp. 444-446.
«Tragedia de ensueño», *Madrid. Revista Literaria* (Madrid), 2 (1901).
«Tragedia de ensueño», *La Ilustración Artística* (Barcelona), 1.145, 7 de diciembre (1903), pp. 795-796.

«Tragedia de ensueño», *Céltiga* (Buenos Aires), 15 de febrero (1925).
«X», *Extracto de Literatura* (Pontevedra), 27, 8 de julio (1893), pp. 6-7.
«X», *El País* (Madrid), IX, 2.942, 19 de julio (1895).
«Xan Quinto», *Vida Gallega* (Vigo), 20 de octubre (1925).
«Zan el de los osos», *El Universal* (México), 8 de mayo (1892).

B. **Crítica sobre Valle-Inclán**

1. *Libros, tesis y revistas*

AGUIRRE PRADO, Luis, *Valle-Inclán*, Madrid, Publicaciones Españolas, 1966.
ALARCÓN, Justo Saco, *Técnicas narrativas en «Jardín Umbrío» de Valle-Inclán*, Tesis doctoral, The University of Arizona, 1974.
BARBEITO, Clara Luisa, *Épica y tragedia en la obra de Valle-Inclán*, Madrid, Fundamentos, 1985.
— (ed.), *Valle-Inclán. Nueva valoración de su obra (Estudios críticos en el cincuentenario de su muerte)*, Barcelona, Promociones y Publicaciones Universitarias, 1988.
BATAL BATAL, Carlos, *Las primeras narraciones de Valle-Inclán*, Tesis doctoral, Universidad Complutense de Madrid, 1980.
BELIC, Oldrich, *La estructura narrativa de «Tirano Banderas»*, Madrid, Ateneo, 1968.
BERMEJO MARCOS, Manuel, *Valle-Inclán: introducción a su obra*, Salamanca, Anaya, 1971.
BOUDREAU, Harold Laverne, *Materials Toward an Analysis of Valle-Inclán's «El ruedo ibérico»*, Tesis doctoral, University of Wisconsin, 1966.
BUERO VALLEJO, Antonio, *Tres maestros ante el público*, Madrid, Alianza, 1973.
BUGLIANI, Americo, *La presenza di D'Annunzio in Valle-Inclán*, Milán, Istituto Editoriale Cisalpino-La Goliardica, 1976.
CANOA GALIANA, Joaquina, *Semiología de las comedias bárbaras*, Madrid, Cupsa, 1977.
CARDONA, Rodolfo y ZAHAREAS, Anthony N., *Visión del esperpento*, Madrid, Castalia, 1970.
CASARES, Julio, *Crítica profana*, Madrid, Espasa-Calpe, 1964[3], Austral.
Cuadernos Hispanoamericanos, 199-200, julio-agosto (1966).
Cuadernos Hispanoamericanos, 438, diciembre (1986).

DÍAZ MIGOYO, Gonzalo, *Guía de «Tirano Banderas»*, Madrid, Fundamentos, 1985.

DÍAZ-PLAJA, Guillermo, *Las estéticas de Valle-Inclán*, Madrid, Gredos, 1965.

DOUGHERTY, Dru, *Un Valle-Inclán olvidado: entrevistas y conferencias*, Madrid, Fundamentos, 1983.

—, *Valle-Inclán y la Segunda República*, Valencia, Pre-Textos, 1986.

DURÁN VALDÉS, Juan y ZABALA, Pedro José, *Valle-Inclán y el carlismo*, Zaragoza, S.U.C.C.V.M., 1969.

ESTEBAN, José, *Valle-Inclán visto por...*, Madrid, Gráficas Espejo, 1973.

ESTURO VELARDE, Juan Carlos, *La crueldad y el horror en el teatro de Valle-Inclán*, La Coruña, Gráficas do Castro, 1986.

FERNÁNDEZ ALMAGRO, Melchor, *Vida y literatura de Valle-Inclán*, Madrid, Taurus, 1966.

GABRIELE, John P. (ed.), *Genio y virtuosismo de Valle-Inclán*, Madrid, Orígenes, 1987.

GARCÍA DE LA TORRE, José Manuel, *Análisis temático de «El ruedo ibérico»*, Madrid, Gredos, 1972.

— (ed.), *Valle-Inclán (1866-1936). Creación y lenguaje*, Amsterdam, Rodopi, 1988, Diálogos Hispánicos de Amsterdam, 7.

GARCÍA GALLARÍN, Consuelo, *Aproximación al lenguaje esperpéntico («La corte de los milagros»)*, Madrid, José Porrúa Turanzas, 1986.

GARLITZ, Virginia Milner, *El centro del círculo: «La lámpara maravillosa» de Valle-Inclán*, Tesis doctoral, The University of Chicago, 1978.

GLAZE, Linda S., *Critical Analysis of Valle-Inclán's «El ruedo ibérico»*, Miami, Universal, 1984.

GÓMEZ DE LA SERNA, Ramón, *Don Ramón María del Valle-Inclán*, Madrid, Espasa-Calpe, 1969⁴, Austral.

GÓMEZ MARÍN, José Antonio, *La idea de sociedad en Valle-Inclán*, Madrid, Taurus, 1967.

GONZÁLEZ DEL VALLE, Luis T., *La tragedia en el teatro de Unamuno, Valle-Inclán y García Lorca*, Nueva York, Torres Library of Literary Studies, 1975.

GONZÁLEZ LÓPEZ, Emilio, *El arte dramático de Valle-Inclán (del decadentismo al expresionismo)*, Nueva York, Las Américas Publishing Company, 1967.

GREENFIELD, Sumner M., *Valle-Inclán: anatomía de un teatro problemático*, Madrid, Fundamentos, 1972.

GUERRERO, Obdulia, *Valle-Inclán y el novecientos*, Madrid, Magisterio Español, 1977.

GUERRERO BUENO, Obdulia, *América en Valle-Inclán*, Madrid, Albar, 1984.

GULLÓN, Ricardo (ed.), *Valle-Inclán Centennial Studies*, Austin, The University of Texas, Department of Spanish and Portuguese, 1968.

HORMIGÓN, Juan Antonio, *Ramón del Valle-Inclán. La política, la cultura, el realismo y el pueblo*, Madrid, Alberto Corazón, 1972.

—, *Valle-Inclán. Cronología. Escritos dispersos. Epistolario*, Madrid, Fundación Banco Exterior, 1987.

Ínsula (Madrid), 176-177, julio-agosto (1961).

—, 476-477, julio-agosto (1986).

LADO, María Dolores, *Las guerras carlistas y el reinado isabelino en la obra de Ramón del Valle-Inclán*, Gainesville, University of Florida Press, 1966.

LAVAUD, Eliane, *Valle-Inclán: du journal au roman (1888-1915)* [París], Klincksieck, 1979 [1980], Témoins de l'Espagne et de l'Amérique Latine, Série historique 9.

Leer a Valle-Inclán en 1986, Dijon, Hispanistica XX, Centre d'Études et de Recherches Hispaniques du XXème siècle, Université de Dijon, 1986.

LIMA, Robert, *Ramón del Valle-Inclán*, Nueva York, Columbia University Press, 1972.

—, *An Annotated Bibliography of Ramón de Valle-Inclán*, University Park, The Pennsylvania State University Libraries, 1972.

—, *Valle-Inclán. The Theatre of His Life*, Columbia, University of Missouri Press, 1988.

LOUREIRO, Ángel G. (ed.), *Estelas, laberintos, nuevas sendas. Unamuno. Valle-Inclán. García Lorca. La guerra civil*, Barcelona, Anthropos, 1988, Autores, Textos y Temas/Literatura, 1.

LYON, John, *The Theatre of Valle-Inclán*, Cambridge, Cambridge University Press, 1983.

LLORENS, Eva, *Valle-Inclán y la plástica*, Madrid, Ínsula, 1975.

MADRID, Francisco, *La vida altiva de Valle-Inclán*, Buenos Aires, Poseidón, 1943.

MAIER, Carol S., *Valle-Inclán y «La lámpara maravillosa»: una poética iluminada*, Tesis doctoral, Rutgers University, 1975.

MALDONADO MACÍAS, Humberto Antonio, *Valle-Inclán, gnóstico y vanguardista*, México, Universidad Nacional Autónoma de México, 1980.

MARCH, María Eugenia, *Forma e idea de los esperpentos de Valle-Inclán*, Chapel Hill, University of North Carolina, 1970[2], Estudios de Hispanófila.

MARÍAS, Julián, *Valle-Inclán en «El ruedo ibérico»*, Buenos Aires, Columba, 1967.

MATILLA RIVAS, Alfredo, *Las «Comedias Bárbaras»: historicismo y expresionismo dramático*, Madrid, Anaya, 1972.

MEREGALLI, Franco, *Studi su Ramón del Valle-Inclán*, Venecia, Librería Universitaria, 1958.

ODRIOZOLA, Antonio, *Catálogo de la exposición bibliográfica Valle-Inclán*, Pontevedra, Ateneo de Pontevedra, 1966.

—, *Bibliografía de Valle-Inclán y catálogo de la exposición patrocinada por la Fundación Penzol*, Pontevedra, Imprenta C. Peón, 1967.

Outeiro, 20, marzo 3 (1986).

PAOLINI, Claire J., *Valle-Inclán's Modernismo. Use and Abuse of Religious and Mystical Symbolism*, Valencia, Albatros-Hispanófila, 1986.

Papeles de Son Armadans (Palma de Mallorca), 127 (1966).

PAZ-ANDRADE, Valentín, *La anunciación de Valle-Inclán*, Buenos Aires, Losada, 1967.

La Pluma (Madrid), 4, 32, enero (1923).

PONCE, Fernando, *Aventura y destino de Valle-Inclán*, Barcelona, Marte, 1969.

PORRÚA, María del Carmen, *La Galicia decimonónica en las «Comedias bárbaras» de Valle-Inclán*, La Coruña, Ediciós do Castro, 1983.

Ramón del Valle-Inclán. 1866-1966 (Estudios reunidos en conmemoración del centenario), La Plata, Universidad Nacional de la Plata, 1967.

Revista de Occidente (Madrid), 44-45 (1966).

—, 59, abril (1986).

RISCO, Antonio, *La estética de Valle-Inclán*, Madrid, Gredos, 1966.

—, *El demiurgo y su mundo: hacia un nuevo enfoque de la obra de Valle-Inclán*, Madrid, Gredos, 1977.

ROBERTS, O.E. Jack Jr., *Definition and Contrast of Love in the «Corte de Amor» and the «Sonatas» of Ramón del Valle-Inclán*, Tesis doctoral, Louisiana State University, 1967.

RUBIA BARCIA, José, *A Biobibliography and Iconography of Valle-Inclán (1866-1936)*, Berkeley y Los Angeles, University of California Press, 1960.

—, *Mascarón de proa. Aportaciones al estudio de la vida y de la obra de Don Ramón María del Valle-Inclán y Montenegro*, La Coruña, Ediciós do Castro, 1983.

RUIZ FERNÁNDEZ, Ciriaco, *El léxico del teatro de Valle-Inclán (Ensayo interpretativo)*, Salamanca, Universidad de Salamanca, 1981.

SALPER, Roberta L., *Valle-Inclán y su mundo: ideología y forma narrativa*, Amsterdam, Rodopi, 1988. [Después de haber concluido mi libro recibí el de la profesora Salper, obra sugerente e interesante. Se concentra en la figura de «Valle-Inclán como creador de un universo narrativo estructural en base a la técnica de personajes recurrentes» (p. 14). También se preocupa del «importante papel que desempeñan el pasado y los recuerdos en la formación del microcosmos narrativo» de don Ramón (p. 16). Si bien se expresa de pasada sobre algunos de los textos que me conciernen con una metodología bastante diferente y llegando a conclusiones poco parecidas a las mías, me es imposible en esta oportunidad hacerle justicia a un estudio tan complicado como el de la colega Salper. Al efecto debemos recordar que nuestros objetivos no son los mismos: mi estudio se concentra en un menor número de textos y explora en ellos otros asuntos. Tampoco pretende ella contrastar las muchas versiones conocidas de los relatos breves de Valle-Inclán. Por último, estoy en bastante desacuerdo con la atribución de misoginia que se le hace a don Ramón debido a lo que contienen sus obras (pp. 206-207), ya que en varios de sus textos breves se critica, entre otras cosas, a una sociedad que abusa de las mujeres. En mi opinión ello no puede ser ignorado.]

SCHIAVO, Leda, *Historia y novela en Valle-Inclán. Para leer «El ruedo ibérico»*, Madrid, Castalia, 1980.

SENDER, Ramón J., *Valle-Inclán y la dificultad de la tragedia*, Madrid, Gredos, 1965.

SERVERA BAÑO, José, *Ramón del Valle-Inclán*, Madrid, Júcar, 1983.

SINCLAIR, Alison, *Valle-Inclán's «El ruedo ibérico». A Popular View of Revolution*, Londres, Tamesis Books Limited, 1977.

SMITH, Verity, *Valle-Inclán: «Tirano Banderas»*, Londres, Grant & Cutler Ltd./Tamesis Books Ltd., 1971.

SMITH, Verity, *Ramón del Valle-Inclán*, Nueva York, Twayne Publishers, 1973.

SMITHER, William, *El mundo gallego de Valle-Inclán. Estudio de toponimia e indicaciones localizantes en las obras gallegas*, La Coruña, Ediciós do Castro, [1984] 1986.

SPERATTI-PIÑERO, Emma Susana, *La elaboración artística en «Tirano Banderas»*, México, El Colegio de México, 1957.

—, *De «Sonata de otoño» al esperpento*, Londres, Tamesis Books Limited, 1968.

—, *El ocultismo en Valle-Inclán*, Londres, Tamesis Books Limited, 1974.

SPOTO, Raymond, *The Primitive Themes in Don Ramón del Valle-Inclán*, Tesis doctoral, The University of Tennessee, Knoxville, 1976.
TOLMAN, Rosco N., *Dominant Themes in the «Sonatas» of Valle-Inclán*, Madrid, Playor, 1973.
TUCKER, Peggy Lynne, *Time and History in Valle-Inclán's Historical Novels and «Tirano Banderas»*, Madrid, Albatros/Hispanófila, 1980.
TUDELA, Mariano, *Valle-Inclán. Vida y milagros*, Madrid, Vassallo de Mumbert, 1972.
UMBRAL, Francisco, *Valle-Inclán*, Madrid, Unión, 1968.
UMPIERRE, Gustavo, *Divinas palabras: alusión y alegoría*, Chapel Hill, University of North Carolina, 1971, Estudios de Hispanófila.
WERNER, James William, *From Modernism to Expressionism: The Role of Art in the Evolution of Valle-Inclán as Writer*, Tesis doctoral, Riverside, University of California, 1976.
YNDURAIN, Francisco, *Valle-Inclán. Tres estudios*, Santander, Publicaciones La Isla de los Ratones, 1969.
ZAHAREAS, Anthony N., CARDONA, Rodolfo y GREENFIELD, Sumner (eds.), *Ramón del Valle-Inclán. An Appraisal of His Life and Works*, Nueva York, Las Américas Publishing Co., 1968.
ZAMORA VICENTE, Alonso, *Las «Sonatas» de Valle-Inclán*, Madrid, Gredos, 1966[2].
—, *La realidad esperpéntica (Aproximación a «Luces de bohemia»)*, Madrid, Gredos, 1969.
—, *Valle-Inclán, novelista por entregas*, Madrid, Taurus, 1973.

2. *Artículos*

ALAS, Leopoldo (Clarín), Reseña de *Epitalamio*, *Madrid Cómico* (Madrid) (1897).
ALBERICH, José, «Sobre la configuración literaria de don Juan Manuel Montenegro», *Boletín de la Biblioteca de Menéndez Pelayo* (Santander), 59 (1983), pp. 295-351.
ALLEGRA, Giovanni, «El Modernismo de Ramón del Valle-Inclán», en *Actas del Congreso Internacional sobre el Modernismo español e hispanoamericano y sus raíces andaluzas y cordobesas* (ed. Guillermo Carnero), Córdoba, Excma. Diputación Provincial, 1987, pp. 307-315.
—, «Mystizismus, "Okkultismus" und romantisches Erbe in Valle-Incláns Ästhetik», en *Ramón del Valle-Inclán (1866-1936)*.

Akten des Bamberger Kolloquiums, Tubinga, Niemeyer, 1988, pp. 7-17.

AMOR Y VÁZQUEZ, J., «Los galicismos en la estética valleinclanesca», *Revista Hispánica Moderna* (Nueva York), 24 (1958), pp. 1-26.

AUBURN, Charles V., «Les débuts littéraires de Valle-Inclán», *Bulletin Hispanique* (Burdeos), 58 (1955), pp. 331-333.

AZORÍN, «Un artículo de Azorín. La Generación de 1898», *La Esfera* (Madrid), 17, 25 de abril (1914), s.p.

BELLIDO NAVARRO, Pilar, «Las cenizas del yermo (Sobre dos obras de Valle-Inclán)», *Segismundo* (Madrid), 41-42 (1985), pp. 243-268.

BELLO, Luis, «Un libro de cuentos de Valle-Inclán. *Jardín Novelesco*», *Revista moderna de México* (México), VII, 2, octubre (1906), pp. 82-84.

BIEDER, Maryellen, «La narración como arte visual: focalización en "Rosarito"», en *Genio y virtuosismo en Valle-Inclán*, Madrid, Orígenes, 1987, pp. 89-100.

BLECUA, J.M., «Valle-Inclán en la revista *España*», *Cuadernos Hispanoamericanos*, 199-200, julio-agosto (1966), pp. 521-529.

BONET, Laureano, «El Greco, Toledo y Valle-Inclán: unas páginas de *La lámpara maravillosa*», *Ínsula* (Madrid), 476-477, julio-agosto (1986), pp. 3 y 22.

—, «El Greco como tópico literario en *La lámpara maravillosa*», en *Genio y virtuosismo de Valle-Inclán*, Madrid, Orígenes, 1987, pp. 139-150.

BORING, Phyllis Zatlin, «More on Parody in Valle-Inclán», *Romance Notes* (Chapell Hill), 15 (1973), pp. 246-247.

BOUDREAU, Harold L., «Banditry and Valle-Inclán's *Ruedo Ibérico*», *Hispanic Review*, 35 (1967), pp. 85-92.

—, «The Circular Structure of Valle-Inclán's *Ruedo Ibérico*», *PMLA* (Nueva York), 82 (1967), pp. 128-135.

—, «The Metamorphosis of the *Ruedo Ibérico*», en *Ramón del Valle-Inclán. An Appraisal of His Life and Works*, Nueva York, Las Américas Publishing Co., 1968, pp. 758-776.

—, «Continuity in the *Ruedo Ibérico*», en *Ramón del Valle-Inclán. An Appraisal of His Life and Works*, Nueva York, Las Américas Publishing Co., 1968, pp. 777-791.

BUERO VALLEJO, Antonio, «De rodillas, en pie, en el aire», *Revista de Occidente* (Madrid), 44-45, noviembre (1966), pp. 132-145.

BUGLIANI, Americo, «Nota sulla struttura di *Flor de santidad*», *Romanische Forschungen*, 87 (1975), pp. 97-100.

CABRERA, Vicente, «Valle-Inclán y la escuela de Echegaray: un caso de parodia literaria», *Revista de Estudios Hispánicos*, 7, mayo (1973), pp. 193-213.

CAMPANELLA, Hebe Noemi, «Aproximación estilística a un cuento de Valle-Inclán», *Cuadernos Hispanoamericanos*, 199-200, julio-agosto (1966), pp. 373-399.

CAMPOS, Jorge, «Tierra caliente (La huella americana de Valle-Inclán)», *Cuadernos Hispanoamericanos* (Madrid), 199-200, julio-agosto (1966), pp. 422-424.

CARBALLO CALERO, R., «A temática galega na obra de Valle-Inclán», *Grial* (Vigo), 3 (1964), pp. 1-15.

CASALDUERO, Joaquín, «Sentido y forma de *Martes de carnaval*», en *Ramón del Valle-Inclán. An Appraisal of His Life and Works,* Nueva York, Las Américas Publishing Co., 1968, pp. 686-694.

CATTANEO, Mariateresa, «I "logaritmi poetici" di Valle-Inclán», en *M.J. Quintana e R. del Valle-Inclán*, Milán, Cisalpino-Goliardica, s.a., pp. 89-141.

—, «Desviación de un trazado autobiográfico: *La lámpara maravillosa*», en *Genio y virtuosismo de Valle-Inclán*, Madrid, Orígenes, 1987, pp. 115-124.

CONTE, Rafael, «Prólogo», en *Ramón del Valle-Inclán* (Antología), Madrid, Doncel, 1966, pp. 7-45.

DA CAL, Ernesto G., «La iniciación literaria de don Ramón», *Revista Hispánica Moderna* (Madrid), 21 (1955), pp. 143-145.

—, «Observaciones sobre "Mi hermana Antonia"», en *Ramón del Valle-Inclán. An Appraisal of His Life and Works*, Nueva York, Las Américas Publishing Co., 1968, p. 276.

DEVOTO, Daniel, «Sátira y plagio en *La cara de Dios*», *Ínsula*, 323, octubre (1973), pp. 3 y 16.

—, «Sátira y plagio en *La cara de Dios*», en *Textos y contextos. Estudios sobre la tradición*, Madrid, Gredos, 1974, pp. 459-473.

DOMÍNGUEZ REY, Antonio, «Selva panida, visión estética del Modernismo», *Cuadernos Hispanoamericanos*, 438 (1986), pp. 7-18.

DOUGHERTY, Dru, «The Tragicomic Don Juan: Valle-Inclán's *Esperpento de Las galas del difunto*», *Modern Drama*, 23 (1980), pp. 44-57.

ETREROS, Mercedes, «Introducción», en *Sonata de primavera. Cuento de abril. La corte de los milagros*, por Ramón del Valle-Inclán, Barcelona, Plaza & Janés, 1986, pp. 13-168.

FABRA BARREIRO, Gustavo, «Prólogo», en *El trueno dorado*, por Ramón del Valle-Inclán, Madrid, Nostromo, 1976[2], pp. 7-12.

FERRATER MORA, José, «El mundo de Valle-Inclán», en *Poemas y ensayos para un homenaje a Phyllis B. Turnbull* (ed. Eleanor Krane Paucker), Madrid, Tecnos, 1976, pp. 41-66.

FICHTER, William L., «Primicias estilísticas de Valle-Inclán», *Revista Hispánica Moderna* (Nueva York), 8 (1942), pp. 289-298.

—, «Estudio preliminar», en *Publicaciones periodísticas de Don Ramón del Valle-Inclán anteriores a 1895*, México, El Colegio de México, 1952, pp. 11-42.

—, «Sobre la génesis de la *Sonata de estío*», *Nueva Revista de Filología Hispánica* (México), 7 (1953), pp. 526-535.

FORTÚN, Fernando, «Notas bibliográficas», *Revista Latina* (Madrid), 1 (1907), pp. 51-52.

FRANCO, Jean, «The Concept of Time in *El ruedo ibérico*», *Bulletin of Hispanic Studies* (Liverpool), 39 (1962), pp. 177-187.

FRESSARD, Jacques, «*An Annotated Bibliography of Ramón del Valle-Inclán*. By Robert Lima», *Hispanic Review* (Filadelfia), 43 (1975), pp. 440-442.

—, «Por quién funden las campanas: reiteración y variación en un motivo de Valle-Inclán», en *Leer a Valle-Inclán en 1986*, Dijon, Hispanistica XX, 1986, pp. 37-47.

GAMALLO FIERROS, Dionisio, «Aportaciones al estudio de Valle-Inclán», *Revista de Occidente* (Madrid), 44-45, noviembre-diciembre (1966), pp. 343-366.

GAMBINI, Dianella, «Lectura dannunziana de *Epitalamio* de Valle-Inclán», en *Leer a Valle-Inclán en 1986*, Dijon, Hispanistica XX, 1986, pp. 15-36.

GARCÍA DE LA TORRE, José Manuel, «La evolución lingüística de Valle-Inclán», *Cuadernos Hispanoamericanos* (Madrid), 438 (1986), pp. 19-29.

—, «El lenguaje del hijo pródigo», en *Valle-Inclán (1866-1936). Creación y lenguaje*, Amsterdam, Rodopi, 1988, pp. 19-37.

GARCÍA-SABELL, Domingo, «*La cara de Dios* o Valle-Inclán en persona», en *La cara de Dios*, por Ramón del Valle-Inclán, Madrid, Taurus, 1972, pp. 7-27.

GARLITZ, Virginia M., «La evolución de *La lámpara maravillosa*», en *Leer a Valle-Inclán en 1986*, Dijon, Hispanistica XX, 1986, pp. 194-216.

—, «Fuentes del ocultismo modernista en *La lámpara maravillosa*», en *Genio y virtuosismo de Valle-Inclán*, Madrid, Orígenes, 1987, pp. 101-113.

—, «El concepto de karma en dos magnos españoles: don Ramón del Valle-Inclán y don Mario Rosso de Luna», en *Este-*

las, laberintos, nuevas sendas, Barcelona, Anthropos, 1988, pp. 137-149.

—, «El ocultismo en *La lámpara maravillosa*», en *Valle Inclán. Nueva valoración de su obra*, Barcelona, PPU, 1988, pp. 111-123.

GIL, Ildefonso Manuel, «Innocent Victims in the Works of Valle-Inclán», en *Valle-Inclán Centennial Studies*, Austin, The University of Texas, Department of Spanish and Portuguese, 1968, pp. 41-62.

GILLESPIE, Gerald y ZAHAREAS, A.N., «Rosarito and the Novella Tradition», en *Ramón del Valle-Inclán: An Appraisal of His Life and Works*, Nueva York, Las Américas Publishing Co., 1968, pp. 281-287.

GÓMEZ DE LA SERNA, Gaspar, «Valle-Inclán; más acá de medio siglo», en *Obras Escogidas*, por Ramón del Valle-Inclán, Madrid, Aguilar, 1967, pp. 9-34.

GONZÁLEZ DEL VALLE, Luis T., «*Augusta* y la estética de lo imperecedero», en *El teatro de Federico García Lorca y otros ensayos sobre literatura española e hispanoamericana*, Lincoln, Society of Spanish and Spanish-American Studies, 1980, pp. 139-157.

—, «Aspectos temáticos y técnicos de *Rosita*», en *El teatro de Federico García Lorca y otros ensayos sobre literatura española e hispanoamericana*, Lincoln, Society of Spanish and Spanish-American Studies, 1980, pp. 159-173.

—, «*La cara de Dios*: novela alienígena», en *El teatro de Federico García Lorca y otros ensayos sobre literatura española e hispanoamericana*, Lincoln, Society of Spanish and Spanish-American Studies, 1980, pp. 175-191.

—, «La unidad conceptual de *El embrujado*», en *Studies in Honor of José Rubia Barcia* (ed. Roberta Johnson y Paul C. Smith), Lincoln, Society of Spanish and Spanish-American Studies, 1982, pp. 71-82.

—, «Una nueva lectura de un cuento olvidado de Ramón del Valle-Inclán», *Ínsula*, 476-477, julio-agosto (1986), pp. 5 y 24.

—, «El enigma de las palabras en *El embrujado*», en *Leer a Valle-Inclán en 1986*, Dijon, Hispanistica XX, 1986, pp. 149-152.

—, «La parodia del honor castizo en "La Generala"»: un caso de prolepsis ideológica», en *Anales de la Literatura Española Contemporánea*, 11 (1986), pp. 279-293.

—, «"Mi hermana Antonia" y la estética del enigma inenigmático», en *Estelas, laberintos, nuevas sendas*, Barcelona, Anthropos, 1988, pp. 171-190, Autores, Textos y Temas/Literatura, 1.

— y GONZÁLEZ DEL VALLE, Antolín, «Aspectos temáticos y técnicos de *Rosita* de Valle-Inclán», *Nueva Revista de Filología Hispánica* (México), 22 (1973), pp. 328-337.

GONZÁLEZ HERRÁN, José Manuel, «Los "cuentos oscuros" de Valle-Inclán», *Outeiro*, 20, marzo (1986), pp. 29-30.

GONZÁLEZ LÓPEZ, Emilio, «Los cuentos de Valle-Inclán: su evolución; del decadentismo al simbolismo», en *Valle-Inclán. Nueva valoración de su obra*, Barcelona, PPU, 1988, pp. 283-295.

GREENFIELD, Sumner M., «Bradomín and the Ironies of Evil: A Reconsideration of *Sonata de Primavera*», *Studies in Twentieth Century Literature*, 2 (1977), pp. 24-25.

—, «Los cuatro esperpentos: unidad y divergencias», en *La CHISPA'85. Selected Proceedings* (ed. Gilbert Paolini), Nueva Orleans, Louisiana Conference on Hispanic Languages and Literatures, Tulane University, 1985, pp. 145-152.

—, Reseña de *El mundo gallego de Valle-Inclán...*, por William Smither, *Hispania*, 71 (1988), pp. 295-296.

HERRERO, Javier, «La sátira del honor en los esperpentos», en *Ramón del Valle-Inclán. An Appraisal of His Life and Works*, Nueva York, Las Américas Publishing Co., 1968, pp. 672-685.

IGLESIAS FEIJOO, Luis, «Lavaud, Eliane: *Valle-Inclán. Du journal au roman (1888-1915)*», *Boletín de la Biblioteca de Menéndez Pelayo*, 57 (1981), pp. 389-397.

ILIE, Paul, «The Grotesque in Valle-Inclán. A Monograph», en *Ramón del Valle-Inclán. An Appraisal of His Life and Works*, Nueva York, Las Américas Publishing Co., 1968, pp. 493-539.

JIMÉNEZ, Juan R., «*Corte de amor: Florilegio de honestas y nobles damas*: Lo compuso Don Ramón del Valle-Inclán», *Helios* (Madrid), I, 2, mayo (1903), pp. 246-247.

—, «*Jardín Umbrío*, por Don Ramón del Valle-Inclán», *Helios* (Madrid), 8 (1903), p. 118.

—, «Ramón del Valle-Inclán (Castillo de quema)», *El Sol* (Madrid) (1936).

KIRKPATRICK, Susan, «From "Octavia Santino" to *El yermo de las almas*: Three Phases of Valle-Inclán», *Revista Hispánica Moderna* (Nueva York), 37 (1972-73), pp. 56-72.

LAVAUD-FAGE, Eliane, «Valle-Inclán y sus fuentes. El caso de una novela corta publicada en México», *PILAS*, 13-14 (1973-74), pp. 178-190.

—, «Un cuento olvidado de D. Ramón del Valle-Inclán: El mendigo», *Papeles de Son Armadans* (Palma de Mallorca), 69, 205, abril (1975), pp. 85-91.

—, «Un motivo folklórico en la narrativa corta de Valle-Inclán: el molino», en *Valle-Inclán (1866-1936). Creación y lenguaje*, Amsterdam, Rodopi, 1988, pp. 39-47.

LIMA, Robert, «Introduction», en *Valle-Inclán. Autobiography. Aesthetics. Aphorisms*, Limited Centennial Edition, 1966.

LÓPEZ NÚÑEZ, Juan, «Máscara y rostro de Valle-Inclán», *Por Esos Mundos* (Madrid), 1 de enero (1915).

LORENZANA, Salvador, «Galicia en la obra de Valle-Inclán», *Ínsula* (Madrid), 236-237 (1966), p. 17.

LOSADA, Basilio, «Valle-Inclán entre Galicia y Brecht», en *Estudios escénicos*, Barcelona, Diputación Provincial de Barcelona, 1969, pp. 59-80.

LYON, John, «Review of Books», *Bulletin of Hispanic Studies*, 58 (1981), p. 349.

MAIER, Carol S., «Symbolist Aesthetics in Spanish: The Concept of language in Valle-Inclán's *La lámpara maravillosa*», en *Waiting for Pegasus*, Macomb, An Essay in Literature Book, 1979, pp. 77-87.

—, «Lugares maravillosos: la creación de un espacio estético en la ficción de Ramón del Valle-Inclán», en *La CHISPA'85. Selected Proceedings* (ed. Gilbert Paolini), Nueva Orleans, Louisiana Conference on Hispanic Languages and Literatures, Tulane University, 1985, pp. 219-230.

—, «Untwisting the Castilian Tonge: Some Suggestions from Valle-Inclán's *La lámpara maravillosa*», *Hispanic Journal* (Indiana), 6 (1985), pp. 59-67.

—, «*La lámpara maravillosa* de Valle-Inclán y la invención continua como una constante estética», en *Actas del VIII Congreso de la Asociación Internacional de Hispanistas*, vol. 2 (ed. A. David Kossoff, José Amor y Vázquez, Ruth H. Kossoff y Geoffrey W. Ribbans), Madrid, Istmo, 1986, pp. 237-245.

—, «"Exégesis trina": enigma, engaño y el principio estético de *La lámpara maravillosa*», en *Genio y virtuosismo de Valle-Inclán*, Madrid, Orígenes, 1987, pp. 125-138.

—, «¿Palabras de armonía?: reflexiones sobre la lectura, los límites y la estética de Valle-Inclán», en *Estelas, laberintos, nuevas sendas*, Barcelona, Anthropos, 1988, pp. 151-170, Autores, Textos y Temas/Literatura, 1.

—, «Literary Re-Creation, the Creation of Readership, and Valle-Inclán's *La lámpara maravillosa*», *Hispania*, 71 (1988), pp. 217-227.

—, «Acercando la conciencia a la muerte: hacia una definición ampliada de la estética de Valle-Inclán», en *Valle-Inclán. Nueva valoración de su obra*, Barcelona, PPU, 1988, pp. 125-136.

MAINER, José-Carlos, «Libros sobre Valle-Inclán», *Revista de Occidente*, 59, abril (1986), pp. 79-92.

MARAVALL, José Antonio, «La imagen de la sociedad arcaica en Valle-Inclán», *Revista de Occidente*, 44-45 (1966), pp. 225-256.

MARTÍNEZ DEL PORTAL, María, «Lo galaico en Valle-Inclán», en *Anales de la Universidad de Murcia*, 21 (1962-63), pp. 90-93.

MARTÍNEZ SIERRA, G., «Hablando con Valle-Inclán», *ABC*, 7 de diciembre (1928).

MATILLA, Alfredo, «Las *Comedias Bárbaras*: una sola obra dramática», en *Ramón del Valle-Inclán. An Appraisal of His Life and Works*, Nueva York, Las Américas Publishing Co., 1968, pp. 289-316.

MCGRADY, Donald, «Elementos folclóricos en tres obras de Valle-Inclán», *Thesaurus*, 25 (1970), pp. 49-55.

MONTESINOS, José F., Reseña de *Publicaciones periodísticas de Don Ramón del Valle-Inclán anteriores a 1895*, *Nueva Revista de Filología Hispánica* (México), 8 (1954), pp. 91-99.

—, «Modernismo, esperpentismo o las dos evasiones», *Revista de Occidente*, 15 (1966), pp. 146-165.

—, «Acerca de un libro sobre las publicaciones periodísticas anteriores a 1895 de Valle-Inclán», en *Ensayos y estudios de literatura española* (ed. Joseph H. Silverman), Madrid, Revista de Occidente, 1970, pp. 259-274.

MONTORO, Adrián G., «*Flor de santidad*: arquetipos y repetición», *MLN*, 93 (1978), pp. 252-266.

MORÓN ARROYO, Ciriaco, «*La lámpara maravillosa* y la ecuación estética», en *Ramón del Valle-Inclán. An Appraisal of His Life and Works*, Nueva York, Las Américas Publishing Co., 1968, pp. 450-459.

MURGUÍA, M[anuel], «Prólogo», en *Femeninas*, Pontevedra, Imprenta y Comercio de A. Landín, 1895, pp. IX-XXII.

NAVARRO LEDESMA, Francisco, «¡El papel vale más!» *Gedeón* (Madrid), 3 de abril (1903).

NICKEL, Catherine, «Recasting the Image of the Fallen Woman in Valle-Inclán's Eulalia», *Studies in Short Fiction*, 24 (1987), pp. 289-294.

—, «Valle-Inclán's "La Generala": Woman as Birdbrain», *Hispania*, 71 (1988), pp. 228-234.

ODRIOZOLA, Antonio, «Cuadro sinóptico de los cuentos y novelas cortas de Valle-Inclán recogidos en libro», *Grial* (Vigo), 32 (1971), pp. 211-215.

ONÍS, Federico de, «Ramón del Valle-Inclán, 1869», en *España en América. Estudios, ensayos y discursos sobre temas españo-*

les e hispanoamericanos [Río Piedras], Ediciones de la Universidad de Puerto Rico, 1955, pp. 217-219.

OWEN, Arthur L., «Sobre el arte de don Ramón del Valle-Inclán», *Hispania*, 6 (1923), pp. 69-80.

PAOLINI, C., «Valle-Inclán's Modernistic Women: The Devout Virgin and The Devout Adulteress», *Hispanófila*, 88, septiembre (1986), pp. 27-40.

PENUEL, Arnold M., «Archetypal Patterns in Valle-Inclán's *Divinas palabras*», *Revista de Estudios Hispánicos*, 8 (1974), pp. 83-93.

PHILLIPS, Allen W., «El esperpento de *Los cuernos de don Friolera*», *Humanitas*, 5 (1964), pp. 309-322.

—, «Rubén Darío y Valle-Inclán: historia de una amistad literaria», *Revista Hispánica Moderna* (Nueva York), 33 (1967), pp. 1-29.

—, «Estudio preliminar», en *Sonata de primavera. Sonata de estío. Sonata de otoño. Sonata de invierno*, por Ramón del Valle-Inclán, México, Porrúa, 1972, pp. VII-LX.

POSSE PENA, Rita, «Notas sobre el folklore gallego en Valle-Inclán», *Cuadernos Hispanoamericanos*, 199-200 (1966), pp. 493-520.

—, «Lo que nos dice Ramón del Valle-Inclán sobre "hechizos"», *Cuadernos de Estudios Gallegos* (Santiago de Compostela), 22 (1967), pp. 67-74.

RAMÍREZ, Manuel D., «Valle-Inclán's Self-Plagiarism in Plot and Characterization», *Revista de Estudios Hispánicos*, 5 (1971), pp. 71-83.

RAMOS-KUETHE, Lourdes, «El concepto del libertinismo en la narrativa temprana de don Ramón del Valle-Inclán», *Hispanic Journal*, 4 (1983), pp. 51-63.

REHDER, Ernest C., «Concentric Patterns in Valle-Inclán's *Jardín Umbrío*», *Romance Notes*, 18 (1977), pp. 62-65.

REYES, Alfonso, «Las fuentes de Valle-Inclán», en *Valle-Inclán visto por...* Madrid, Gráficas Espejo, 1973, pp. 90-97.

RISCO, Antonio, «El elemento fantástico en la obra de Valle-Inclán», en *Valle-Inclán (1866-1936). Creación y lenguaje*, Amsterdam, Rodopi, 1988, pp. 49-63.

RISLEY, William R., «Hacia el simbolismo en la prosa de Valle-Inclán», *Anales de la Narrativa Española Contemporánea*, 4 (1979), pp. 45-90.

ROGERS, Paul Patrick, «Introduction», en *Jardín Umbrío*, por Ramón del Valle-Inclán, Nueva York, Henry Holt and Company [1928], pp. XI-XXVII y 107-126.

—, «A Spanish Version of the "Mateo Falcone" Theme», *Modern Language Notes*, 45 (1930), pp. 402-403.
—, «Mérimée and Valle-Inclán Again», *Modern Language Notes*, 45 (1930), p. 529.
RUBIA BARCIA, José, «Valle-Inclán y la literatura gallega», *Revista Hispánica Moderna* (Nueva York), 21 (1955), pp. 13-126 y 294-315.
RUBIO JIMÉNEZ, Jesús, «Modernismo y teatro de ensueño», *Anales de la Literatura Española Contemporánea* (Boulder), 14 (1989).
SAID ARMESTO, Víctor, «Un libro modernista: *Femeninas*, de Valle-Inclán», en *Análisis y ensayos (Filosofía, Literatura y Sociología)*, Pontevedra, Carragal, 1897, pp. 44-81.
—, «Un libro modernista: *Femeninas* de Valle-Inclán», *Museo de Pontevedra*, 19 (1965), pp. 109-116.
SAILLARD, Simone, «Le premier conte et le premier roman de Valle-Inclán», *Bulletin Hispanique*, 57, 4 (1955), pp. 421-429.
SALPER DE TORTELLA, Roberta, «Valle-Inclán in *El Imparcial*», *MLN*, 83 (1968), pp. 278-309.
SCHIAVO, Leda, «Sobre "Un bastardo de Narizotas" de Valle-Inclán», *Ínsula*, 363, febrero (1977), p. 3.
—, «Vidas paralelas: D'Annunzio y Valle-Inclán», *Revista de Occidente*, 59, abril (1986), pp. 60-66.
SEELEMAN, Rosa, «Folkloric elements in Valle-Inclán», *Hispanic Review*, 3 (1935), pp. 103-118.
SEGURA COVARSI, Enrique, «Los ciegos de Valle-Inclán», *Clavileño* (Madrid), 17 (1952), pp. 49-52.
—, «Las acotaciones dramáticas de Valle-Inclán», *Clavileño*, 7, 38 (1956), pp. 44-52.
—, «La flora y la fauna en la obra de Valle-Inclán», *Revista de Literatura*, 23-24 (1957), pp. 34-55.
SERRANO ALONSO, Javier, «Introducción», en *Artículos completos y otras páginas olvidadas*, Ramón del Valle-Inclán, Madrid, Istmo, 1987, pp. 9-109.
SERVODIDIO, Mirella, «Speculations on Intertextualities: Baroja and Valle-Inclán», *Hispania*, 66 (1983), pp. 11-16.
SIBBALD, K.M., «Spanish Studies. Literature, 1898-1936», *The Year's Work in Modern Language Studies*, 44 (1982), p. 406.
SILVERMAN, Joseph H., «Valle-Inclán y Ciro Bayo: sobre una fuente desconocida de *Tirano Banderas*», *Nueva Revista de Filología Hispánica* (México), 14 (1960), pp. 73-88.
SLETSJOE, Leif, «El cuento ¡Malpocado!: sobre temas y personajes en la obra de Ramón del Valle-Inclán», *Cuadernos Hispanoamericanos*, 301 (1975), pp. 195-211.

SOLALINDE, A.G., «Prosper Mérimée y Valle-Inclán», *Revista de Filología Española* (Madrid), 6 (1919), pp. 389-391.
SORIANO, Ignacio, «*La lámpara maravillosa*, clave de los esperpentos», *La Torre*, 62 (1968), pp. 144-150.
SOTELO VÁZQUEZ, Adolfo, «*Corte de amor* y *Jardín Umbrío* a la luz de Juan Ramón Jiménez», *Ínsula*, 476-477, julio-agosto (1986), p. 4.
SPERATTI-PIÑERO, Emma Susana, «Génesis y evolución de *Sonata de otoño*», *Revista Hispánica Moderna* (Nueva York), 25 (1959), pp. 57-78.
—, «¿Un nuevo episodio de *El Ruedo Ibérico?*» *Nueva Revista de Filología Hispánica* (México), 15 (1961), pp. 589-604.
—, «Los brujos de Valle-Inclán», *Nueva Revista de Filología Hispánica* (México), 21 (1972), pp. 40-70.
TIJERAS, Eduardo, «El cuento en Valle-Inclán», *Cuadernos Hispanoamericanos*, 199-200 (1966), pp. 400-406.
UMPIERRE, Gustavo, «Muerte y transfiguración de don Juan Manuel Montenegro (*Romance de lobos*)», *Bulletin of Hispanic Studies*, 50 (1973), pp. 270-277.
—, «Occultism and Allegory in Valle-Inclán's *La marquesa Rosalinda*», *Symposium*, 28 (1974), pp. 259-273.
VALLE-INCLÁN, Carlos Luis del, «Prefacio», en *Corte de amor*, Ramón del Valle-Inclán, Buenos Aires, Espasa-Calpe Argentina, 1942, pp. 9-12, Austral.
VEGA, Celestino F. de la, «Perfil gallego de Valle-Inclán», *Ínsula*, 152-153 (1959), p. 4.
VILLANUEVA, Darío, «*La media noche* de Valle-Inclán: análisis y suerte de su técnica narrativa», en *Homenaje a Julio Caro Baroja*, Madrid, Centro de Investigaciones Sociológicas, 1978, pp. 1.031-1.054.
WHITTREDGE, Ruth, «Los libros de cuentos de Valle-Inclán. Estudio bibliográfico», *Grial* (Vigo), 32 (1971), pp. 216-221.
ZAHAREAS, Anthony N., «Collections of Stories and Novellas», en *Ramón del Valle-Inclán. An Appraisal of His Life and Works*, Nueva York, Las Américas Publishing Co., 1968, pp. 273-275.
—, «Introducción», en *Teatro selecto de Ramón del Valle-Inclán*, Madrid, Escelicer, 1969, pp. 5-59.
ZAMORA VICENTE, Alonso, «Prólogo», en *Luces de bohemia*, Ramón del Valle-Inclán, Madrid, Espasa-Calpe, 1983[4], pp. VII-LXVIII, Clásicos Castellanos.
ZUBIAURRE, Antonio de, «Introducción», en *Femeninas. Epitalamio*, por Ramón del Valle-Inclán, Madrid, Espasa-Calpe, 1978, pp. 9-39, Selecciones Austral.

C. **Obras de crítica, teoría, referencia y creatividad**

ABEL, Lionel, *Metatheatre. A New View of Dramatic Form*, Nueva York, Hill and Wang, 1963.

ALTER, Robert, *Partial Magic. The Novel as a Self-Conscious Genre*, Berkeley, University of California Press, 1975.

ALTMAN, Charles F., «Intratextual Rewriting: Textuality as Language Formation», en *The Sign in Music and Literature* (ed. Wendy Steiner), Austin, University of Texas Press, 1981, pp. 39-51.

ALLEGRA, Giovanni, *El reino interior. Premisas y semblanzas del Modernismo en España* (trad. Vicente Martín Pintado), Madrid, Encuentro, 1986.

AMORÓS, Andrés, *Sociología de una novela rosa*, Madrid, Taurus, 1968.

ANDRÉS-SUÁREZ, Irene, *Los cuentos de Ignacio Aldecoa. Consideraciones teóricas en torno al cuento literario*, Madrid, Gredos, 1986.

ANSHEN, Ruth Nanda, *Anatomy of Evil*, Nueva York, Moyer Bell Limited, 1972.

ARISTÓTELES, *Poética* (ed. Valentín García Yebra), Madrid, Gredos, 1974.

ASIMOV, Isaac, *Guía de la Biblia. Nuevo Testamento* (trad. Benito Gómez Ibáñez), Barcelona, Laia, 1985.

AVALLE-ARCE, Juan Bautista, *La novela pastoril española*, Madrid, Revista de Occidente, 1959.

AZA, Vital, *Feminismo y sexo*, Madrid, Javier Morata, 1928.

BAL, Mieke, *Teoría de la narrativa (Una introducción a la narratología)* (trad. Javier Franco), Madrid, Cátedra, 1985.

BALAKIAN, Anna, *El movimiento simbolista* (trad. José-Miguel Velloso), Madrid, Guadarrama, 1969.

— (ed.), *The Symbolist Movement in the Literature of European Languages*, Budapest, Akadémiai Kiadó, 1982.

BARBEY D'AUREVILLY, Jules-Amédée, *What Never Dies* (trad. Sebastian Melmoth [Oscar Wilde], 1928.

BARJA, César, *Libros y autores contemporáneos*, Nueva York, Las Américas Publishing Co., 1964.

BAROJA, Pío, *El escritor según él y según los críticos. Memorias*, Madrid, Minotauro, 1955.

BAROJA, Ricardo, *Gente del 98. Obras Selectas*, Madrid, Biblioteca Nueva, 1967.

BARTHES, Roland, *S/Z* (trad. Richard Miller), Nueva York, Hill and Wang, 1974.

BAYLEY, John, *The Short Story. Henry James to Elizabeth Bowen*, Nueva York, St. Martin's Press, 1988.
BENAVENTE, Jacinto, *La malquerida. Teatro*, vol. 20, Madrid, Librería de los Sucesores de Hernando, 1914, pp. 147-277.
—, *Señora ama*, Madrid, Espasa-Calpe, 1972[20], Austral.
BERGUA, José, *Refranero Español*, Madrid, Ibéricas, Clásicos Bergua, 1981[9].
BERMEJO, Ildefonso Antonio, «Políticos de antaño. El cadete y el canario», *El Heraldo de Madrid*, 7 de junio (1891).
BLANCO AGUINAGA, Carlos, *Juventud del 98*, Madrid, Siglo XXI, 1970.
—, RODRÍGUEZ PUÉRTOLAS, Julio y ZAVALA, Iris M., *Historia social de la literatura española (en lengua castellana)*, vol. 2, Madrid, Castalia, 1978.
BLOOM, Harold, *The Anxiety of Influence*, Oxford, Oxford University Press, 1973.
—, *A Map of Misreading*, Nueva York, Oxford University Press, 1975.
BODKIN, Maude, *Archetypal Patterns in Poetry*, Londres, Oxford University Press, 1962.
BOMPIANI, *Diccionario Literario. Apéndice de obras*, 2 vols., Barcelona, Hora, 1988.
BOOTH, Wayne C., *The Rhetoric of Fiction*, Chicago, University of Chicago Press, 1961.
BOUZA-BREY TRILLO, Fermín, *Etnografía y folklore de Galicia*, 2 vols., Vigo, Edicións Xerais de Galicia, 1982.
BRUCKHARDT, Jacob, *The Civilization of the Renaissance in Italy*, Nueva York, The Modern Library, 1954.
CALDERWOOD, James L., y Toliver, Harold E., (eds.), *Perspectives on Poetry*, Nueva York, Oxford University Press, 1968.
CAMPOS, Jorge, «El Romanticismo. El movimiento romántico, la poesía y la novela», en *Historia general de las literaturas hispánicas* (ed. Guillermo Díaz-Plaja), vol. 4, 2.ª parte, Barcelona, Barna, 1957, pp. 158-159.
CANO BALLESTA, Juan, *Literatura y tecnología. Las letras españolas ante la revolución industrial (1900-1933)*, Madrid, Orígenes, 1981.
CAPELLANUS, Andreas, «The Rules of Courtly Love», en *The Portable Medieval Reader* (ed. James Bruce Ross y Mary Martin McLaughlin), Nueva York, The Viking Press, 1949, pp. 115-117.
CARR, Raymond, *España 1808-1975*, Barcelona, Ariel, 1984[2].
CARRÉ ALVARELLOS, Leandro, *Las leyendas tradicionales gallegas*, Madrid, Espasa-Calpe, 1980[3].

CASÁS FERNÁNDEZ, M., *Páginas de Galicia. Notas históricas y literarias*, Santiago de Compostela, Sucesores de Galí, 1950.

CASTILLO, Homero (ed.), *Estudios críticos sobre el Modernismo*, Madrid, Gredos, 1968.

CATALINA, Severo, *La mujer. Apuntes para un libro*, Madrid, Imp. de Julián Peña, 1870[4].

CEJADOR Y FRAUCA, Julio, *Historia de la lengua y literatura castellana*, vol. XI, Madrid, Gredos, 1972.

CELA, Camilo José, *La familia de Pascual Duarte* (ed. Harold L. Boudreau y John W. Kronik), Englewood Cliffs, Prentice-Hall, Inc., 1961.

CILVETI, Ángel L., *Introducción a la mística española*, Madrid, Cátedra, 1974.

CIPLIJAUSKAITÉ, Biruté, *Los noventayochistas y la historia*, Madrid, José Porrúa Turanzas, 1981.

CIRLOT, Juan-Eduardo, *Diccionario de símbolos*, Barcelona, Labor, 1981[4].

CLEMENTS, Robert J. y GIBALDI, Joseph, *Anatomy of the Novella. The European Tale Collection From Boccacio and Chaucer to Cervantes*, Nueva York, New York University Press, 1977.

COOPER, J.C., *An Illustrated Encyclopaedia of Traditional Symbols*, Londres, Thames and Hudson, 1978.

CULLER, Jonathan, *La poética estructuralista. El estructuralismo, la lingüística y el estudio de la literatura* (trad. Carlos Manzano), Barcelona, Anagrama, 1978.

—, *The Pursuit of Signs. Semiotics, Literature, Deconstruction*, Ithaca, Cornell University Press, 1981.

CURTIUS, Ernst Robert, *European Literature and the Latin Middle Ages* (trad. Willard R. Trask), Nueva York, Harper & Row, Publishers, 1963.

CHARTIER, Armand B., *Barbey d'Aurevilly*, Boston, Twayne Publishers, 1977.

CHATMAN, Seymour, *Story and Discourse: Narrative Structure in Fiction and Film*, Ithaca, Cornell University Press, 1978.

El Dandismo, Barcelona, Anagrama, 1974.

DARÍO, Rubén, «La mujer española», en *España Contemporánea*, vol. 19, Madrid, Mundo Latino, s.a. [fechado originalmente en marzo de 1900], pp. 321-328.

—, *Poesías Completas*, Madrid, Aguilar, 1967.

DAVISON, Ned J., *The Concept of Modernism in Hispanic Criticism*, Boulder, Pruett Press, Inc., 1966.

DELEITO Y PIÑUELA, José, «¿Qué es el Modernismo?», *Revista Contemporánea* (Madrid), 124 (1902), pp. 687-696.

DÍAZ-PLAJA, Guillermo, *Introducción al estudio del romanticismo español*, Madrid, Espasa-Calpe, 1936.

Diccionario literario de obras y personajes de todos los tiempos y todos los países, en V. Bompiani y J. González Porto (eds.), 12 vols., Barcelona, Montaner y Simón, 1960.

Diccionario de autores de todos los tiempos y de todos los países, en V. Bompiani y J. González Porto (eds.), 3 vols., Barcelona, Montaner y Simón, 1973.

DOMINICIS, María C., *Don Juan en el teatro español del siglo XX*, Miami, Universal, 1978.

ECHEGARAY, José, *El gran galeoto*, Nueva York, Las Américas Publishing Co., 1964.

—, *El hijo de don Juan*, Madrid, Tip. Yagües, s.a.[2].

—, *El libro talonario. Teatro Escogido*, Madrid, Aguilar, 1955[2].

—, SELLÉS, Eugenio, y NOGALES, José, «Concurso de cuentos de *El Liberal*. Carta del Jurado», *El Liberal* (Madrid), 30 de noviembre (1902).

EDWARDS, Gwynne, *Dramatists in Perspective: Spanish Theatre in the Twentieth Century*, Nueva York, St. Martin's Press, 1985.

ELIADE, Mircea, *The Myth of the Eternal Return* (trad. William R. Trask), Princeton, Princeton University Press, 1954.

—, *Myths, Rites, Symbols: A Mircea Eliade Reader* (ed. W. Beane y William Doty), vol. 1. Nueva York, Harper & Row, 1975.

ELLIS, John M., *Against Deconstruction*, Princeton, Princeton University Press, 1989.

Enciclopedia Universal Ilustrada Europeo-Americana, 105 vols., Madrid, Espasa-Calpe, 1908-1983.

ENTRAMBASAGUAS, Joaquín de, *Miguel de Molinos. Siglo XVII*, Madrid, M. Aguilar, s.a., pp. 7-61.

—, *Las mejores novelas contemporáneas*, vol. II, Barcelona, Planeta, 1968[4].

FEAL, Carlos, *En nombre de Don Juan (Estructura de un mito literario)*, Amsterdam-Filadelfia, John Benjamins Publishing Company/Purdue University Monographs in Romance Languages, 1984.

FERGUSON, George, *Signs and Symbols in Christian Art*, Nueva York, Oxford University Press, 1966.

FERRERES, Rafael, *Los límites del Modernismo y del 98*, Madrid, Taurus, 1964.

—, *Verlaine y los modernistas españoles*, Madrid, Gredos, 1975.

FISH, Stanley E., «Critical Response. IV. One More Time», *Critical Inquiry*, 6 (1980), pp. 749-751.

Formas breves del relato, Zaragoza/Madrid, Secretariado de

Publicaciones, Universidad de Zaragoza/Casa de Velázquez, 198[5].
FRYE, Northrop, *Fables of Identity. Studies in Poetic Mythology*, Nueva York, Harcourt, Brace & World, Inc., 1963.
GARCÍA LORCA, Federico, *Bodas de sangre. Obras Completas*, vol. 2, Madrid, Aguilar, 1974[18].
—, *Obras Completas*, vol. 1, Madrid, Aguilar, 1973.
GAYLEY, Charles Mills, *The Classic Myths in English Literature and in Art*, Nueva York, Blaisdell Publishing Company, 1911.
GENETTE, Gérard, *Figures II*, París, Seuil, 1969.
—, *Figures III*, París, Seuil, 1972.
—, *Palimpsestes*, París, Seuil, 1982.
GIQUEAUX, E.J., «El mito y la cultura», *Megafón*, 6 (1977), pp. 5-29.
GÓMEZ MARÍN, José Antonio, *Aproximaciones al realismo español*, Madrid, Miguel Castellanote, 1975.
GONZÁLEZ DEL VALLE, Luis, «La muerte de la "Chispa": su función en *La familia de Pascual Duarte*», en *Novela española contemporánea*, Madrid, Sociedad General Española de Librería, 1978[2], pp. 13-16.
—, «Farsa y tragedia en *El Señor de Pigmalión*: una reconsideración», en *El teatro de Federico García Lorca y otros ensayos sobre literatura española e hispanoamericana*, Lincoln, Society of Spanish and Spanish-American Studies, 1980, pp. 197-212.
—, y NICKEL, Catherine, «Contemporary Poetics to the Rescue: The Enigmatic Narrator in Sábato's *El Túnel*», *Rocky Mountain Review of Language and Literature*, 40 (1986), pp. 5-20.
GRANJEL, Luis, *La generación literaria del noventa y ocho*, Salamanca, Anaya, 1966.
—, *Eduardo Zamacois y la Novela Corta*, Salamanca, Universidad de Salamanca, 1980.
—, *Maestros y amigos de la generación del noventa y ocho*, Salamanca, Universidad de Salamanca, 1981.
GRASS, Ronald y RISLEY, WilliamR. (eds.), *Waiting for Pegasus*, Macomb, An Essay in Literature Book, 1979.
GRAU, Jacinto, *El Señor de Pigmalión* (ed. Luciano García Lorenzo), Salamanca, Anaya, 1972.
GREEN, Otis H., *Spain and The Western Tradition*, vol. 1, Madison, The University of Wisconsin Press, 1963.
GUERRERO ZAMORA, Juan, *Historia del teatro contemporáneo*, vol. 1, Barcelona, Juan Flors, 1961, pp. 153-206.
GULLÓN, Ricardo, *Direcciones del Modernismo*, Madrid, Gredos, 1963.

—, *La invención del 98 y otros ensayos*, Madrid, Gredos, 1969.
— (ed.), *El Modernismo visto por los modernistas*, Barcelona, Labor, 1980.
—, *La novela lírica*, Madrid, Cátedra, 1984.
HANSON, Clare, *Short Stories and Short Fictions, 1880-1980*, Londres, The MacMillan Press Ltd., 1985.
HATLEN, Theodore W., *Orientation to the Theater*, Nueva York, Appleton-Century-Crofts, 1962.
HENNING, Sylvie Debevec, «Samuel Beckett's *Film* and *La Dernière Bande*: Intratextual and Intertextual Rewriting: Textuality as Language Formation», en *The Sign in Music* (ed. Wendy Steiner) Austin, University of Texas Press, 1981, pp. 39-51.
HERZBERGER, David K., «Split Referentiality and the Making of Character in Recent Spanish Fiction», *MLN*, 103 (1988), pp. 419-435.
HINTERHÄUSER, Hans, *Fin de siglo. Figuras y mitos* (trad. María Teresa Martínez), Madrid, Taurus, 1980.
Ideología y texto en El cuento semanal (1907-1912), Madrid, De la Torre, 1986.
INGWERSEN, Sonya A., *Light and Longing: Silva and Darío. Modernism and Religious Heterodoxy*, Nueva York, Peter Lang, 1986.
Ínsula, 495, febrero (1988). [Número dedicado al cuento.]
JACKSON, Rosemary, *Fantasy: The Literature of Subversion*, Londres, Methuen, 1981.
JENNY, Laurent, «The Strategy of Form», en *French Literary Theory Today* (ed. T. Todorov), Cambridge, Cambridge University Press, 1982, pp. 34-62.
JIMÉNEZ, José Olivio (ed.), *El Simbolismo*, Madrid, Taurus, 1979.
JIMÉNEZ, Juan Ramón, *El Modernismo* (ed. Ricardo Gullón), Madrid, Aguilar, 1962.
JONES, R.O., «Introduction», en *Poems of Góngora*, Cambridge, Cambridge University Press, 1966, pp. 1-37.
—, *A Literary History of Spain. The Golden Age Prose and Poetry*, Londres, Ernest Benn, 1971.
JUNG, C.G., *Psychological Reflections. A New Anthology of His Writings, 1905-1961* (ed. Jolande Jacobi), Princeton, Princeton University Press, 1970.
KENNEDY, Judith M., «Introduction», en *A Critical Edition of Young's Translations of George of Montemayor's «Diana» and Gil Polo's «Enamoured Diana»*, Oxford, Oxford University Press, 1968, pp. XV-LXXX.

KERNODLE, George R., *Invitation to the Theater*, Nueva York, Harcourt, Brace and World, Inc., 1967.

KIRK, G.S., *Myth. Its Meaning and Functions in Ancient and Other Cultures*, Berkeley, University of California Press, 1970.

KRISTEVA, Julia, *Semiótica 1* (trad. José Matín Arancibia), Madrid, Fundamentos, 1969.

—, *Historias de amor*, Madrid, Siglo Veintiuno, 1987.

LAÍN ENTRALGO, Pedro, *España como problema*, Madrid, Aguilar, 1962.

—, *La generación del noventa y ocho*, Madrid, Espasa-Calpe, 1967[6], Austral.

LANSER, Susan Sniader, *The Narrative Act. Point of View in Prose Fiction*, Princeton, Princeton University Press, 1981.

LAVAUD, Jean-Marie, «Una biblioteca pontevedresa a finales del siglo XIX (De J. Murais hacia Valle-Inclán)», *Estudios de Información*, 24, octubre-diciembre (1972), pp. 257-401.

LÉVI-STRAUSS, Claude, *Antropología estructural* (trad. Eliseo Verón), Buenos Aires, Universitaria de Buenos Aires, 1968.

LISÓN TOLOSANA, Carmelo, *Brujería, estructura social y simbolismo en Galicia*, Madrid, Akal, 1983[2].

LITVAK, Lily, *A Dream of Arcadia. Anti-Industrialism in Spanish Literature, 1895-1905*, Austin, University of Texas Press, 1975.

— (ed.), *El Modernismo*, Madrid, Taurus, 1975.

—, *Musa libertaria*, Barcelona, Antoni Bosch, 1981.

—, *El sendero del tigre. Exotismo en la literatura española de finales del siglo XIX, 1880-1913*, Madrid, Taurus, 1986.

LÓPEZ-MORILLAS, Juan, *Hacia el 98*, Barcelona, Ariel, 1972.

MACKLIN, John, *The Window and the Garden: The Modernist Fictions of Ramón Pérez de Ayala*, Boulder, Society of Spanish and Spanish-American Studies, 1988.

MAINER, José-Carlos, *La Edad de Plata (1902-1939). Ensayo de interpretación de un proceso cultural,* Madrid, Cátedra, 1981.

MARTÍN FERNÁNDEZ, María Isabel, *Lenguaje dramático y lenguaje retórico (Echegaray, Cano, Sellés y Dicenta)*, Cáceres, Universidad de Extremadura, 1981.

MEDRANO, Rafael, *Diccionario de las ciencias ocultas*, Barcelona, De Vecchi, 1985.

MERINO, José María, «El cuento: narración pura», *Ínsula*, 495, febrero (1988), p. 21.

MOLINOS, Miguel de, *Guía espiritual. Miguel de Molinos. Siglo XVII* (ed. Joaquín de Entrambasaguas), Madrid, M. Aguilar, s.a., pp. 62-239.

MORA, Gabriela, *En torno al cuento: de la teoría general y de su práctica en Hispanoamérica*, Madrid, José Porrúa Turanzas, 1985.

NAVAJAS, Gonzalo, *Mímesis y cultura en la ficción. Teoría de la novela*, Londres, Tamesis Books Limited, 1985.

NORRIS, Christopher, *Deconstruction: Theory and Practice*, Nueva York, Methuen, 1982.

«Noticia sobre Toribio Mamed Casanova», *El Heraldo de Madrid*, 4 de septiembre (1925).

ONG, Walter J., *Rhetoric, Romance, and Technology*, Ithaca, Cornell University Press, 1971.

OSBORNE, Harold (ed.), *The Oxford Companion to Art*, Nueva York, Oxford University Press, 1970.

PAGELS, Elaine, *The Gnostic Gospels*, Nueva York, Random House, 1979.

PARDO BAZÁN, Emilia, «La mujer española», *La España Moderna* (Madrid), 17, mayo (1890), pp. 101-113, 18, junio (1890), pp. 5-15, 19, julio (1890), pp. 121-131, y 20, agosto (1890), pp. 143-154.

PARKER, A.A., «Expansion of Scholarship in Spain», en *The Age of the Renaissance* (ed. Denys Hay), Nueva York, McGraw-Hill Book Company, 1967, pp. 235-248.

PAULIN, Roger, *The Brief Compass. The Nineteenth Century German Novelle*, Oxford, Claredon Press, 1985.

PEDRAZA JIMÉNEZ, Felipe B. y RODRÍGUEZ CÁCERES, Milagros, *Manual de literatura española. VIII. Generación de fin de siglo: introducción, líricos y dramaturgos*, Tafalla, CENLIT, 1986.

PEÑUELAS, Marcelino, *Mito, literatura y realidad*, Madrid, Gredos, 1965.

PÉREZ FIRMAT, Gustavo, «Apuntes para un modelo de la intertextualidad en literatura», *Romanic Review*, 69 (1978), pp. 1-14.

—, *Idle Fictions: The Hispanic Vanguard Novel, 1926-1934*, Durham, Duke University Press, 1982.

PÉREZ-RIOJA, José Antonio, *Diccionario de símbolos y mitos*, Madrid, Tecnos, 1971[2].

PHILLIPS, Allen W., «Algo más sobre la bohemia madrileña: testigos y testimonios», *Anales de la Literatura Española* (Alicante), 4 (1985), pp. 327-362.

PORTABELLA DURÁN, P., *Psicología de don Juan*, Barcelona, Zeus, 1965.

POSADA, Adolfo, «Los problemas del feminismo», *La España Moderna* (Madrid), 95 (1896), pp. 11-45.

—, «Progresos del feminismo», *La España Moderna* (Madrid), 99 (1897), pp. 91-137.

PREMINGER, Alex (ed.), *Princeton Encyclopedia of Poetry and Poetics*, Princeton, Princeton University Press, 1965.

PRINCE, Gerald, *Narratology: The Form and Functioning of Narrative*, Berlín, Mouton, 1982.

—, *A Dictionary of Narratology*, Lincoln, University of Nebraska Press, 1987.

RABINOWITZ, Peter J., *Before Reading. Narrative Conventions and the Politics of Interpretation*, Ithaca, Cornell University Press, 1987.

RAMÓN Y BALLESTEROS, Francisco de, *Males de aireada*, Vigo, Diputación Provincial de La Coruña, 1983.

REAL ACADEMIA ESPAÑOLA, *Diccionario de la Lengua Española*, 2 vols., Madrid, Espasa-Calpe, 1984[20].

REICHENBERGER, Arnold, «The Uniqueness of the *Comedia*», *Hispanic Review*, 27 (1959), pp. 303-316.

—, «The Uniqueness of the *Comedia*», *Hispanic Review*, 38 (1970), pp. 163-173.

REYES, Alfonso, *Tertulia de Madrid*, Buenos Aires, Espasa-Calpe Argentina, 1949, Austral.

—, *Obras completas*, vol. 4, México, Fondo de Cultura Económica, 1956.

RICOEUR, Paul, *Time and Narrative*, vols. 1-2 (trad. Kathleen McLaughlin and David Pellaver), Chicago, The University of Chicago Press, 1984 y 1985.

RIMMON-KENAN, Shlomith, *The Concept of Ambiguity-The Example of James*, Chicago, The University of Chicago Press, 1977.

—, *Narrative Fiction: Contemporary Poetics*, Londres y Nueva York, Methuen, 1983.

RISCO, Antonio, *Literatura y fantasía*, Madrid, Taurus, 1982.

RISCO, Vicente, *Satanás. Historia del diablo*, Vigo, Edicións Xerais de Galicia, 1985.

RODRÍGUEZ GONZÁLEZ, Eladio, *Diccionario enciclopédico gallego-castellano*, 3 vols., Vigo, Galaxia, 1961.

RODRÍGUEZ LÓPEZ, Jesús, *Supersticiones de Galicia y preocupaciones vulgares*, Lugo, Celta, 1979[8].

RUIZ RAMÓN, Francisco, *Historia del teatro español. Siglo XX*, Madrid, Cátedra, 1977[3].

RUSSELL, Jeffrey Burton, *Satan: The Early Christian Tradition*, Ithaca, Cornell University Press, 1981.

—, *Lucifer: The Devil in the Middle Ages*, Ithaca, Cornell University Press, 1984.

—, *Mephistopheles: The Devil in the Modern World*, Ithaca, Cornell University Press, 1986.

SÁBATO, Ernesto, *Páginas de Ernesto Sábato seleccionadas por el autor*, Buenos Aires, Celtia, 1983.
—, *Hombres y engranajes. Heterodoxia*, Madrid, Alianza, 1983[3].
—, *El escritor y sus fantasmas. Obras. Ensayos*, Buenos Aires, Losada, 1970.
—, *El Túnel* (ed. Ángel Leiva), Madrid, Cátedra, 1983[9].
SAID, Edward W., *Beginnings. Intention and Method*, Nueva York, Basic Books, Inc., Publishers, 1975.
SAID ARMESTO, Víctor, *La leyenda de don Juan*, Madrid, Espasa-Calpe, 1968[2], Austral.
SAINZ DE ROBLES, Federico Carlos, *El espíritu y la letra (Cien años de literatura española: 1860-1960)*, Madrid, Aguilar, 1966.
SALINAS, Pedro, *Literatura española siglo* XX, México, Antigua Librería Robredo, 1949[2].
SEBOLD, Russell P., *Trayectoria del Romanticismo español*, Madrid, Taurus, 1983.
SECO SERRANO, Carlos, *Sociedad, literatura y política en la España del siglo XIX*, Madrid, Guadiana, 1973.
SCHULMAN, Ivan A. (ed.), *Nuevos asedios al Modernismo*, Madrid, Taurus, 1987.
SELLERY, George Clarke, *The Renaissance Period. Its Nature and Origins*, Madison, The University of Wisconsin Press, 1950.
SHAW, Donald L., *The Generation of 1898 in Spain*, Nueva York, Barnes & Noble Books, 1975.
SHERR, Paul C., *The Short Story and The Oral Tradition*, San Francisco, Boyd & Fraser Publishing Co., 1970.
SPIRES, Robert C., *Beyond the Metafictional Mode. Directions in the Modern Spanish Novel*, Lexington, The University of Kentucky Press, 1984.
—, *Transparent Simulacra. Spanish Fiction, 1902-1926*, Columbia, University of Missouri Press, 1988.
STALLMAN, Robert W., «Intentions», en *Princeton Encyclopedia of Poetry and Poetics*, Princeton, Princeton University Press, 1965, pp. 398-400.
STEINER, Wendy (ed.), *The Sign in Music and Literature*, Austin, University of Texas Press, 1981.
TABOADA CHIVITE, Xesús, *Ritos y creencias gallegas*, La Coruña, Salvadora, 1982[2].
TATLOCK, Jessie M., *Greek and Roman Mythology*, Nueva York, Appleton-Century-Crofts, 1917.
TELLEZ, Fray Gabriel (Tirso de Molina), *El burlador de Sevilla*, Madrid, Espasa-Calpe, 1970[9], Austral.

TERESA, Santa, *Las moradas* (prólogo y notas de Tomás Navarro Tomás), Madrid, Espasa-Calpe, 1962, Clásicos Castellanos.

THOMAS, Hugh, *La guerra civil española*, vol. 1, Madrid, Urbión, 1979.

TODOROV, Tzvetan, *The Fantastic. A Structural Approach to a Literary Genre* (trad. Richard Howard), Cleveland, The Press of Case Western Reserve, 1973.

—, *The Poetics of Prose* (trad. Richard Howard), Ithaca, Cornell University Press, 1978.

—, *Introduction to Poetics* (trad. Richard Howard), Minneápolis, University of Minnesota Press, 1981.

TORRALBA, Federico, *La mujer. Estudios histórico-filosóficos*, Madrid, Imprenta de P. Gracia y Orga, 1870.

TORRE, Guillermo de, *Vigencia de Rubén Darío y otras páginas*, Madrid, Guadarrama, 1969.

TORRENTE BALLESTER, Gonzalo, *Panorama de la literatura española contemporánea*, Madrid, Guadarrama, 1965[2].

TORTELLA CASARES, Gabriel, MARTÍ y MARTÍ, Casimiro, JOVER ZAMORA, José María, GARCÍA DELGADO, José Luis, y RUIZ GONZÁLEZ, David, *Revolución burguesa, oligarquía y constitucionalismo. Historia de España* (dirigida por Manuel Tuñón de Lara), vol. 8, Barcelona, Labor, 1981[2].

TUÑÓN DE LARA, Manuel, *Medio siglo de cultura española (1885-1936)*, Madrid, Tecnos, 1973[3].

UGARTE, Michael, «Juan Goytisolo's Mirrors: Intertextuality and Self-Reflection in *Reivindicación del Conde Don Julián* and *Juan sin tierra*», *Modern Fiction Studies*, 26 (1980-1982), pp. 613-623.

—, *Trilogy of Treason. An Intertextual Study of Juan Goytisolo*, Columbia, University of Missouri Press, 1982.

UNAMUNO, Miguel de, *Fedra. Teatro Completo* (ed. Manuel García Blanco), Madrid, Aguilar, 1959, pp. 389-464.

VALBUENA PRAT, Ángel, *Historia de la literatura española*, vol. 3, Barcelona, Gustavo Gili, 1960[6].

VALERA, Juan, *Nuevas cartas americanas. Cartas a la Nación en Buenos Aires. Correspondencia. Obras Completas*, vol. III, Madrid, Aguilar, 1958.

VALLEJO, Catharina V. de, «El estado actual de la teoría cuentística en lengua castellana», *Lucanor*, 1, mayo (1988), pp. 47-60.

VILLEGAS, Juan, *La estructura mítica del héroe en la novela del siglo XX*, Barcelona, Planeta, 1978.

VIRGILIO, *Las Geórgicas. The Works of P. Virgilius Maro*, Nueva York, David McKay Company [1952].

VRIES, Ad. de, *Dictionary of Symbols and Imagery*, Amsterdam y Londres, North-Holland Publishing Company, 1974.
WARNER, Marina, *Alone of All Her Sex. The Myth and Cult of the Virgin Mary*, Nueva York, Alfred A. Knopf, 1976.
WELLEK, René, *Concepts of Criticism*, New Haven, Yale University Press, 1963.
—, «What is Symbolism?» en *The Symbolist Movement in the Literature of European Languages*, Budapest, Akadémiai Kiadó, 1982, pp. 17-28.
— y WARREN, Austin, *Theory of Literature*, Nueva York, Harcourt, Brace & World, 1956[3].
WETHERILL, P.M., *The Literary Text: An Examination of Critical Methods*, Berkeley, University of California Press, 1974.
WHEELWRIGHT, Philip, *Metaphor & Reality*, Bloomington, Indiana University Press, 1962.
WIMSATT, W.K., *The Verbal Icon. Studies in the Meaning of Poetry*, Lexington, The University Press of Kentucky, 1954.
ZAVALA, Iris, *Fin de siglo. Modernismo, 98 y bohemia*, Madrid, Cuadernos para el Diálogo, 1974.

D. **Apéndice**

1. *Textos sueltos de Valle-Inclán*

Después de haber terminado este libro, y gracias al descubrimiento bibliográfico realizado por el profesor Luis Iglesias Feijoo en la Biblioteca de la Universidad de Colorado, supe de la existencia, en cuatro revistas americanas, de otras impresiones de varios relatos breves de Valle-Inclán. En general, los textos que se mencionan a continuación no ofrecen variantes, al ser, aparentemente, reimpresiones de versiones que ya han quedado identificadas previamente en este tomo.

«Autobiografía», *Revista Moderna de México* (México), XI (¿1909?), pp. 82-83. [Se tituló originalmente «Juventud militante. Autobiografías. Valle-Inclán».]
«Beatriz», *Ateneo de Honduras* (Tegucigalpa), II, 7, 22 de abril (¿1914?), pp. 202-210.
«Comedia de ensueño», *Revista Moderna de México* (México), VI, 3, mayo (1906), pp. 162-165.
«Ejemplo», *Ateneo de Honduras*, III (¿1916?), pp. 1.275-1.277. [Se tituló originalmente «Un ejemplo».]

«Jardín Umbrío», *Ateneo de Honduras* (Tegucigalpa), II, 20, 22 de mayo (1915), pp. 611-613. [Se tituló originalmente «Milón de la Arnoya».]
«¡Malpocado!», *El Cojo Ilustrado* (Caracas), XX, 466, 16 de mayo (1911), p. 280.
«¡Malpocado!», *Repertorio Americano* (San José, Costa Rica), XIII, 8, 28 de agosto (1926), pp. 127-128.
«Milón de la Arnoya», *El Cojo Ilustrado* (Caracas), XXIV, 557, 1 de mayo (1915), pp. 131-132.
«El misterio», *El Cojo Ilustrado* (Caracas), XV (¿1906?), pp. 483-484. [Se tituló originalmente «Del misterio».]
«La niña Chole», *Ateneo de Honduras* (Tegucigalpa), II, 28, 22 de abril (1916), pp. 865-879.
«Tragedia de ensueño», *El Cojo Ilustrado* (Caracas), XVI (1907), p. 724.
«Tula Varona», *Ateneo de Honduras* (Tegucigalpa), II, 5, 22 de febrero (1914), pp. 138-145.

2. *Crítica sobre Valle-Inclán indebidamente excluida*

«Un libro nuevo», Breve comentario sobre *La lámpara maravillosa*, *Letras*, IV, pp. 152-153.
ALLEGRA, Giovanni, «*La lámpara maravillosa*. Lumbres y vislumbres en la estética de Valle-Inclán», *Ínsula*, 517, enero (1990), pp. 1-2.
CARDONA, R., «El esperpentillo olvidado de Don Ramón del Valle-Inclán», en *Studies in Honor of José Rubia Barcia* (ed. Roberta Johnson y Paul C. Smith), Lincoln, Society of Spanish and Spanish-American Studies, 1982, pp. 39-45.
RIVAS DOMÍNGUEZ, M.ª José, «Valle-Inclán entre el decadente y el nuevo siglo: "Rosarito", de la esperpentización al esperpento», *Letras de Deusto*, 42 (1988), pp. 127-144.

ÍNDICE DE TEXTOS ANALIZADOS
(Incluye títulos de colecciones)

ÍNDICE GENERAL

III. DIVERSOS TEXTOS

ÁMBITOS LITERARIOS/Ensayo

1 José María ÁLVAREZ CRUZ
Elogio de la URSS

2 Esther BARTOLOMÉ PONS
Miguel Delibes y su guerra constante

3 Joaquín GALÁN
Blas de Otero, palabras para un pueblo

4 Julio LÓPEZ
Poesía y realidad en Rafael Morales

5 Víctor POZANCO
García Márquez en «El coronel»

6 A. SÁNCHEZ PASCUAL
Pedro Garfias, vida y obra

7 Santos SANZ VILLANUEVA
Lectura de Juan Goytisolo

8 Varios autores
El curso literario español (1977-1978)

9 Varios autores
Lo que opinamos de Vicente Aleixandre

10 José CAROL
33 viajes alrededor del yo

11 Monique ALONSO (con la colaboración de Antonio Tello)
Antonio Machado. Poeta en el exilio
Prólogo de Carmen Conde

12 Orlando GUILLÉN
Hombres como madrugadas: la poesía de El Salvador

13 José ECHEVERRÍA
Libro de convocaciones. I: Cervantes, Dostoyevski, Nietzsche, A. Machado

14 José FERRATER MORA
Ventana al mundo

15 Gonzalo SANTONJA
Del lápiz rojo al lápiz libre

16 José A. GONZÁLEZ CASANOVA
El cambio inacabable (1975-1985)

17 Shirley MANGINI
Rojos y rebeldes. La cultura de la disidencia durante el franquismo

18 Diego MARTÍNEZ TORRÓN
Estudios de literatura española

19 Joan Ramon RESINA
La búsqueda del Grial

20 Ada SUÁREZ
El género biográfico en la obra de Eugenio d'Ors

21 Blas MATAMORO
Por el camino de Proust

22 José ESTEBAN y Gonzalo SANTONJA
Los novelistas sociales españoles (1928-1936). Antología

23 Francisco Javier DÍEZ DE REVENGA
Poesía de senectud. Guillén, Diego, Aleixandre, Alonso y Alberti en sus mundos poéticos terminales
Premio Ámbito Literario de Ensayo 1988

24 Marta ALTISENT
La narrativa breve de Gabriel Miró

25 Antonio A. GÓMEZ YEBRA
El niño pícaro-literario de los siglos de oro

26 Joaquín CALOMARDE
Juan Gil-Albert, imagen de un gesto

27 Gilbert AZAM
El modernismo desde dentro

28 Carlos PARÍS
Unamuno. Estructura de su mundo intelectual

29 Gonzalo SANTONJA
La República de los libros. El nuevo libro popular de la II República
Premio ensayo «Ciudad de Segovia»

30 Cristóbal CUEVAS GARCÍA (Dir.)
José Moreno Villa en el contexto del 27
Congreso de Literatura Española Contemporánea

31 José A. GONZÁLEZ CASANOVA
Con el paso del tiempo. Del sentimiento al sentido

32 Joan Ramon RESINA
Un sueño de piedra. Ensayos sobre la literatura del modernismo europeo

33 Carmen BECERRA
Guardo la voz, cedo la palabra. Conversaciones con Gonzalo Torrente Ballester

ÁMBITOS LITERARIOS/Narrativa

1 José Luis ABELLÁN
Historias de posguerra

2 Carlos CAMPOS
Del juego al infinito

3 José CAROL
Y los hombres izaron un arco iris

5 José CAROL
El fuego de la vida

6 Camilo José CELA
Santa Balbina, 37. Gas en cada piso

7 Antonio IGLESIAS GÓMEZ
El Airín

8 Cristina LACASA
Jinetes sin caballo

9 Rafael LORENTE
Allá en la India

10 Simeón MARTÍN RUBIO
Pintan bastos

11 Marina MAYORAL
Cándida otra vez

12 Pedro PASTOR
El último romántico

13 Juan José RUIZ-RICO
Inmutator mirabilis

14 Rafael SOLER
El grito

15 José JIMÉNEZ LOZANO
Duelo en la Casa Grande

16 Leandro GAY
Retórica sobre los círculos radiantes
Premio Ámbito Literario de Narrativa 1983

17 Roberto BOLAÑO y Antoni GARCÍA PORTA
Consejos de un discípulo de Morrison a un fanático de Joyce
Premio Ámbito Literario de Narrativa 1984

18 Linus FONTRODONA
Máscaras de cobre martillado

19 José JIMÉNEZ LOZANO
Parábolas y circunloquios de Rabí Isaac Ben Yehuda (1325-1402)
Edición con Ilustraciones de Marc Chagall. Formato: 16,2 x 23 cm

20 Félix GRANDE
Lugar siniestro este mundo, caballeros

21 Fernando del CASTILLO DURÁN
Lepsis
Premio Ámbito Literario de Narrativa 1985

22 José ARANDA AZNAR
El que habita el infierno

23 José Luis ABELLÁN
París o El mundo es un palacio

24 Pablo SOROZÁBAL
La última palabra
Premio «Pío Baroja» 1986

25 Giannina BRASCHI
El imperio de los sueños
Postfacio de F.J. Ramos

26 José JIMÉNEZ LOZANO
El grano de maíz rojo
Reimpresión. *Premio Nacional de la Crítica de Narrativa en Lengua Castellana 1989*

27 Juan J. ALBERTI
«Petra, la mulata» y otros cuentos
Premio Ámbito Literario de Narrativa 1988

28 Carlos PARÍS
La máquina speculatrix. Cuatro sarcasmos sobre nuestro mundo

29 José JIMÉNEZ LOZANO
Sara de Ur
Premio Nacional de la Crítica 1989 de Narrativa
Premio de las Letras de Castilla y León

30 Dimas MAS
Poliantea
Premio Editorial Anthropos de Narrativa 1989

31 Lorenzo MARTÍN DEL BURGO
El sueño del psicoanalista

32 Javier VILLÁN
Versión de lo imposible